W CIEMNYM ZWIERCIADLE

JOSEPH SHERIDAN LE FANU

W CIEMNYM ZWIERCIADLE

Przełożyła
Mira Czarnecka

Tytuł oryginału
In a Glass Darkly

Ilustracja na okładce
Maciej Szajkowski

Redaktor
Bogusław Jusiak

Wydanie I w tej edycji

ISBN 978-83-7785-184-5

Zysk i S-ka Wydawnictwo
ul. Wielka 10, 61-774 Poznań
tel. 61 853 27 51, 61 853 27 67, fax 61 852 63 26
Dział handlowy, tel./fax 61 855 06 90
sklep@zysk.com.pl
www.zysk.com.pl

ZIELONA HERBATA

PROLOG

Martin Hesselius, niemiecki doktor

Mimo że odebrałem staranne wykształcenie w zakresie medycyny i chirurgii, nigdy ich nie praktykowałem. Studiowanie obydwu pozostaje jednak niezmiennie w sferze moich najgłębszych zainteresowań. Nie lenistwo wszakże ani kaprys były powodem zarzucenia tego niezwykle szacownego powołania, na drogę którego zaledwie zdołałem wstąpić. Bezpośrednią przyczyną stało się niewinne zadraśnięcie nożem do autopsji. Ta drobnostka kosztowała mnie utratę dwóch palców, amputowanych niezwłocznie, i jeszcze bardziej bolesną utratę zdrowia, ponieważ od tamtej pory nigdy nie odzyskałem pełni sił, i nieczęsto zdarzało się, abym w jednym miejscu zabawił dłużej niż dwanaście miesięcy.

W trakcie moich wędrówek zawarłem znajomość z doktorem Martinem Hesseliusem, wędrowcem jak ja, jak ja doktorem medycyny i jak ja entuzjastą profesji. Różnił się ode mnie tym, że jego wędrówki były całkowicie dobrowolne, a on sam był człowiekiem, jeśli nie majętnym, jak pojmujemy majętność w Anglii, to z pewnością na tyle dobrze sytuowanym, że

starczało mu na „swobodne" życie, jak zwykli mówić nasi przodkowie. Był starszym człowiekiem, gdy go poznałem. Różnica wieku pomiędzy nami wynosiła trzydzieści pięć lat.

Doktor Martin Hesselius został moim mistrzem. Jego wiedza była rozległa, choroby rozpoznawał intuicyjnie. Jak nikt potrafił rozniecić u młodego entuzjasty podziw i zachwyt. Moje uwielbienie wytrzymało próbę czasu i pokonało śmierć. Jestem pewien, że uczyłem się od mistrza.

Przez blisko dwadzieścia lat pełniłem obowiązki jego medycznego sekretarza. Pozostawił mi swój ogromny zbiór notatek, z zadaniem ich uporządkowania, skatalogowania i oprawienia. Terapia zastosowana w niektórych z tych przypadków jest zadziwiająca. Pisząc, mistrz przyjmuje dwie różne role. Opisuje to, co zobaczył i usłyszał, jak inteligentny laik, i gdy — cały czas stosując tę konwencję — prowadzi pacjenta bądź to przez drzwi własnego domu na światło dnia, bądź to przez bramy ciemności do otchłani piekła, wraca, by dokończyć narrację i posługując się terminologią swej sztuki, z całą siłą i oryginalnością geniuszu podejmuje się zadań analizy, diagnozy oraz ilustracji.

Od czasu do czasu znajduję przypadek, który w mojej ocenie może zainteresować jakiegoś laika i rozbawić go lub przerazić, w sposób zupełnie inny od tego szczególnego, w jaki mógłby się jawić ekspertowi. Z drobnymi modyfikacjami, głównie języka,

i oczywiście zmieniając nazwiska, spisuję oto następującą historię. Narratorem jest doktor Martin Hesselius. Znajduję ją pośród niezliczonych zapisków sporządzonych w czasie jego podróży po Anglii, około sześćdziesiąt cztery lata temu.

Historia ta zapisana została w serii listów, wysłanych do przyjaciela doktora Hesseliusa, profesora Van Loo z Lejdy. Profesor nie był doktorem medycyny, lecz chemikiem i człowiekiem o szerokiej wiedzy z historii, metafizyki i medycyny. Napisał też swego czasu sztukę.

Historia ta, nawet jeśli nieco mniej wartościowa jako traktat medyczny, opisana jest w sposób, który zapewne bardziej zainteresuje nieposiadającego specjalistycznej wiedzy czytelnika.

Listy te, jak wynika z załączonego memorandum, zostały najwyraźniej zwrócone po śmierci profesora w 1819 roku doktorowi Hesseliusowi. Część z nich napisana została w języku angielskim, część po francusku, ale większość po niemiecku. Przetłumaczyłem je wiernie, chociaż zdaję sobie sprawę, że mogło zabraknąć mi kunsztu, i mimo że tu i tam pominąłem pojedyncze fragmenty, a niektóre skróciłem, i zmieniłem dla niepoznaki nazwiska, niczego nie dodałem.

1

Doktor Hesselius opisuje, jak poznał wielebnego Jenningsa

Wielebny Jennings jest wysoki i szczupły. To mężczyzna w średnim wieku i nosi się elegancko, ze staromodną pedanterią typową dla Kościoła anglikańskiego. Ma dostojny wygląd, ale wcale nie robi wrażenia sztywnego. Jego rysy, mimo że nie czynią go przystojnym, są regularne, a na jego twarzy gości wyraz niezwykłej serdeczności, z odrobiną nieśmiałości.

Poznałem go pewnego wieczoru u lady Mary Heyduke. Skromność i dobroć, jakie malują się na jego twarzy, są wyjątkowo ujmujące.

Stanowiliśmy nieliczną gromadkę, a on w całkiem miły sposób zabierał głos w dyskusji. Zdaje się, że słuchanie sprawia mu zdecydowanie większą przyjemność niż udział w rozmowie, ale to, co mówi, jest zawsze na temat i trafnie ujęte. Jest ulubieńcem lady Mary, która najwyraźniej zasięga jego opinii w wielu sprawach i uważa go za największego szczęściarza na ziemi. Jakże niewiele o nim wie.

Wielebny Jennings jest kawalerem i posiada ponoć sześćdziesiąt tysięcy funtów w papierach rządowych. Wspiera ubogich. Gorąco pragnie oddać się z całą energią swemu błogosławionemu powołaniu, a mimo to, chociaż zawsze ma się całkiem dobrze

w każdym innym miejscu, gdy wyjeżdża do swojej parafii w Warwickshire, aby wypełniać święte obowiązki, zdrowie szybko go opuszcza, i to w dziwny sposób. Tak mówi lady Mary.

Nie ma wątpliwości, że zdrowie pana Jenningsa istotnie załamuje się w nagły i dziwny sposób, czasami dokładnie w chwili sprawowania posługi w jego starym i urokliwym kościółku w Kenlis. Może to serce, może to umysł. Zdarzyło się jednak trzy albo cztery razy, a może więcej, że w trakcie nabożeństwa nagle przerywał wszystko i po chwili ciszy, najwyraźniej nie będąc w stanie kontynuować, pogrążał się w samotnej, niemej modlitwie, z dłońmi i wzrokiem wzniesionymi ku górze, a potem biały jak płótno, w gorączce wstydu czy przerażenia, wycofywał się rozdygotany do zakrystii, zostawiając kongregację bez słowa wyjaśnienia. Zdarzyło się to pod nieobecność wikariusza. Wyjeżdżając do Kenlis obecnie, zawsze zaprasza innego duchownego, by dzielił z nim obowiązki i mógł go natychmiast zastąpić, na wypadek gdyby powtórzyła się ta nagła niedyspozycja.

Gdy pan Jennings zupełnie się załamuje, ucieka z parafii i wraca do Londynu, gdzie na mrocznej ulicy nieopodal Piccadilly posiada jeden z tych wąskich domów, lady Mary twierdzi, że zawsze czuje się najzupełniej dobrze. Mam na ten temat własne zdanie. Wszystko jest oczywiście kwestią skali. Przekonamy się.

Pan Jennings jest w każdym calu dżentelmenem. Ludzie jednak zauważają w nim coś dziwnego. Coś trudnego do zinterpretowania. Myślę, że jednej rzeczy, która z pewnością ma na to wpływ, ludzie nie pamiętają albo może nie do końca są w stanie ją zaobserwować. Ja jednak ją zaobserwowałem, i to natychmiast. Pan Jennings ma zwyczaj spoglądać bokiem na dywan, jakby wzrokiem śledził ruchy czegoś, co się tam znajduje. Oczywiście nie dzieje się tak zawsze. Zdarza się to jedynie od czasu do czasu. Ale na tyle często, aby nadać jego stylowi bycia pewnej odmienności, jak wspominałem, a w tym wzroku przesuwającym się po podłodze jest coś jednocześnie nieśmiałego i trwożliwego.

Filozof medycyny, jak łaskawi jesteście mnie nazywać, formułujący teorie na podstawie samodzielnie wyszukanych przypadków i samodzielnie przez niego zaobserwowanych oraz przebadanych, dysponujący większą ilością czasu, a w konsekwencji będący w stanie zbadać te przypadki z nieskończenie większą szczegółowością, niż może sobie na to pozwolić zwykły praktyk, popada nieświadomie w nawyk obserwacji, który towarzyszy mu wszędzie i który impertynencko, jak powiedzieliby niektórzy ludzie, czyni swym obiektem każdy napotkany temat, nawet nierokujący szczególnie pomyślnie.

Ten drobny, nieśmiały i uprzejmy, ale jednocześnie stroniący od towarzystwa dżentelmen, którego poznałem owego miłego wieczoru, zdawał się kryć

w sobie taką obietnicę. Zaobserwowałem oczywiście więcej, niż tutaj opisuję; wszystko jednak, co ociera się o kwestie techniczne, rezerwuję dla ściśle naukowego artykułu.

Chciałbym nadmienić, że mówiąc o naukach medycznych, rozumiem je bardziej ogólnie, jak — mam nadzieję — będą kiedyś pojmowane; w dużo bardziej wszechstronny sposób, niż uzasadniałoby to ich zazwyczaj materialne traktowanie. Jestem przekonany, że cały świat przyrody jest jedynie ostatecznym wyrażeniem świata duchowego, z którego w całości bierze się życie i wyłącznie w którym się toczy. Jestem przekonany, że istotą człowieka jest jego duch, że duch jest zorganizowaną substancją, ale tak różną w kwestii materii od tego, co zwyczajowo rozumiemy jako formę materialną, jak światło różne jest od elektryczności, że nasze ciało fizyczne, w najbardziej dosłownym sensie, jest szatą, a śmierć w konsekwencji nie jest przerwaniem egzystencji żyjącego człowieka, a jedynie wydobyciem go z jego naturalnego ciała — procesem, który zaczyna się w chwili, którą określamy śmiercią, a którego zakończeniem jest, najpóźniej po kilku dniach, wskrzeszenie w „mocy".

Osoba, która rozważy konsekwencje tych postulatów, zauważy z pewnością praktyczne ich konsekwencje dla nauk medycznych. Nie jest to jednak pod żadnym względem odpowiednie miejsce na przedstawianie dowodów i omawianie skutków tego nazbyt powszechnie nieakceptowanego stanu rzeczy.

Jak mam w zwyczaju, obserwowałem ukradkiem pana Jenningsa — mimo mojej najwyższej ostrożności wydaje mi się, że to zauważył — i widziałem wyraźnie, że i on przyglądał mi się z uwagą. Gdy lady Mary zwróciła się do mnie po nazwisku, tytułując mnie doktorem Hesseliusem, zauważyłem, że mężczyzna spojrzał w moją stronę gwałtownie, a potem zamyślił się na kilka minut.

Później, gdy rozmawiałem z dżentelmenem w przeciwległej części pokoju, zauważyłem, że pan Jennings obserwuje mnie bacznie i z zaciekawieniem, które wydawało mi się zrozumiałe. Potem widziałem, jak skorzystał on ze sposobności rozmowy z lady Mary, i wiedziałem doskonale, jak to zazwyczaj bywa, że jestem tematem toczącej się w oddali wymiany pytań i odpowiedzi.

Ten wysokiego wzrostu duchowny znalazł się w końcu obok mnie i po jakimś czasie rozpoczęliśmy rozmowę. Gdy dwoje ludzi, którzy lubią czytać i znają książki oraz miejsca, do których podróżowali, pragnie porozmawiać, byłoby bardzo dziwne, gdyby nie umieli znaleźć wspólnych tematów. To nie przypadek przywiódł go do mnie i zachęcił do rozmowy. Znał niemiecki i czytał moje *Eseje o medycynie metafizycznej*, które sugerują więcej, niż w istocie mówią.

Ten uprzejmy mężczyzna — delikatny, nieśmiały, miłujący refleksję i lekturę, który poruszając się i rozmawiając z nami, do końca do nas nie należał i którego już podejrzewałem o to, że wiedzie życie,

którego zdarzenia i niepokoje są skrzętnie ukrywane z nieprzeniknioną rezerwą, nie tylko przed światem, ale przed najbliższymi przyjaciółmi — ostrożnie rozważał w swym sercu pomysł, czy aby nie zdobyć się na pewien krok w stosunku do mnie.

Badałem ukradkiem jego myśli i dokładałem starań, żeby nie powiedzieć niczego, co — zważywszy na jego czujną postawę — mogłoby zdradzić moje podejrzenia odnośnie do jego sytuacji bądź moje przypuszczenia odnośnie do jego planów względem mnie.

Gawędziliśmy przez jakiś czas na niezobowiązujące tematy, aż w końcu powiedział:

— Zainteresowało mnie bardzo kilka pana artykułów, doktorze, o — jak pan to określa — medycynie metafizycznej. Przeczytałem je po niemiecku, dziesięć albo dwanaście lat temu. Czy zostały przetłumaczone?

— Nie, jestem pewien, że nie. Wiedziałbym o tym. Poproszono by mnie o zgodę, przypuszczam.

— Zwróciłem się kilka miesięcy temu z prośbą do tutejszych wydawców, aby zdobyli dla mnie tę książkę w oryginale, po niemiecku, ale mówią, że nakład został wyczerpany.

— O tak, już kilka lat temu, ale pochlebia mi jako autorowi, że pamięta pan moją książeczkę — dodałem, śmiejąc się. — Dziesięć albo dwanaście lat to dość długo, żeby dać sobie radę bez niej, ale przypuszczam, że snuł pan rozważania na ten temat albo coś wydarzyło się ostatnio, co na nowo rozbudziło pana zainteresowanie tą pozycją.

Po tej uwadze pan Jennings spojrzał na mnie badawczo, a potem wydał się nagle zawstydzony, niczym młoda dama, która rumieni się niespodziewanie i wygląda niezręcznie. Spuścił wzrok i złożył z zażenowaniem dłonie; przez chwilę wyglądał dziwnie, można by pomyśleć, jakby czuł się winny.

Wybawiłem go z tej niezręcznej sytuacji, najlepiej jak potrafiłem, udając, że nic nie zauważyłem, a kontynuując, stwierdziłem:

— Takie ponowne zainteresowanie tematem często mi się zdarza, jedna książka prowadzi do drugiej i często inspiruje poszukiwania, które trwają dwadzieścia lat. Ale jeśli nadal jest pan zainteresowany posiadaniem egzemplarza mojej książki, to z przyjemnością go dostarczę. Nadal mam jeden lub dwa, i jeśli pozwoli mi pan go sobie podarować, będzie to dla mnie zaszczyt.

— Jest pan bardzo wspaniałomyślny — odparł, w jednej chwili odzyskując pewność siebie — już nieomal straciłem nadzieję. Nie wiem, jak panu dziękować.

— Ależ proszę nawet nie dziękować. Ta książka ma tak znikomą wartość, że aż mi wstyd, że ją zaoferowałem, i jeśli będzie pan mi nadal dziękował, to wrzucę ją do ognia w geście skromności.

Pan Jennings się roześmiał. Zapytał, gdzie zatrzymałem się w Londynie, i po chwili rozmowy na różne tematy pożegnał się.

2

Doktor zadaje pytania lady Mary, a ona odpowiada

— Tak bardzo polubiłem pani wikarego, lady Mary — stwierdziłem, gdy tylko wyszedł. — Czytał, podróżował i filozofował, a ponieważ cierpiał przy tym, powinien być wspaniałym towarzyszem.

— Właśnie taki jest, a jakby tego nie było dosyć, to naprawdę dobry człowiek — odparła. — Jego rady są wprost nieocenione w sprawie moich szkół i wszystkich moich małych przedsięwzięć w Dawlbridge, a on tak bardzo się stara i zadaje sobie tak wiele trudu — nie ma pan pojęcia — gdy tylko pomyśli, że mógłby się przydać. Jest taki dobroduszny i taki rozsądny.

— Miło słyszeć tak pochlebną ocenę jego sąsiedzkich cnót. Mogę jedynie zaświadczyć, że jest miłym i dystyngowanym towarzyszem, a w uzupełnieniu tego, co mi pani powiedziała, myślę, że i ja mógłbym powiedzieć o nim co nieco.

— Naprawdę?

— Tak, na początek: nie jest żonaty.

— Zgadza się. Proszę kontynuować.

— Pisze o czymś, to znaczy, pisał, ale od dwóch czy trzech lat nie posunął się ze swoją pracą, a książka była na jakiś abstrakcyjny temat… może dotyczyła teologii.

— Cóż, pisał książkę, jak pan twierdzi. Nie jestem pewna, czego dotyczyła, wiem jedynie, że nie było to nic, co by mnie interesowało. Bardzo możliwe, że ma pan rację i z pewnością zarzucił tę pracę — tak.

— I mimo że wypił tutaj dzisiaj wieczorem jedynie odrobinę kawy, lubi herbatę, przynajmniej lubił ją, w dużych ilościach.

— To prawda.

— Pił zieloną herbatę, sporo, prawda? — kontynuowałem.

— No cóż, to naprawdę dziwne! Zielona herbata była kwestią, o którą nieomal się kłóciliśmy.

— Ale zrezygnował z niej prawie całkowicie — dodałem.

— Rzeczywiście.

— A teraz jeszcze jeden fakt. Jego matka albo jego ojciec, czy znała ich pani?

— Tak, obydwoje. Jego ojciec nie żyje zaledwie od dziesięciu lat, a mieszkali w pobliżu Dawlbridge. Znaliśmy ich bardzo dobrze — dodała.

— Cóż, albo jego matka, albo ojciec... wydaje mi się, że raczej ojciec... widział ducha — dodałem.

— No cóż, jest pan prawdziwym jasnowidzem, doktorze.

— Jasnowidz czy nie, mam rację? — rzuciłem wesoło.

— Z pewnością ją pan ma, a chodziło o jego ojca. Był milczącym i kapryśnym człowiekiem. Zanudzał mojego ojca swoimi snami, aż w końcu opowiedział

mu historię o duchu, którego zobaczył i z którym rozmawiał, a była to bardzo dziwna historia. Pamiętam to dokładnie, ponieważ bardzo się go bałam. Ta historia przytrafiła się na długo przed jego śmiercią — gdy byłam jeszcze małym dzieckiem — a on był taki cichy i melancholijny i miał zwyczaj wpadać do nas czasem, o zmierzchu, gdy byłam sama w salonie i lubiłam wyobrażać sobie, że widzę towarzyszące mu duchy.

Uśmiechnąłem się i pokiwałem głową.

— A teraz, skoro już udowodniłem, że jestem jasnowidzem, sądzę, że muszę się pożegnać — powiedziałem.

— Ale jak udało się panu tego dowiedzieć?

— Z układu gwiazd, oczywiście, tak jak to robią Cyganie — odparłem i tak, w wesołych nastrojach, się pożegnaliśmy.

Następnego dnia rano posłałem do pana Jenningsa książkę, o którą pytał, z liścikiem, a po powrocie późnym wieczorem do domu dowiedziałem się, że złożył mi wizytę i zostawił bilecik. Pytał, czy jestem w domu i o jakiej porze najłatwiej mnie zastać.

Czy zamierza przedstawić mi swój przypadek i poprosić mnie o „profesjonalne" konsultacje? Mam taką nadzieję. Sformułowałem już nawet o nim teorię. Potwierdzają ją odpowiedzi lady Mary na pytania, które zadałem przed pożegnaniem. Chciałbym się dowiedzieć więcej z jego ust. Ale co mogę zrobić, w granicach dobrego wychowania, aby zachęcić go

do zwierzeń? Nic. Przypuszczam, że on się nad tym zastanawia. W każdym razie, mój drogi Van Loo, nie zamierzam być niedostępny; zamierzam odwzajemnić jutro jego wizytę. Dobre wychowanie nakazuje wręcz złożyć mu wizytę i odwzajemnić jego uprzejmość. Może coś z tego wyniknie. Czy coś konkretnego, niewiele czy nic, mój drogi Van Loo, wkrótce się dowiesz.

3

Doktor Hesselius znajduje coś w łacińskich księgach

Cóż, złożyłem wizytę na Bolton Street.

Gdy zapukałem do drzwi, dowiedziałem się od służącego, że pan Jennings pochłonięty jest omawianiem pewnych szczególnych spraw z duchownym z Kenlis, jego parafii na wsi. Zamierzając skorzystać z mego przywileju i złożyć kolejną wizytę, nadmieniłem jedynie, że spróbuję szczęścia innym razem, i odwracałem się już, żeby odejść, gdy służący poprosił mnie o wybaczenie i przyglądając mi się odrobinę bardziej uważnie, niż czynią to dobrze ułożone osoby jego stanu, zapytał mnie, czy nie jestem doktorem Hesseliusem. Gdy upewnił się, że to ja, dodał:

— W takim razie, sir, proszę pozwolić, że dam znać mojemu panu, ponieważ jestem pewien, że chce się z panem zobaczyć.

Służący wrócił po chwili z wiadomością od pana Jenningsa, w której ten prosił, abym rozgościł się w pracowni, która była w istocie salonem na tyłach domu, i obiecywał, że dołączy do mnie za kilka minut.

To była rzeczywiście pracownia — nieomal biblioteka. Pokój był wysoki, z dwoma wysokimi smukłymi oknami i grubymi ciemnymi zasłonami. Był dużo większy, niż oczekiwałem, a na każdej ścianie, od podłogi po sufit, był wypełniony książkami. Wierzchni dywan — wydawało mi się bowiem, że wyczuwam pod stopą dwa albo trzy dywany — był turecki. Kroczyłem po nim bezszelestnie. Sposób, w jaki ustawione były biblioteczki, sprawiał, że okna, szczególnie te wąskie, zdawały się umieszczone w głębokich wnękach. Mimo że pokój był niezwykle komfortowy, a nawet luksusowy, sprawiał wrażenie zdecydowanie posępnego, a panująca w nim cisza potęgowała to złowieszcze wrażenie. Być może powinienem część tego wrażenia przypisać sile sugestii. Mój umysł jednak przypisał pewne szczególne idee panu Jenningsowi. Wszedłem do tego idealnie głuchego pokoju w bardzo cichym domu ze szczególnym, złym przeczuciem, a jego mrok i dostojna oprawa książek — bo z wyjątkiem miejsca, gdzie w ścianie osadzone były dwa wysokie lustra, znajdowały się one wszędzie — spotęgowały te ponure uczucia.

Oczekując na przybycie pana Jenningsa, zabawiałem się, zaglądając do kilku spośród licznych książek, pod którymi uginały się półki biblioteki. Nie pośród nich, ale tuż pod nimi natknąłem się na leżący na podłodze, odwrócony tylną okładką do góry, komplet dzieł Swedenborga, *Arcana Caelestia**, w oryginale. Było to

---

* *Arcana Caelestia* (łac.) — ang. *Heavenly Mysteries* (*Niebiańskie tajemnice*) [przyp. tłum.].

ekskluzywne wydanie, w formacie folio, oprawione elegancko — jak przystoi teologii — w prawdziwy welwet, ze złotymi literami i purpurowym brzegiem. W kilku tomach znajdowały się papierowe zakładki. Wziąłem je do ręki i położyłem jeden na drugim na stole, i otwierając je w miejscu, gdzie znajdowały się zakładki, odczytałem w dostojnym łacińskim stylu serię zdań zapisanych ołówkiem na marginesie. Cytuję tutaj niektóre z nich, w tłumaczeniu na angielski.

> Gdy otwarte zostanie wewnętrzne oko człowieka, to znaczy okno jego duszy, wtedy zaczynają pojawiać się rzeczy z innego świata, które w żaden sposób nie mogą być widoczne dla ludzkiego wzroku...
>
> Przez to wewnętrzne oko było mi dane widzieć rzeczy, które istnieją w tym drugim świecie, bardziej wyraźnie, niż widzę te, które są na tym świecie. Z powyższych rozważań wynika, że zewnętrzne widzenie bierze się z widzenia wewnętrznego, a to z kolei z jeszcze bardziej wewnętrznego, i tak dalej...
>
> Każdy człowiek posiada przynajmniej dwa złe duchy...
>
> U złych duchów występuje także płynna wymowa, ale ostra i zgrzytliwa. Występuje również pośród nich wymowa, która nie jest płynna, w której propagowanie myśli postrzegane jest jak coś sekretnie skradającego się razem z nią.

Złe duchy towarzyszące człowiekowi pochodzą w istocie z piekieł, ale towarzysząc człowiekowi, nie znajdują się w piekle, lecz są stamtąd przywoływane. Miejsce, w którym wtedy przebywają, znajduje się pomiędzy niebem i piekłem i zwane jest miejscem duchów — gdy złe duchy towarzyszące człowiekowi działają na tym świecie, nie cierpią żadnych piekielnych tortur, ale są obecne w każdej myśli i uczuciu człowieka, a zatem we wszystkim, co sprawia człowiekowi przyjemność. Gdy jednak odesłane zostają do piekła, powracają do poprzedniego stanu...

Gdyby złe duchy mogły dostrzec, że towarzyszą człowiekowi, a mimo to są duchami odrębnymi w stosunku do niego, i gdyby mogły przeniknąć do materii jego ciała, usiłowałyby za wszelką cenę go zniszczyć, ponieważ nienawidzą człowieka z całą śmiertelną nienawiścią...

Wiedząc zatem, że jestem człowiekiem z ciała, nieustannie usiłowały mnie zniszczyć, nie jedynie w odniesieniu do ciała, ale szczególnie w odniesieniu do duszy, albowiem zniszczenie człowieka lub jego ciała jest największą rozkoszą życia wszystkich, którzy przebywają w piekle, ja jednak byłem nieustannie chroniony przez Boga. Stąd widać, jak niebezpieczne jest dla człowieka pozostawanie w relacjach ze złymi duchami, chyba że jego wiara jest silna...

Nie ma tajemnicy pilniej strzeżonej przed towarzyszącymi duchami niż to, że współegzystują z człowiekiem, bo gdyby o tym wiedziały, przemówiłyby do niego, aby go zgubić…

Długi komentarz, zapisany bardzo ostrym i cienkim ołówkiem, starannym pismem pana Jenningsa na dole strony, przykuł mój wzrok. Spodziewając się jego krytyki na temat tekstu, przeczytałem słowo lub dwa i zatrzymałem się, bo było to coś zupełnie innego i zaczynało się od słów *Deus misereatur mei* — „Niech Bóg ulituje się nade mną". Ostrzeżony w ten sposób o jego prywatnym charakterze, odwróciłem wzrok i zamknąłem książkę, odkładając wszystkie tomy, tak jak je zastałem, z wyjątkiem jednego, który mnie zainteresował i który — jak zdarza się osobom o naukowych i samotniczych przyzwyczajeniach — tak mnie pochłonął, że zupełnie zapomniałem o całym świecie i o tym, gdzie jestem.

Przeglądałem strony, które mówiły o „reprezentantach" i „korespondentach", używając technicznego języka Swedenborga, i dotarłem do fragmentu, którego wymowa była taka, że złe duchy, widziane oczami innych niż ich piekielni współtowarzysze, jawią się przez „korespondencję" pod postacią bestii (*fera*), która uosabia ich szczególne pożądanie i życie w straszny i odrażający sposób. To długi fragment i wyszczególnia kilka takich wcieleń bestii.

4

Dwie pary oczu czytały ten fragment

Wodziłem ołówkiem po linijce, czytając ją, gdy coś sprawiło, że podniosłem wzrok.

Tuż przede mną znajdowało się jedno z luster, o których wspominałem, ujrzałem w nim odbicie wysokiej sylwetki mojego przyjaciela, pana Jenningsa, pochylającego się nad moim ramieniem i czytającego stronę, która mnie zajmowała — jego twarz przy tym była tak pochmurna i dzika, że ledwie byłem go w stanie rozpoznać.

Odwróciłem się i wyprostowałem. On również się wyprostował i siląc się na śmiech, powiedział:

— Wszedłem i zapytałem, jak się pan ma, ale nie udało mi się oderwać pana od książki, więc nie mogłem powstrzymać ciekawości i dość niegrzecznie, obawiam się, zajrzałem panu przez ramię. Nie pierwszy raz czyta pan te strony. Zaglądał pan do Swedenborga bez wątpienia wiele lat temu.

— Och tak, oczywiście! Zawdzięczam Swedenborgowi bardzo dużo. Odnajdzie pan jego wpływ w tej małej książeczce o medycynie metafizycznej, którą był pan łaskaw wspomnieć.

Mimo że mój przyjaciel silił się na wesołe zachowanie, jego twarz była lekko zarumieniona i widziałem, że wewnątrz jest dość poruszony.

— Nie jestem jeszcze autorytetem, tak niewiele wiem o Swedenborgu. Mam je zaledwie od dwóch tygodni — odparł — i uważam, że są w stanie wprawić samotnego człowieka w nerwowy stan... to znaczy, sądząc po tym, a było tego niewiele, co do tej pory przeczytałem. Mam nadzieję, że dostał pan mój liścik?

Złożyłem wszelkie stosowne w tym miejscu podziękowania, podkreślając brak zasług.

— Nie czytałem jeszcze książki, z którą zgadzałbym się tak bardzo, jak z książką pana — kontynuował. — Od razu zauważyłem, że ma ona do zaoferowania o wiele więcej, niż widać na pierwszy rzut oka. Czy zna pan doktora Harleya? — zapytał, raczej niespodziewanie.

[Tytułem komentarza, wydawca zaznacza, że lekarz medycyny o którym mowa, był jednym z najbardziej wybitnych przedstawicieli swojego fachu, którzy praktykowali w Anglii].

— Znałem go, ponieważ wymienialiśmy listy, i doświadczyłem z jego strony ogromnej uprzejmości i znacznej pomocy podczas mojej wizyty w Anglii.

— Uważam, że człowiek ten jest jednym z największych głupców, jakich kiedykolwiek spotkałem — stwierdził pan Jennings.

Po raz pierwszy słyszałem, żeby wyrażał się tak surowo o kimkolwiek, i takie określenie w odniesieniu do tak cenionego nazwiska trochę mnie zaskoczyło.

— Naprawdę! A w jakim sensie? — zapytałem.

— Jeśli chodzi o jego profesję — wyjaśnił.

Uśmiechnąłem się.

— Chodzi o to — odparł — iż wydaje mi się on w połowie ślepy. Rzecz w tym, że połowa wszystkiego, czemu się przygląda, jest czarna, cała reszta natomiast nadnaturalnie jasna i wyrazista; a najgorsze, że wydaje się on ulegać zmiennym nastrojom. Nie mogę go zrozumieć... to znaczy, on na to nie pozwala. Miałem z nim do czynienia jako lekarzem medycyny, ale mam o nim zdanie w tym względzie, że nie jest niczym więcej jak paralitycznym umysłem, intelektem na wpół obumarłym. Opowiem panu... wiem, że kiedyś tak się stanie... o tym wszystkim — dodał lekko zdenerwowany. — Zostaje pan przez kilka miesięcy w Anglii. Gdybym wyjechał z miasta na jakiś czas, dopóki pan tu jest, czy pozwoli pan, że przeszkodzę panu listem?

— Sprawi mi to przyjemność — zapewniłem go.

— To bardzo miło z pana strony. Tak bardzo jestem rozczarowany Harleyem.

— Skłania się odrobinę w stronę szkoły materialistycznej — zauważyłem.

— Jest niczym więcej jak materialistą — poprawił mnie. — Nawet sobie pan nie wyobraża, jak taka rzecz martwi tych, którzy wiedzą lepiej. Nie powie pan nikomu... nikomu z moich przyjaciół, których pan zna... że się boję; widzi pan, nikt o tym nie wie... nawet lady Mary... że radziłem się doktora Harleya

albo jakiegoś innego lekarza. Więc proszę o tym nie wspominać. I gdyby groził mi jakiś atak, będzie pan tak miły i pozwoli mi napisać, albo gdybym był akurat w mieście, spotkać się na krótką rozmowę.

Byłem pełen podejrzeń i zdałem sobie sprawę, że nieświadomie zacząłem mu się bacznie przyglądać, ponieważ on opuścił na chwilę wzrok i dodał:

— Widzę, że myśli pan, iż nic nie stoi na przeszkodzie, abym panu powiedział, w przeciwnym razie zacznie pan snuć domysły, ale pana wysiłki są daremne. Gdyby zgadywał pan przez resztę życia, nigdy by się pan nie domyślił.

Potrząsnął głową z uśmiechem, lecz ten nikły promyk radości natychmiast przesłoniła gradowa chmura, a on wciągnął przez zęby powietrze gwałtownie, jak to czynią cierpiący ból.

— Przykro mi oczywiście dowiedzieć się, że przewiduje pan potrzebę skonsultowania się z którymkolwiek z nas, ale może zasięgnąć pan mojej opinii o dowolnej porze i w dowolny sposób. I nie muszę zapewniać, że pana zaufanie jest dla mnie święte.

Mówił potem jeszcze o kilku innych sprawach i w stosunkowo pogodny sposób, a wkrótce potem pożegnałem się.

5

Doktor Hesselius zostaje wezwany do Richmond

Rozstaliśmy się wesoło, lecz ani on, ani ja nie byliśmy weseli. Na tym potężnym zwierciadle duszy — ludzkiej twarzy — malują się czasami uczucia, które, mimo że często je widywałem i mam hart ducha właściwy lekarzowi, poruszają mnie głęboko. Pewien szczególny wyraz twarzy pana Jenningsa mnie prześladował. Pochwycił moją wyobraźnię z taką przerażającą siłą, że zmieniłem plany na wieczór i wybrałem się do opery, czując, że potrzebuję odmiany.

Nie miałem o nim ani od niego żadnych wiadomości przez dwa lub trzy dni, gdy nagle dotarł do mnie skreślony przez niego list. Był wesoły i pełen nadziei. Pisał, że od pewnego czasu czuje się na tyle lepiej — zupełnie dobrze, w istocie — że zamierza dokonać pewnego eksperymentu i pojechać na jakiś miesiąc do swojej parafii, aby sprawdzić, czy odrobina pracy nie przywróci mu zupełnie zdrowia. Z listu biła żarliwa, religijna wdzięczność za odrodzenie, którego, jak nieomal miał nadzieję, doświadczył.

Dzień lub dwa później widziałem lady Mary, która powtórzyła to, co obwieszczała jego wiadomość, i poinformowała mnie, że pan Jennings istotnie prze-

bywa w Warwickshire, na powrót podjąwszy obowiązki duchownego w Kenlis, a potem dodała:

— Zaczynam naprawdę wierzyć, że jest absolutnie zdrowy i że nigdy mu nic nie dolegało, nic poza niewielkimi problemami z nerwami i wybujałą fantazją. Wszyscy mamy problemy z nerwami, ale uważam, że nic tak nie pomaga na tego rodzaju słabość, jak odrobina ciężkiej pracy. Nie byłabym wcale zdziwiona, gdyby nie wrócił wcześniej niż za rok.

Niezależnie od tych słów wypowiedzianych w zaufaniu, zaledwie dwa dni później otrzymałem następujący liścik, wysłany z jego domu przy Piccadilly:

> Szanowny Panie
>
> Wróciłem rozczarowany. Jeżeli będę w stanie w ogóle się z Panem spotkać, napiszę z uprzejmą prośbą, aby zechciał mi Pan złożyć wizytę. Obecnie jestem zbyt przygnębiony i w istocie nie zdołam powiedzieć wszystkiego, co miałbym do powiedzenia. Błagam, proszę nic o tym nie mówić znajomym. Nie mogę z nikim się widywać. Za jakiś czas, Boże dopomóż, napiszę do Pana. Zamierzam pojechać do Shropshire, gdzie mieszka część mojej rodziny. Niech Pana Bóg błogosławi! Obyśmy po moim powrocie mogli się spotkać w lepszym nastroju niż ten, w którym kreślę te słowa.

Jakiś tydzień później widziałem się z lady Mary w jej domu. Twierdziła, że jest ostatnią osobą w mie-

ście i że jest już gotowa do drogi do Brighton, ponieważ sezon w Londynie się skończył. Powiedziała mi, że otrzymała wiadomość od Marthy, siostrzenicy pana Jenningsa ze Shropshire. Trudno było wywnioskować cokolwiek z jej listu, nic ponad to, że pan Jennings jest przygnębiony i jego nerwy są w złym stanie. W tych słowach, które zdrowi ludzie traktują tak lekko, jakiż ogrom cierpienia kryje się czasami!

Blisko pięć tygodni minęło bez dalszych wiadomości od pana Jenningsa. W końcu otrzymałem od niego list. Pisał:

> Przebywałem na wsi, miałem świeże powietrze, inne otoczenie, nowe twarze, zmieniłem wszystko — tylko ja pozostałem ten sam. Postanowiłem, na ile może postanowić najbardziej nierozsądne stworzenie na ziemi, że przedstawię Panu dokładnie swój przypadek. Jeśli Pana zobowiązania na to pozwolą, to błagam, proszę przyjść do mnie dzisiaj, jutro albo następnego dnia, ale błagam, proszę nie odkładać tego dłużej, niż to absolutnie konieczne. Nie wie Pan, jak bardzo potrzebuję Pańskiej pomocy. Mam zaciszny dom w Richmond, w którym teraz przebywam. Być może uda się Panu przyjść do mnie na kolację, na lunch albo chociaż na herbatę. Nie będzie miał Pan żadnych kłopotów ze znalezieniem mnie. Służący z Bolton Street, który dostarczy tę wiadomość, przyśle powóz pod Pana drzwi o wskazanej

przez Pana godzinie, a mnie zastanie Pan o każdej porze. Powie Pan, że nie powinienem zostawać sam. Próbowałem wszystkiego. Proszę przyjechać i zobaczyć.

Wezwałem służącego i postanowiłem pojechać tego wieczoru, co następnie uczyniłem.

Zdecydowanie lepszy byłby dla niego pobyt w pensjonacie albo w hotelu, myślałem, jadąc niedługą aleją z posępnymi wiązami po jej obu stronach do wiekowego domu z cegły, tonącego w cieniu tych drzew, które górowały nad nim i nieomal go osaczały. Był to prawdziwie perwersyjny wybór, bo trudno było sobie wyobrazić coś bardziej melancholijnego i odludnego. Dom, jak się dowiedziałem, należał do niego. Spędził dzień czy dwa w mieście i jako że pobyt tam okazał się z jakiegoś powodu nie do zniesienia, wyjechał tutaj, prawdopodobnie dlatego, że dom, urządzony i będący jego własnością, zwalniał go z konieczności planowania i podejmowania decyzji odnośnie do celu podróży.

Słońce już zaszło, a czerwone odbicie zachodniego nieba rzucało poświatę, nadając scenerii ten bardzo szczególny upiorny wygląd. W holu panował mrok, ale gdy dotarłem na tyły domu, do salonu, którego okna wychodziły na zachód, ponownie znalazłem się w tej samej czerwonej poświacie.

Usiadłem, spoglądając na roztaczający się z okien widok i gęsty las, który zdawał się płonąć w maje-

statycznym i melancholijnym świetle, jakie stopniowo przygasało. W odległych kątach pokoju było już ciemno; wszystko zaczynał spowijać mrok, a ciemność niewyczuwalnie nastrajała mój umysł, już gotowy na rzeczy złowieszcze. Oczekiwałem samotnie na jego przybycie, które wkrótce nastąpiło. Drzwi prowadzące do frontowego pokoju otwarły się i wysoka postać pana Jenningsa, słabo widoczna w rdzawym zmierzchu, pojawiła się w pokoju i zbliżyła cichymi, ukradkowymi krokami.

Uścisnęliśmy sobie dłonie i pan Jennings, przysuwając krzesło do okna, gdzie nadal było na tyle jasno, że widzieliśmy swoje twarze, usiadł obok mnie i opierając dłoń na moim ramieniu, nieomal bez słowa wstępu rozpoczął opowiadanie.

6

Jak pan Jennings poznał swojego towarzysza

Przygasająca łuna zachodu i wspaniały widok odludnych lasów Richmond roztaczały się przed nami, za i wokół nas, coraz gęstszy mrok spowijał pokój, a kamienne oblicze cierpiącego — albowiem wyraz jego twarzy, mimo że nadal delikatny i miły, był zmieniony — oświetlał ten przygaszony dziwny blask, który zdaje się zstępować i rozniecać samą obecnością nagłe iskierki, mimo że ledwie widoczne, które natychmiast zmieniają się, nieomal bez stanów przejściowych, w ciemność. Cisza również była całkowita; żadnych odgłosów przejeżdżającego pojazdu, szczekania, gwizdnięcia z zewnątrz; a wewnątrz przytłaczająca cisza domu chorego kawalera.

Domyślałem się słusznie natury, ale nie — nawet w minimalnym stopniu — szczegółów rewelacji, które miałem usłyszeć z ust tej kamiennej twarzy cierpienia, która tak dziwnie rozpalona odcinała się, niczym portret Schalkena*, od tła ciemności.

— Wszystko zaczęło się piętnastego października. Trzy lata, jedenaście tygodni i dwa dni temu.

---

* Godfried Schalken (1643–1706), barokowy malarz holenderski, który specjalizował się w małych scenach oświetlonych płomieniem świecy [przyp. tłum.].

Prowadzę bardzo dokładny rejestr, bo każdy dzień jest torturą. Gdybym pominął coś w moim opowiadaniu, proszę mi powiedzieć. Jakieś cztery lata temu rozpocząłem pracę, która wymagała ode mnie wielu przemyśleń i mnóstwa czytania. Dotyczyła metafizyki religijnej ludów starożytnych.

— Wiem — odparłem. — Właściwa religia wykształconego i myślącego pogaństwa, całkowicie odrębna od symbolicznego oddawania czci. Obszerna i bardzo ciekawa dziedzina.

— Tak, ale niezbyt dobra dla umysłu, to znaczy, chrześcijańskiego umysłu. Pogaństwo jest ze sobą całkowicie powiązane, tworząc zasadniczą jedność. Z nikczemną sympatią ich religia obejmuje zarówno sztukę, jak i styl bycia, cały temat zaś jest hańbiącą fascynacją, a nemezis pewna. Boże, miej nade mną litość! Pisałem dużo, pisałem do późna w nocy. Cały czas myślałem na ten temat, chodząc, gdziekolwiek się znajdowałem, wszędzie. Toczyło mnie to jak choroba. Proszę pamiętać, że wszystkie materialne idee z nim związane były ni mniej, ni więcej z kategorii piękna, a temat sam w sobie cudownie interesujący, a ja wtedy całkowicie beztroski.

Westchnął głęboko.

— Wierzę, że ktokolwiek zabiera się do pisania z pasją, wykonuje swoją pracę, jak ujął to jeden z moich przyjaciół, żyjąc czymś — herbatą, kawą albo tytoniem. Przypuszczam, że podczas takich zajęć dochodzi do pewnego fizycznego uszczerbku,

który należy uzupełniać co godzinę, w przeciwnym razie popadlibyśmy w zbyt dużą abstrakcję, a umysł opuściłby niejako nasze ciało, gdyby nie otrzymywał często przypomnienia o jedności z nim poprzez to fizyczne doznanie. W każdym razie odczuwałem potrzebę i ją zaspokajałem. Herbata była moim towarzyszem — najpierw zwykła czarna herbata, przyrządzona w zwyczajowy sposób, niezbyt mocna. Piłem jednak jej dość dużo i w miarę upływu czasu parzyłem ją coraz mocniejszą. Nigdy nie doświadczyłem w związku z tym żadnych negatywnych symptomów. Zacząłem próbować zielonej herbaty. Efekt, jaki wywoływała, wydawał mi się przyjemniejszy, tak rozjaśniała i wzmacniała zdolność dedukcji. Zacząłem pijać ją często, ale nie mocniejszą, niż pije się dla przyjemności. Napisałem tu całkiem sporo, było tak cicho, i to w tym pokoju. Zwykłem przesiadywać tu do bardzo późna i wykształciłem u siebie nawyk sączenia mojej herbaty — zielonej herbaty — od czasu do czasu, w miarę jak postępowała moja praca. Miałem mały czajnik na stole, zawieszony nad lampą, i robiłem sobie herbatę dwa lub trzy razy pomiędzy jedenastą i drugą albo trzecią nad ranem, o której to porze chodziłem spać. Codziennie jeździłem do miasta. Nie byłem mnichem i mimo że spędzałem godzinę lub dwie w bibliotece, konsultując autorytety i poszukując wskazówek na temat mojej pracy, nie byłem w posępnym nastroju, na ile mogę to osądzić. Spotykałem się z przyjaciółmi, zupełnie tak jak zwy-

kle, a ich towarzystwo sprawiało mi przyjemność, i ogólnie rzecz biorąc, moje życie, wydaje mi się, nigdy wcześniej nie było tak przyjemne.

Poznałem człowieka, który miał kilka interesujących starych książek, niemieckie wydania w średniowiecznej łacinie, i byłem niezwykle rad, gdy zaproponował mi, bym je obejrzał. Książki tej niezwykle miłej osoby znajdowały się w City, w bardzo odległej części dzielnicy. Moja wizyta trwała znacznie dłużej, niż planowałem, i wracając, jako że nie widziałem w pobliżu dorożki, postanowiłem wsiąść do omnibusu, który kiedyś przejeżdżał obok tego domu. Było ciemniej niż teraz, gdy omnibus dotarł do starego domu, który być może pan zauważył, z czterema topolami po obu stronach wejścia, i tam wysiadł ostatni pasażer, a ja zostałem sam. Ruszyliśmy trochę szybciej. Zaczął zapadać zmierzch. Rozsiadłem się wygodnie w rogu obok drzwi i pogrążyłem się w słodkim rozmyślaniu.

Wewnątrz omnibusu panował nieomal całkowity mrok. Zauważyłem w rogu naprzeciw mnie, po przeciwległej stronie, w części bezpośrednio przy koniach, dwa małe okrągłe odbicia, jak mi się wydawało, czerwonego światła. Były oddalone od siebie o około pięć centymetrów i miały wielkość mniej więcej tych małych mosiężnych guzików, które noszą na mundurach żeglarze. Zacząłem rozmyślać, jak mają w zwyczaju niespokojne dusze, nad tą drobnostką, jak mi się wydawało. Z jakiego źródła pochodzi to

słabe, ciemnoczerwone światło i od czego — koralików, guzików, ozdoby — się odbija? Toczyliśmy się delikatnie, mając do pokonania jeszcze nieomal półtora kilometra. Nie rozwiązałem tej zagadki, a po minucie stała się ona jeszcze dziwniejsza, bo oto dwa lśniące punkty drgnęły nagle i znalazły się bliżej podłogi, zachowując dzielący je dystans i horyzontalną pozycję, a potem, równie gwałtownie, uniosły się na wysokość krzesła, na którym siedziałem, i straciłem je z oczu. Rozbudziło to moją ciekawość i zanim zdążyłem pomyśleć, ujrzałem znowu te dwa przymglone światełka, znowu obok siebie, w pobliżu podłogi. Ponownie zniknęły, a potem znów je ujrzałem w rogu, tam gdzie przedtem.

I tak, nie spuszczając z nich oczu, zacząłem ostrożnie przesuwać się, zbliżając do miejsca, w którym nadal widziałem te malutkie dyski czerwieni.

W omnibusie było bardzo ciemno. Panował nieomal zupełny mrok. Wychyliłem się do przodu, aby w ten sposób ułatwić sobie próbę odkrycia, czym naprawdę są te małe kółka. Zmieniły odrobinę pozycję w odpowiedzi na mój ruch. Zacząłem teraz dostrzegać ciemny kształt i wkrótce ujrzałem, całkiem wyraźnie, zarys małej czarnej małpy, wysuwającej do przodu twarz w geście naśladownictwa, by mi się przyjrzeć. Były to jej oczy, a teraz zauważyłem niewyraźnie zęby, które do mnie szczerzyła.

Cofnąłem się w obawie, że może niespodziewanie skoczyć. Przyszło mi do głowy, że może jeden z pasażerów zapomniał tego brzydkiego pupila, i pragnąc dowiedzieć się czegoś o charakterze małpy, ale nie chcąc dotykać jej palcami, delikatnie wysunąłem w jej stronę parasol. Nie poruszyła się... jeszcze bliżej... parasol ją przeszył. I tak przeszywał ją tam i z powrotem, bez najmniejszego oporu.

Nie jestem w stanie, w najmniejszym stopniu, oddać przerażenia, które poczułem. Gdy upewniłem się, że ta rzecz jest iluzją, jak wtedy przypuszczałem, opanowały mnie złe przeczucia i przerażenie z powodu fascynacji i niemożności oderwania przez dłuższą chwilę wzroku od oczu tego dzikusa. Gdy tak się przyglądałem, małpa odskoczyła odrobinę do tyłu, chowając się w rogu, a ja w panice stanąłem w drzwiach, wysuwając głowę na zewnątrz, wdychając głęboko zimne powietrze i wypatrując świateł i drzew, które mijaliśmy, niezmiernie szczęśliwy, że mogę oglądać coś realnego.

Zatrzymałem omnibus i wysiadłem. Zauważyłem, że mężczyzna przygląda mi się dziwnie, gdy mu płaciłem. Śmiem twierdzić, że musiałem wyglądać i zachowywać się dość nietypowo, bo nigdy wcześniej nie doświadczyłem czegoś takiego.

7

Podróż: Pierwszy etap

Gdy omnibus odjechał i zostałem sam na drodze, rozejrzałem się uważnie dookoła, żeby sprawdzić, czy małpa została ze mną. Ku mojej nieopisanej uldze nigdzie jej nie widziałem. Nie umiem nawet opisać, jakiego szoku doznałem i jaką ogromną, szczerą wdzięczność poczułem, gdy okazało się, przynajmniej tak przypuszczałem, że się jej pozbyłem.

Wysiadłem, zanim dojechaliśmy do domu — około dwustu lub trzystu kroków wcześniej. Wzdłuż ścieżki biegnie tu mur z cegieł, a po jego wewnętrznej stronie rośnie żywopłot z cisów czy też innych krzewów iglastych, do których znowu przylega kolejny rząd pięknych drzew, jakie być może pan zauważył po drodze.

Ten mur z cegieł sięga mi mniej więcej do ramion i podnosząc wzrok, ujrzałem małpę, jej pochyloną sylwetkę, gdy na czterech łapach szła lub skradała się tuż za mną, po murze. Zatrzymałem się, spoglądając na nią z uczuciem odrazy czy przerażenia. Gdy stanąłem, ona też to uczyniła. Siedziała na murze, opierając swoje długie ramiona na kolanach i patrząc na mnie. Nie było na tyle jasno, by dostrzec coś więcej niż jej zarys, nie było też na tyle ciemno, aby mrok uwydatnił ten szczególny blask jej oczu. Widziałem

jednak dość wyraźnie to czerwone zamglone światło. Nie pokazywała zębów, nie zdradzała też żadnych innych oznak irytacji, przyglądała mi się za to uważnie.

Wycofałem się na środek drogi. To był odruchowy unik. I stałem tak, nadal się jej przyglądając. Nie poruszyła się.

Z instynktowną determinacją, żeby coś zrobić... cokolwiek, obróciłem się i ruszyłem szybkim krokiem w stronę miasta, spoglądając ukosem przez cały czas i obserwując ruchy bestii. Skradała się zwinnie po murze w tym samym tempie co ja.

Tam gdzie kończy się mur, na zakręcie, zeszła na dół i wykonawszy jeden czy dwa susy, znalazła się u moich stóp, a następnie dotrzymywała mi kroku, gdy ja ruszyłem jeszcze szybciej. Znajdowała się po mojej lewej stronie, tak blisko nogi, że przez cały czas wydawało mi się, że zaraz na nią nastąpię.

Droga była zupełnie pusta i panowała absolutna cisza. Z każdą chwilą zapadał większy mrok. Zatrzymałem się przerażony i zadziwiony, odwracając się jednocześnie w drugą stronę... mam na myśli w stronę domu, w przeciwnym kierunku niż ten, w którym zmierzałem. Gdy stałem nieruchomo, małpa odsunęła się na odległość, jak przypuszczam, około pięciu czy sześciu metrów i pozostała w tym samym miejscu, przyglądając mi się.

Byłem bardziej poruszony, niż przed chwilą przyznałem. Czytałem oczywiście, jak wszyscy, coś o „złudzeniach wzrokowych", jak wy lekarze określacie

zjawiska tego rodzaju. Rozważyłem moją sytuację i postanowiłem stawić czoło nieszczęściu, które mnie spotkało.

Te doznania, czytałem, są czasami przejściowe, a czasami uporczywe. Czytałem o przypadkach, w których zjawa, na początku niegroźna, zamienia się krok po kroku w coś strasznego i nie do wytrzymania, aż w końcu doprowadza swoją ofiarę do absolutnego wyczerpania. Mimo to, gdy tak stałem, nie licząc mojego towarzysza bestii, zupełnie sam, usiłowałem pocieszyć się, powtarzając raz po raz słowa otuchy: „Ta rzecz to jedynie choroba, dobrze znana fizyczna dolegliwość, tak typowa jak ospa albo newralgia. Wszyscy lekarze są w tym względzie zgodni i filozofia tego dowodzi. Muszę przestać być takim głupcem. Siedziałem do późna i z pewnością mój system trawienny jest zupełnie rozstrojony; z Bożą pomocą odzyskam zdrowie, a to jest jedynie przejaw dyspepsji". Czy w to wierzyłem? Nie, nie wierzyłem w ani jedno słowo, nie bardziej niż wszyscy inni nieszczęśnicy, którzy kiedykolwiek dostali się w tę szatańską niewolę. Wbrew memu przekonaniu, mógłbym powiedzieć: wbrew mojej wiedzy, po prostu się oszukiwałem, dodając sobie odwagi.

Szedłem teraz do domu. Miałem przed sobą zaledwie kilkaset metrów. Zmusiłem się do rezygnacji, nie uporałem się jednak jeszcze z porażającym szokiem i emocjami, jakie towarzyszyły uświadomieniu sobie mojego nieszczęścia.

Postanowiłem spędzić noc w domu. Zwierzę wędrowało tuż obok mnie i wydawało mi się, że dostrzegam w jego zachowaniu rodzaj stęsknionego dążenia do domu, które można czasami zaobserwować u zmęczonych koni albo psów, gdy zbliżają się do zabudowań.

Bałem się udać do miasta, obawiałem się, że ktoś mógłby mnie zobaczyć i rozpoznać. Zdawałem sobie sprawę, że moje zachowanie zdradza niedające się opanować poruszenie. Obawiałem się również gwałtownej zmiany nawyków, na przykład wyjścia gdzieś w poszukiwaniu rozrywki albo spaceru, jak najdalej od domu, aby się zmęczyć. Małpa czekała na mnie przy drzwiach, aż wejdę po schodach, a gdy otwarły się drzwi, weszła razem ze mną do holu.

Tej nocy nie piłem herbaty. Wziąłem cygara, trochę brandy i wodę. Wydawało mi się, że powinienem zadziałać na ciało i w ten sposób, poprzez chwilowe zanurzenie w doznaniu innym niż myśl, zmusić się jakby do stworzenia nowej rutyny. Przyszedłem tu do salonu. Usiadłem dokładnie w tym miejscu. Małpa wskoczyła wtedy na mały stolik, który stał wówczas w tamtym miejscu. Wyglądała na senną i rozleniwioną. W obawie przed jej kolejnym ruchem nie spuszczałem jej z oczu. Miała na wpół opuszczone powieki, ale widziałem, że jej oczy jaśnieją dziwnym płomieniem. Nie przestawała na mnie patrzeć. W każdej sytuacji, o każdej porze czuwa i wpatruje się we mnie. To nigdy się nie zmienia.

Nie będę opowiadał w szczegółach pozostałych wydarzeń tej nocy. Opiszę natomiast zjawiska, jakie miały miejsce w pierwszym roku i pozostawały zasadniczo niezmienne. Opiszę wygląd tej małpy za dnia. W ciemnościach, jak pan zaraz usłyszy, pojawiają się pewne cechy szczególne. To mała małpka, całkowicie czarna. Ma tylko jedną wyjątkową cechę — złośliwy charakter, niewyobrażalnie złośliwy. Przez pierwszy rok wyglądała na przybitą i niezdrową. Ale ten wysoce złośliwy i wrogi charakter był zawsze widoczny, pomimo jej pogardliwego rozleniwienia. Przez cały czas zachowywała się, jakby zamierzała sprawić mi tylko tyle kłopotu, ile było absolutnie konieczne, aby mogła kontynuować swą misję obserwacji. Nie odrywała ode mnie wzroku ani na chwilę. Nigdy nie schodzi mi z oczu, z wyjątkiem snu, w świetle czy w ciemności, za dnia czy w nocy, od chwili, gdy tu przybyła, z wyjątkiem okresów, gdy znika na kilka tygodni z niewiadomego powodu.

W całkowitej ciemności jest widoczna równie dobrze jak w świetle dnia. Nie chodzi mi jedynie o jej oczy. Jest widoczna równie dobrze dzięki aureoli, która przypomina blask rozpalonego do czerwoności żaru i która towarzyszy jej na każdym kroku.

Gdy opuszcza mnie na chwilę, dzieje się to zawsze w nocy, w ciemnościach i w ten sam sposób. Najpierw robi się niespokojna, potem wściekła, a później zbliża się do mnie, szczerząc zęby i nacierając z zaciśniętymi łapami, i jednocześnie na palenisku zdaje się pojawiać ogień. Nigdy nie palę w kominku… nie jestem w stanie zasnąć przy ogniu. Małpa zbliża się coraz bardziej i bardziej do komina, drżąc, wydaje się, z gniewu, a gdy jej wściekłość sięga zenitu, wskakuje na palenisko, a potem wędruje w górę, aż w końcu znika mi z oczu.

Gdy zdarzyło się to po raz pierwszy, wydawało mi się, że jestem wolny. Byłem jak nowo narodzony. Minął dzień, noc — nie wracała, potem błogosławiony tydzień, kolejny tydzień, a potem jeszcze jeden tydzień. Nie wstawałem z kolan, doktorze, cały czas dziękowałem Bogu i modliłem się. Upłynął cały miesiąc wolności, ale wtedy nagle pojawiła się znowu.

8

Drugi etap

Była ze mną, a złośliwość, która przedtem pozostawała uśpiona pod ponurym zewnętrznym wyglądem, teraz stała się aktywna. Pod każdym innym względem wydawała się idealnie niezmieniona. Ta nowa energia była widoczna w jej zachowaniu i wyglądzie, a wkrótce też zaczęła się przejawiać i na inne sposoby.

Przez jakiś czas, jak pan rozumie, ta zmiana objawiała się jedynie w zwiększonej żywotności i złowrogim stylu bycia, jakby nieustannie była zajęta obmyślaniem jakiegoś potwornego planu. Jej oczy, jak poprzednio, śledziły mnie nieustannie.

— Czy jest tutaj teraz? — zapytałem.

— Nie — odparł mój rozmówca — jest nieobecna dokładnie od dwóch tygodni i jednego dnia. Skoro minęło piętnaście dni, odkąd ją ostatnio widziałem, może wrócić w każdej chwili.

— Czy jej powrotowi — zapytałem — towarzyszą jakieś szczególne wydarzenia?

— Nic takiego, nie — odparł. — Jest po prostu znowu ze mną. Podnosząc wzrok znad książki albo odwracając głowę, widzę ją, jak zwykle, patrzącą na mnie, a potem zostaje, jak zwykle, przez określony czas. Nigdy przedtem nie opowiedziałem nikomu tak wiele i tak dokładnie.

Zauważyłem, że jest poruszony i biały jak płótno. Nieustannie też dotykał czoła chusteczką. Zasugerowałem, że może jest zmęczony, i obiecałem, że odwiedzę go z przyjemnością następnego dnia rano, ale nie zgodził się, mówiąc:

— Nie, jeśli nie przeszkadza panu, że wysłucha pan wszystkiego dzisiaj. Doszedłem tak daleko i wolałbym opowiedzieć wszystko za jednym razem. To duży wysiłek. Gdy rozmawiałem z doktorem Harleyem, nie miałem mu do opowiedzenia ani połowy z tego. Pan jest filozoficznym lekarzem. Oddaje pan duchowi właściwe miejsce. Jeśli ta rzecz jest realna.

Przerwał i spojrzał na mnie z nerwową niepewnością.

— Możemy to omówić w odpowiednim momencie, bardzo szczegółowo. Podzielę się z panem wszystkimi przemyśleniami — odparłem po chwili.

— Cóż, bardzo dobrze. Jeśli to coś realnego, to chciałbym powiedzieć, że zaczyna nade mną dominować, krok po kroku, i wciąga mnie za sobą coraz głębiej do piekła. Nerwy wzrokowe, mówił Harley. No cóż, istnieją inne nerwy komunikacji. Niechaj Bóg Wszechmogący ma mnie w swojej opiece! Wszystkiego się pan dowie.

Jej siła działania, mówię panu, zwiększyła się. Jej złośliwość stała się w pewnym sensie agresywna. Około dwóch lat temu, po załatwieniu pewnych niedomkniętych kwestii pomiędzy mną a biskupem, wyjechałem do mojej parafii w Warwickshire, marząc

o oddaniu się swojemu powołaniu. Nie byłem przygotowany na to, co się zdarzyło, chociaż od tamtej pory doszedłem do wniosku, że mogłem się czegoś takiego spodziewać. Mówię tak, dlatego że...

Zaczynał mówić z dużo większym wysiłkiem i rezerwą, często wzdychał, a czasami wydawał się zupełnie pozbawiony sił. Wtedy jednak nie był wzburzony. Przypominał raczej tonącego pacjenta, który się poddał.

— Tak, ale najpierw opowiem panu o Kenlis, mojej parafii.

Była ze mną, gdy wyjeżdżałem stąd do Dawlbridge. Była moim milczącym towarzyszem podróży i pozostała ze mną w parafii. Gdy podjąłem swoje obowiązki, nastąpiła kolejna zmiana. To coś zaczęło przejawiać potworną determinację, aby mi we wszystkim przeszkadzać. Małpa była ze mną w kościele... na pulpicie... na ambonie... między tralkami pod ołtarzem. W końcu posunęła się do tego, że gdy czytałem przed kongregacją, wskakiwała na otwartą księgę i kucała na niej, tak że nie widziałem strony. Zdarzyło się to kilka razy.

Wyjechałem z Dawlbridge na jakiś czas. Oddałem się w ręce doktora Harleya. Robiłem wszystko, co mi zalecił. Poświęcił mojemu przypadkowi wiele uwagi. Interesował go, wydaje mi się. Wyglądało na to, że mu się udało. Przez blisko trzy miesiące byłem całkowicie wolny od jej powrotów. Zacząłem myśleć, że jestem bezpieczny. Za jego pełną zgodą wróciłem do Dawlbridge.

Podróżowałem powozem. Byłem w dobrym nastroju. A nawet więcej: byłem szczęśliwy i wdzięczny. Wracałem, jak mi się wydawało, uwolniony od strasznych halucynacji, do miejsca, gdzie czekały na mnie obowiązki, które pragnąłem podjąć. Było piękne słoneczne popołudnie, dookoła panowały spokój i wesołość, a ja byłem zachwycony. Pamiętam, jak wyjrzałem przez okno, by ujrzeć pośród drzew wieżę mojego kościoła w Kenlis, w miejscu gdzie można ją zobaczyć najwcześniej. To dokładnie tam, gdzie mały strumyk, który wyznacza granice parafii, przepływa pod drogą przez przepust i gdzie wypływa obok drogi. Leży tam głaz ze starym napisem. Gdy minęliśmy to miejsce, wsunąłem na powrót głowę i usiadłem, a w kącie powozu siedziała małpa.

Na chwilę zrobiło mi się słabo, a potem poczułem rozpacz i przerażenie. Zawołałem na stangreta i wysiadłem. Usiadłem przy drodze i modliłem się w myślach do Boga, prosząc o miłosierdzie. Ogarnęła mnie przeraźliwa rezygnacja. Moja towarzyszka była ze mną, gdy ponownie wszedłem do powozu. Zaczęło się to samo prześladowanie. Po krótkiej walce poddałem się i w niedługim czasie opuściłem tamto miejsce.

Mówiłem panu, że bestia stała się przed tym zdarzeniem w pewnym sensie agresywna. Wyjaśnię to pokrótce. Wpadała w gwałtowną i narastającą furię, ilekroć odmawiałem modlitwę lub tylko ją planowałem. W końcu doszło do tego, że moja modlitwa była

w straszny sposób zakłócana. Zapyta pan, jak niemy, niematerialny fantom może to uczynić? Działo się tak, ilekroć zamierzałem się modlić; była zawsze przede mną, coraz bliżej i bliżej.

Zwykła wskakiwać na stół, na oparcie fotela, na półkę nad kominkiem i kiwać się wolno z boku na bok, patrząc na mnie przez cały czas. W jej ruchach drzemie trudna do opisania moc rozpraszania myśli i wciągania w monotonię, aż myśli kurczą się do malutkiego punktu i w końcu całkiem zanikają — i wydawało mi się, że gdybym wtedy się nie zerwał i nie otrząsnął z tej katalepsji, mój umysł uleciałby w sekundzie. Ma też inne sposoby — westchnął ciężko — na przykład, gdy modlę się z zamkniętymi oczami, podchodzi coraz bliżej i bliżej, tak że ją widzę. Wiem, że nie można traktować jej fizycznie, ale ja rzeczywiście ją widzę, mimo że powieki mam zamknięte, a ona kołysze moim umysłem i przejmuje nade mną władzę, i zmusza mnie, bym podniósł się z kolan. Gdyby zaznał pan tego kiedykolwiek, wiedziałby pan, co to desperacja.

9

Trzeci etap

— Widzę, doktorze, że nie uronił pan ani jednego słowa z mojej opowieści. Nie muszę pana prosić, aby szczególnie uważnie wysłuchał pan tego, co teraz zamierzam powiedzieć. Mówi się o nerwach wzrokowych, o przywidzeniach, jakby jedynie organ wzroku padał ofiarą wpływów, którym zostałem poddany. Przekonałem się, że to nieprawda. Przez dwa lata, w moim żałosnym przypadku, te ograniczenia dominowały. Ale tak jak strawę podnosimy do ust, a potem przesuwamy pod zęby, tak jak koniuszek małego palca wciągnięty w koło młyńskie pociąga za sobą dłoń, rękę i całe ciało, tak nieszczęsny śmiertelnik, który raz został złapany za koniuszek najdelikatniejszego włókna swojego nerwu, wciągany jest dalej i dalej przez ogromną machinę piekła, aż staje się taki jak ja. Tak, doktorze, taki jak ja, bo podczas gdy z panem rozmawiam i błagam o ulgę, czuję, że modlę się o niemożliwe, i kieruję me błagania do nieugiętego.

Spróbowałem złagodzić jego wyraźnie narastające poruszenie i powiedziałem mu, że nie może poddawać się rozpaczy.

Gdy tak rozmawialiśmy, nadeszła noc. Zamglony księżyc górował nad pejzażem widocznym z okna i postanowiłem coś zaproponować:

— Być może wolałby pan zapalić świece. To światło wydaje mi się dziwne. Pragnąłbym, na ile to możliwe, przebywać z panem w naturalnym otoczeniu, podczas gdy będę formułował swoją... diagnozę, czy mogę tak to nazwać? Inaczej nie miałoby to znaczenia.

— Takie czy inne światło niczego nie zmienia — odparł. — Wyjąwszy te chwile, gdy czytam lub piszę, jest mi wszystko jedno, nawet gdyby noc miała trwać wiecznie. Opowiem panu, co zdarzyło się około roku temu. To coś zaczęło do mnie mówić.

— Mówić! Co pan ma na myśli? Mówić tak jak człowiek, o to panu chodzi?

— Tak, mówić słowami i zdaniami z zachowaniem związków skutkowo-przyczynowych, absolutnie logicznymi i idealnie wyartykułowanymi. Ma jednak pewną szczególną cechę. Jej głos jest pozbawiony ludzkiego brzmienia. Dociera do mnie nie przez moje uszy, pojawia się niczym śpiew rozbrzmiewający w głowie. Ta umiejętność, jej moc przemawiania do mnie, będzie mą zgubą. Nie pozwala mi się modlić, przeszkadza mi strasznymi bluźnierstwami. Nie śmiałbym ich wymawiać, nie byłbym w stanie. Ach, panie doktorze, czy może to być, że wszystkie umiejętności, myśli i modlitwy człowieka nie są w stanie mi pomóc?!

— Musi mi pan obiecać, mój drogi panie, iż nie będzie się pan dręczył niepotrzebnie ekscytującymi myślami; że ograniczy się pan jedynie do narracji faktów, a przede wszystkim, proszę sobie przypomnieć, że nawet jeśli to coś, co pana prześladuje, jest, jak zdaje się pan przypuszczać, realne i posiada w istocie niezależne życie i wolę, mimo to nie może mieć mocy, by pana skrzywdzić, chyba że moc ta pochodzić będzie z góry; jej dostęp do pana zmysłów wynika głównie z pana kondycji fizycznej. Ten fakt powinien z łaski Boga być dla pana pocieszeniem i opoką; wszyscy jesteśmy obleczeni w podobną szatę. Tyle że w pana przypadku *paries**, woal ciała, powłoka, jest lekko zniszczona i obrazy oraz dźwięki przedostają się przez nią. Musimy obrać nową drogę. Odwagi! Dzisiaj wieczorem poddam szczegółowym rozważaniom cały pana przypadek.

— Jest pan bardzo dobry, uważa pan, że warto spróbować, nie spisał mnie pan zupełnie na straty, ale nie wie pan... ona zdobywa nade mną taką władzę... wydaje mi rozkazy, jest takim tyranem, a ja staję się taki bezradny. Niech Bóg ma mnie w swojej opiece!

— Wydaje panu rozkazy? Robi to, oczywiście, mówiąc do pana.

— O tak, zawsze nakłania mnie do niecnych uczynków: abym skrzywdził innych albo siebie. Widzi pan, doktorze, sytuacja stała się pilna, naprawdę. Gdy byłem w Shropshire, kilka tygodni temu — pan Jennings mówił gwałtownie i drżał teraz, trzymając mnie za rękę jedną dłonią i patrząc mi w oczy —

* *Paries* (łac.) — mur, ściana.

wybrałem się pewnego dnia z grupą przyjaciół na spacer, mój prześladowca, mówię panu, był ze mną cały czas. Podążałem za resztą, tereny wokół Dee, jak pan wie, są piękne. Nasza droga wiodła w pobliżu kopalni węgla, a na skraju lasu znajduje się tam pionowy szyb, jak mówią, głęboki na prawie pięćdziesiąt metrów. Moja siostrzenica została razem ze mną w tyle... nic nie wie oczywiście o naturze mojego cierpienia. Wiedziała jednak, że chorowałem i że jestem przygnębiony, i pozostała ze mną, żebym nie był całkiem sam. Gdy tak szliśmy wolno razem, ta bestia, która mi towarzyszyła, zaczęła mnie nakłaniać, abym rzucił się do tego szybu. Mówię panu, niech pan to sobie tylko wyobrazi! Uratował mnie przed tą odrażającą śmiercią jedynie strach, że szok, jakiego mogłaby doznać ta biedna dziewczyna na widok takiego zdarzenia, mógłby okazać się dla niej nie do zniesienia. Zachęcałem ją, żeby poszła i dołączyła do swoich przyjaciół, twierdząc, że nie jestem w stanie iść dalej. Znajdowała wymówki, a im bardziej ją nakłaniałem, tym większy stawiała opór. Wyglądała na zdezorientowaną i przestraszoną. Przypuszczam, że coś w moim wyglądzie lub zachowaniu ją zaniepokoiło. Ona jednak nie chciała odejść i to dosłownie mnie uratowało. Nie uwierzyłby pan, że śmiertelny człowiek może stać się tak żałosnym niewolnikiem Szatana — stwierdził, wydając z siebie przeraźliwy jęk i drżąc na całym ciele.

Zapadła cisza, a ja powiedziałem:

— Niemniej, został pan oszczędzony. To był akt Boży. Jest pan w Jego rękach, a nie w mocy jakiekolwiek innej istoty. Proszę zatem patrzeć w przyszłość z nadzieją.

10

W domu

Nakłoniłem go, by polecił służbie zapalić świece, i dopilnowałem, aby jego pokój wyglądał wesoło i przytulnie, zanim go opuściłem. Poinformowałem, że musi traktować swoją chorobę jako wynikającą wyłącznie z fizycznych, jeśli nawet trudnych do stwierdzenia przyczyn. Powiedziałem mu, że otrzymał dowód na łaskę i miłość Bożą poprzez cudowne ocalenie, które właśnie opisał, i że z bólem zauważyłem, iż zdaje się traktować szczególne cechy tego zdarzenia jako wskazujące na to, że został ocalony, by cierpieć duchowe potępienie. Wyraziłem przekonanie, że nic nie mogłoby być bardziej błędne niż taka konkluzja, i nie dość tego, bardziej sprzeczne z faktami, jak pokazało tajemnicze wyswobodzenie go spod morderczego wpływu podczas wycieczki w Shropshire. Po pierwsze, jego siostrzenica została zatrzymana u jego boku, mimo że nie chciał, by przy nim została, a po drugie, jego umysł został przepełniony nieodpartą odrazą, by wypełnić ten straszliwy nakaz w jej obecności.

Gdy tak argumentowałem swoją opinię, pan Jennings płakał. Wyglądał na pocieszonego. Wymogłem na nim jedną obietnicę, a mianowicie, że gdyby małpa w którymś momencie wróciła, powinien natych-

miast po mnie posłać. Następnie, powtarzając zapewnienie, że nie poświęcę ani jednej chwili i ani jednej myśli żadnemu innemu tematowi, dopóki nie zbadam dogłębnie jego przypadku, i że jutro będzie mógł zapoznać się z wynikami moich przemyśleń, pożegnałem się z nim.

Zanim wsiadłem do powozu, poinstruowałem służącego, że jego pan czuje się bardzo źle i że powinien pamiętać, aby często zaglądać do jego pokoju.

Jeśli chodzi o działania z mojej strony, celem było zabezpieczenie się przed jakimikolwiek zakłóceniami z zewnątrz.

Zajrzałem jedynie do swoich apartamentów i z podróżnym biurkiem oraz niewielką torbą wyruszyłem dorożką do gospody o nazwie The Horns, znajdującej się jakieś trzy kilometry za miastem. Oferowała ona bardzo ciche i wygodne pokoje o grubych ścianach. I tam, w moim wygodnym salonie, wykluczając możliwość nieproszonych wizyt lub innych zakłóceń, postanowiłem poświęcić przypadkowi pana Jenningsa część nocy i tyle przedpołudnia, ile mógł wymagać.

(W tym miejscu widnieje staranna notatka przedstawiająca opinię doktora Hesseliusa na temat przypadku, postępowania, diety i leków, które przepisał. Jest intrygująca — niektórzy powiedzieliby: mistyczna. Ale ogólnie rzecz biorąc, wątpię, że mogłaby ona na tyle zainteresować czytelnika, do jakiego mam nadzieję dotrzeć, by uzasadniało to jej zamieszczenie

tutaj. Cały list został najwyraźniej napisany w gospodzie, gdzie doktor schronił się na tę okazję. Kolejny list datowany jest z jego własnych apartamentów).

Wyjechałem z miasta do gospody, w której spędziłem ostatnią noc, o wpół do dziesiątej i wróciłem do mojego pokoju w mieście dopiero o pierwszej po południu następnego dnia. Na stoliku znalazłem list napisany ręką pana Jenningsa. Nie przyszedł pocztą i gdy zapytałem o szczegóły, usłyszałem w odpowiedzi, że przyniósł go służący pana Jenningsa, a gdy dowiedział się, że wrócę dopiero następnego dnia i że nikt nie może mu zdradzić mojego adresu, wydawał się bardzo zawiedziony i powiedział, że pan kazał mu nie wracać bez odpowiedzi ode mnie.

Otworzyłem list i przeczytałem:

> Drogi Doktorze
>
> Jest tutaj. Nie minęła nawet godzina od Pana wyjścia, a ona wróciła. Mówi do mnie. Wie o wszystkim, co się wydarzyło. Wie wszystko — zna Pana i jest rozwścieczona i odrażająca. Obrzuca mnie wyzwiskami. Posyłam to Panu. Zna każde słowo, które do Pana napisałem — które piszę. Obiecywałem i dlatego piszę, ale obawiam się — bardzo nieskładnie, bardzo chaotycznie. Tak mi przeszkadza, tak mnie rozprasza.
>
> Z wyrazami szacunku oddany
>
> Robert Lynder Jennings

— Kiedy to przyszło? — zapytałem.

— Około jedenastej w nocy. Ten człowiek był tu ponownie i dzisiaj, już trzy razy. Ostatni raz około godziny temu.

Po tej odpowiedzi, z notatkami, które sporządziłem na temat jego przypadku w kieszeni, po kilku minutach znajdowałem się w drodze do Richmond, by złożyć wizytę panu Jenningsowi.

Ja w żadnym razie, jak widzicie, nie żywiłem obaw co do przypadku pana Jenningsa. On sam pamiętał i stosował, chociaż całkiem błędnie, zasady, które wykładam w *Metafizycznej medycynie* i które rządzą wszystkimi takimi przypadkami. Miałem właśnie zastosować je z całą gorliwością. Byłem wielce zainteresowany i nie mogłem się już doczekać, aby dokonać obserwacji i zbadać go podczas faktycznej obecności „nieprzyjaciela".

Zajechałem pod ponury dom, wbiegłem po schodach i zapukałem do drzwi. Drzwi po krótkiej chwili zostały otworzone przez wysoką kobietę w czarnej jedwabnej sukni. Wyglądała na chorą i jakby płakała. Dygnęła i wysłuchała mojego pytania, ale nie odpowiedziała. Odwróciła twarz i wskazała dłonią na dwóch mężczyzn, którzy schodzili po schodach, i w ten sposób, niejako przekazawszy mnie im bez słowa, wyszła pośpiesznie bocznymi drzwiami, zamykając je za sobą.

Natychmiast podszedłem do mężczyzny, który znajdował się bliżej holu, ale gdy znalazłem się przy

nim, zauważyłem z przerażeniem, że obydwie jego dłonie zabrudzone są krwią.

Odsunąłem się trochę, a mężczyzna schodzący po schodach powiedział jedynie półgłosem:

— Tutaj jest służący, proszę pana.

Służący zatrzymał się na schodach, zmieszany, nie mogąc wymówić na mój widok ani słowa. Wycierał dłonie chusteczką, zabrudzoną krwią.

— Jones, o co chodzi? Co się stało? — zapytałem i w tej samej chwili dotarła do mnie przerażająca myśl.

Mężczyzna poprosił, abym poszedł z nim do holu. Ruszyłem w jednej chwili, a on z przerażeniem na twarzy, blady i ze strachem w oczach opowiedział mi o horrorze, którego na wpół się domyślałem.

Jego pan odebrał sobie życie.

Poszedłem z nim na górę do pokoju — nie powiem wam, co tam zobaczyłem. Pan Jennings podciął sobie gardło brzytwą. Rana była straszna. Dwóch mężczyzn położyło go na łóżku i ułożyło mu kończyny. Zdarzyło się to, jak sugerowała ogromna kałuża krwi na podłodze, w pewnej odległości pomiędzy łóżkiem a oknem. Dywan znajdował się wokół jego łóżka i pod toaletką, ale nie na pozostałej części podłogi, ponieważ mężczyzna twierdził, że nie chce mieć dywanu w sypialni. W tym ponurym i teraz strasznym pokoju poruszający się konar jednego z tych ogromnych wiązów, które zaciemniały dom, sprawiał, że jego cień przesuwał się wolno po tej przerażającej podłodze.

Przywołałem gestem służącego i zeszliśmy razem na dół. Skręciłem z holu do pokoju wyłożonego na stary sposób drewnianymi panelami i stojąc tam, wysłuchałem, co miał do powiedzenia służący. Nie było tego wiele.

— Doszedłem do wniosku, sir, sądząc po pańskich słowach i zachowaniu, gdy wychodził pan ostatniej nocy, że uważa pan, iż mój pracodawca jest bardzo chory. Myślałem, że może obawia się pan jakiegoś ataku lub czegoś takiego. Przestrzegałem więc bardzo dokładnie zaleceń. Siedział do późna, było już po trzeciej. Nie pisał ani nie czytał. Dużo mówił do siebie, ale to nie było niezwykłe. Mniej więcej o tej porze pomogłem mu się rozebrać i zostawiłem go w pantoflach i koszuli nocnej. Wróciłem po cichu do jego pokoju za około pół godziny. Leżał w łóżku, przygotowany do snu, a na stoliku obok paliło się kilka świec. Gdy wszedłem, opierał się na łokciu, spoglądając na drugą stronę łóżka. Zapytałem, czy czegoś nie potrzebuje, ale powiedział, że nie.

Nie wiem, czy to za sprawą tego, co pan do mnie powiedział, sir, czy czegoś dziwnego w jego zachowaniu, ale bałem się o niego, dziwnie bałem się o niego ostatniej nocy.

Gdy minęło kolejne pół godziny, a może trochę później, znowu poszedłem na górę. Nie słyszałem, żeby mówił, tak jak przedtem. Uchyliłem trochę drzwi. Obydwie świece były zgaszone, co nie było zwyczajne. Miałem ze sobą świecę i wpuściłem do środka trochę

światła, odrobinę, i zacząłem się rozglądać dyskretnie dookoła. Zobaczyłem, że siedzi na krześle przy toaletce, ponownie w ubraniu. Odwrócił się i spojrzał na mnie. Pomyślałem, że to dziwne, iż wstał, ubrał się i zgasił świece, żeby tak siedzieć w ciemności. Zapytałem go jednak tylko ponownie, czy mogę coś dla niego zrobić. Odparł: „Nie", raczej ostro, wydało mi się. Zapytałem, czy mogę zapalić świece, a on odpowiedział: „Rób, jak uważasz, Jones". Więc zapaliłem je i nie wychodziłem z pokoju, a on rzekł: „Powiedz mi prawdę, Jones, dlaczego znowu przyszedłeś? Nie słyszałeś, żeby ktoś przeklinał?". „Nie, proszę pana", odparłem, zastanawiając się, o co może mu chodzić.

„Nie — powtórzył za mną — oczywiście, że nie". Zwróciłem się wtedy do niego następującymi słowami: „Czy nie byłoby dobrze, proszę pana, gdyby położył się pan spać? Jest zaledwie piąta rano", ale on odpowiedział jedynie: „Masz zapewne rację, dobranoc, Jones". Więc poszedłem, proszę pana, lecz wróciłem po niecałej półgodzinie. Drzwi były zamknięte, ale usłyszał mnie i zawołał, jak mi się wydawało, z łóżka, żeby dowiedzieć się, po co przyszedłem, i chciał, żebym mu więcej nie przeszkadzał. Położyłem się i spałem przez chwilę. Musiało być gdzieś pomiędzy szóstą a siódmą, gdy znowu wybrałem się na górę. Drzwi nadal były zamknięte, a on nie odpowiadał, więc nie chciałem mu przeszkadzać i myśląc, że śpi, zostawiłem go do dziewiątej. Miał w zwyczaju dzwonić na mnie, gdy chciał, żebym przyszedł, przy czym nie było jakiejś szczególnej pory, o której bym do niego szedł. Zapukałem bardzo delikatnie, a nie słysząc odpowiedzi, odszedłem na dłuższą chwilę, przypuszczając, że zasnął i w końcu odpoczywa. Dopiero koło jedenastej zacząłem naprawdę się martwić o niego, bo nigdy, o ile pamiętałem, nie zdarzyło się, żeby wstał później niż wpół do jedenastej. Nie było odpowiedzi. Pukałem i wołałem — nadal nic. Więc nie będąc w stanie sam otworzyć drzwi, zawołałem Thomasa ze stajni i razem udało się nam je otworzyć. Wtedy znaleźliśmy go w tym przerażającym stanie, w jakim i pan go zobaczył.

Jones nie miał nic więcej do powiedzenia. Biedny pan Jennings był wyjątkowo miły i uprzejmy. Wszyscy jego ludzie bardzo go lubili. Widziałem, że służący był bardzo poruszony.

I tak, zasmucony i wstrząśnięty, opuściłem ten straszny dom i jego ciemny baldachim wiązów. Mam nadzieję, że już nigdy więcej go nie zobaczę. Gdy tak piszę do Ciebie, czuję się jak człowiek na wpół przebudzony z przerażającego i monotonnego snu. Moja pamięć odrzuca ten obraz z niedowierzaniem i przerażeniem. Mimo to wiem, że to prawda. To historia powolnego procesu działania trucizny, trucizny, która uruchamia wzajemną akcję ducha i nerwu i paraliżuje tkankę, która oddziela te pokrewne funkcje zmysłów, zewnętrznego i wewnętrznego. Tak oto znajdujemy dziwnych towarzyszy niedoli, a to, co śmiertelne i nieśmiertelne, przedwcześnie łączy się w sojuszu.

KONKLUZJA

Słowo dla tych, którzy cierpią

Mój drogi Van Loo, cierpiałeś na przypadłość podobną do tej, którą właśnie opisałem. Dwukrotnie ubolewałeś nad jej powrotem.

Kto, na litość boską, Cię wyleczył? Twój uniżony sługa, Martin Hesselius? Niech będzie mi wolno raczej przyjąć bardziej uniżoną pobożność pewnego starego dobrego francuskiego chirurga sprzed trzystu lat: „Ja leczyłem, a Bóg Cię uzdrowił".

Ależ przyjacielu, nie bądź niedowiarkiem. Pozwól, że przedstawię ci pewien fakt.

Spotkałem i leczyłem, jak pokazują moje notatki, pięćdziesiąt siedem przypadków tego rodzaju wizji, które nazywam po prostu „wysublimowanymi", „nadmiernie wykształconymi" i „wewnętrznymi".

Istnieje inny rodzaj przypadłości, słusznie zwanej — mimo że powszechnie mylonej z tą, którą opisuję — złudzeniami wzrokowymi. Tej drugiej nie uważam za trudniejszą do wyleczenia niż silny katar czy lekka niestrawność.

To te, które należą do pierwszej kategorii, są prawdziwym testem dla precyzji naszego myślenia. Spotkałem się z pięćdziesięcioma siedmioma takimi

przypadkami, ni mniej, ni więcej. A w ilu przypadkach odniosłem porażkę? W żadnym!

Nie ma śmiertelnej przypadłości, która przy odrobinie cierpliwości i racjonalnego zaufania do lekarza dałaby się łatwiej i pewniej zniwelować. Przy spełnieniu tych prostych warunków postrzegam wyleczenie jako absolutnie pewne.

Musisz pamiętać, że nie rozpocząłem nawet leczenia w przypadku pana Jenningsa. Nie mam żadnych wątpliwości, że wyleczyłbym go całkowicie w ciągu osiemnastu miesięcy lub może by się to przeciągnęło do dwóch lat. Niektóre przypadki poddają się bardzo szybkiemu wyleczeniu, inne są wysoce żmudne. Każdy inteligentny lekarz, który starannie przeanalizuje taki przypadek, znajdzie lekarstwo.

Znasz mój traktat *O kardynalnych funkcjach umysłu*. Udowadniam w nim za pomocą niezliczonych faktów, jak mi się wydaje, wysokie prawdopodobieństwo krążenia tętniczego i żylnego, co do mechaniki, poprzez nerwy. Sercem tak postrzeganego systemu jest mózg. Płyn, który jest rozsyłany stamtąd poprzez jedną klasę nerwów, powraca w zmienionym stanie poprzez inną, a natura tego płynu jest duchowa, chociaż nie niematerialna, nie bardziej niż, jak już wspominałem, w przypadku światła czy elektryczności.

Poprzez różne nadużycia, wśród których jest nałogowe stosowanie takich substancji jak zielona herbata, może dojść do zaburzenia tego płynu co do jakości, ale dużo częściej dochodzi do jego zaburze-

nia co do równowagi. Ponieważ płyn ten jest tym, co mamy wspólnego z duchami, jego nagromadzenie na tkance mózgu bądź nerwu, połączonych z wewnętrznym zmysłem, tworzy powierzchnię niepotrzebnie wyeksponowaną, na której operować mogą pozbawione ciała duchy: komunikacja zostaje w ten sposób, mniej lub bardziej efektywnie, ustanowiona. Pomiędzy obiegiem mózgu i obiegiem serca istnieje pewnego rodzaju zażyłość. Siedliskiem, czy może instrumentem, widzenia zewnętrznego jest oko. Siedliskiem widzenia wewnętrznego jest tkanka nerwowa i mózg tuż wokół oraz nad łukiem brwiowym. Pamiętasz, jak skutecznie zlikwidowałem wizje u Ciebie poprzez zwykłe zastosowanie mocno schłodzonej wody kolońskiej? Nieliczne przypadki jednak mogą być leczone w dokładnie taki sam sposób, z gwarancją równie szybkiego sukcesu. Chłód użyty do zwalczenia płynu nerwowego ma bardzo mocne działanie. Jeśli stosować go wystarczająco długo, wywoła nawet stałą niewrażliwość, którą nazywamy odrętwieniem, a przy jeszcze dłuższym stosowaniu — paraliż mięśni i zmysłów.

Nie mam, powtarzam, najmniejszych wątpliwości, że udałoby mi się najpierw przyćmić, a ostatecznie zamknąć to wewnętrzne oko, które pan Jennings nieopatrznie otworzył. Te same zmysły otwierają się w delirium tremens i ponownie zamykają całkowicie, gdy hiperaktywność serca mózgowego — i obfite nerwowe zatory, które jej towarzyszą — zostaje

zaprzestana poprzez gwałtowną zmianę stanu ciała. To przez ciągłe oddziaływanie na ciało za pomocą prostego procesu można osiągnąć ten skutek — jest to nieuniknione. Nigdy nie odniosłem w tym względzie porażki.

Biedny pan Jennings odebrał sobie życie. Ale ta katastrofa była wynikiem zupełnie innej dolegliwości, która poprzez projekcję jakby nałożyła się na chorobę, jaka już istniała. Jego przypadek w wyraźny sposób był komplikacją, a przypadłością, której w rzeczywistości padł ofiarą, była dziedziczna mania samobójcza. Biednego pana Jenningsa nie mogę nazwać swoim pacjentem, ponieważ nie zacząłem nawet leczyć jego przypadku, a on nie obdarzył mnie, jestem przekonany, swym pełnym, bezgranicznym zaufaniem. Jeśli pacjent nie opowie się po stronie swojej choroby, jego uzdrowienie jest pewne.

PRZEŚLADOWCA

PROLOG

Z około dwustu trzydziestu przypadków, mniej lub bardziej podobnych do tego, jaki zatytułowałem *Zielona herbata*, wybieram następujący, który tytułuję: *Prześladowca*.

Do tego manuskryptu doktor Hesselius zechciał dołączyć kilka kartek papieru listowego zapisanych jego pismem nieomal tak zwartym jak druk — są to jego własne komentarze na temat przypadku. Pisze:

> W kwestii sumienia nie można było wybrać bardziej obiektywnego narratora niż ten wielebny irlandzki duchowny, który przekazał mi niniejszy opis przypadku pana Bartona. Relacja ta jest jednak medycznie niedoskonała. Sprawozdanie inteligentnego lekarza, który czuwał nad pacjentem i notował postępy w leczeniu od jego najwcześniejszych etapów do zamknięcia, dostarczyłoby tego, czego brakuje, abym mógł wydać bez obaw swoją opinię. Byłbym wtedy zaznajomiony z prawdopodobnymi, dziedzicznymi predyspozycjami pana Bartona. Wiedziałbym przypuszczalnie, dzięki bardzo wczesnym wskazówkom, coś

o bardziej odległych początkach choroby niż te, które można opisać dzisiaj.

W pewnym przybliżeniu możemy ograniczyć wszystkie podobne przypadki do trzech typów. Podział opiera się na podstawowym rozróżnieniu między subiektywnym i obiektywnym. Spośród tych, których zmysły poddane są podobno nadnaturalnym wpływom, niektórzy są po prostu wizjonerami, a iluzje, na które się skarżą, są wytworem chorego umysłu bądź nerwów. Inni są bez wątpienia prześladowani przez, jak je nazywamy, istoty duchowe, zewnętrzne w stosunku do nich samych. Jeszcze inni zawdzięczają swoje cierpienia mieszanemu stanowi. Zmysł wewnętrzny, to prawda, jest otwarty, ale został i pozostaje otwarty w efekcie choroby. Ta forma dolegliwości może w pewnym sensie zostać porównana do utraty naskórka i następującej w jej konsekwencji ekspozycji obszarów ciała, którym — ze względu na ich nadmierną wrażliwość — natura zapewniła ochronę. Utracie tej osłony towarzyszy zwyczajowy atak wpływów, przed jakimi mieliśmy być chronieni. Ale w przypadku umysłu i nerwów, bezpośrednio połączonych z jego funkcjami i jego zmysłowymi wrażeniami, krążenie mózgowe jest okresowo poddawane zakłóceniu wibracyjnemu, które, jak mi się wydaje, dostatecznie zbadałem i zademonstrowałem w moim eseju, w manuskrypcie A.17. To zakłócenie wibracyjne różni się, jak tam udo-

> wadniam, zasadniczo od zakłócenia kumulacyjnego, którego to przypadki badam w eseju A.19. Zjawisku temu, w stanie nasilenia, nieodmiennie towarzyszą *iluzje*.
>
> Gdybym poznał pana Bartona i zbadał go pod kątem pewnych aspektów jego przypadku, które wymagają objaśnienia, bez trudności odniósłbym te zjawiska do stosownej choroby. Moja obecna diagnoza, z tych oczywistych względów, może mieć zatem jedynie charakter domysłu.

Tak pisze doktor Hesselius, dodając sporo informacji, które mogłyby zainteresować jedynie lekarza specjalistę.

Opowieść wielebnego Thomasa Herberta, która dostarcza wszystkich dostępnych na temat przypadku informacji, następuje w poniższych rozdziałach.

1

Odgłos kroków

Byłem wtedy bardzo młody i znałem dobrze kilku z głównych bohaterów tej dziwnej opowieści. To dlatego jej wydarzenia wywarły na mnie wyjątkowo głębokie i niezapomniane wrażenie na wiele lat. Spróbuję teraz z precyzją opowiedzieć je wszystkie, łącząc oczywiście w mojej opowieści to, czego się dowiedziałem z różnych źródeł, z zamiarem rozświetlenia, jakkolwiek niedoskonale, ciemności, która spowija postęp sprawy i jej zakończenie.

Gdzieś około roku 1794 młodszy brat pewnego baroneta, którego będę nazywał sir James Barton, powrócił do Dublina. Służył w marynarce, gdzie zdobył uznanie, dowodząc jedną z fregat Jego Królewskiej Mości przez większą część rewolucji amerykańskiej. Kapitan Barton miał najwyraźniej około czterdziestu dwóch, czterdziestu trzech lat. Był inteligentnym i miłym towarzyszem, gdy mu zależało, mimo że ogólnie był dość zamknięty, a czasami miewał humory.

W towarzystwie jednak uchodził za człowieka światowego i dżentelmena. Nie nabył hałaśliwej opryskliwości zyskiwanej czasami na morzu, wręcz przeciwnie, jego maniery były wyjątkowo łagodne, stonowane, a nawet eleganckie. Był średniego wzro-

stu, dość mocno zbudowany, na jego twarzy były widoczne bruzdy, efekt rozmyślań, i ogółem rzecz biorąc, spowijała go aura powagi i melancholii. Będąc jednak, jak mówiłem, człowiekiem o nienagannym wychowaniu, jak również z dobrej rodziny i zamożnym, miał oczywiście łatwy dostęp do najlepszego towarzystwa w Dublinie, bez konieczności przedstawiania dodatkowych referencji.

Jeśli chodzi o prywatne potrzeby, pan Barton żył skromnie. Zajmował kwaterę na jednej z modnych wtedy ulic w południowej części miasta, posiadał zaledwie jednego konia i jednego służącego i mimo iż uchodził za wolnomyśliciela, prowadził uporządkowane i moralne życie, nie ulegając hazardowi, piciu ani innym złym nawykom — wiodąc żywot odosobniony, nie tworząc zażyłych związków, nie znajdując przyjaciół i zdając się zadawać z wesołym towarzystwem raczej ze względu na żywą atmosferę i rozrywkę niż na możliwości, jakie stwarza do wymiany myśli czy uczuć z jego wyznawcami.

Barton został zatem uznany za oszczędnego, rozsądnego i nietowarzyskiego dżentelmena, który był na dobrej drodze do zachowania celibatu, bez względu na to, czy ktoś chciałby użyć przeciwko niemu podstępu czy siły, i wyglądało, że dożyje późnej starości, umrze bogato i zostawi majątek szpitalowi.

Stało się jednak teraz oczywiste, że wszyscy byli w całkowitym błędzie co do natury planów pana Bartona. Młoda dama, którą będę nazywał panną

Montague, została w tym czasie wprowadzona do wesołego towarzystwa przez swoją ciotkę, wdowę, lady Rochdale. Panna Montague była zdecydowanie ładna i starannie wykształcona, a posiadając odrobinę naturalnego sprytu i sporo wesołości, stała się na chwilę gwiazdą towarzystwa.

Popularność jednak nie przyniosła jej, przez jakiś czas, nic ponad ten ulotny podziw, który, jakkolwiek miły dla naszej próżności, nie jest w żadnym razie wstępem do małżeństwa, ponieważ, nieszczęśliwie dla młodej damy, o której mowa, było powszechnie znanym faktem, iż oprócz swego osobistego uroku nie posiada ona żadnego materialnego zabezpieczenia. Zważywszy na taki stan rzeczy, jest zrozumiałe, że ogromnym zaskoczeniem było pojawienie się kapitana Bartona jako gorliwego wielbiciela ubogiej jak mysz kościelna panny Montague.

Jego konkury zostały przyjęte z radością, jak można się było spodziewać, i w krótkim czasie lady Rochdale zakomunikowała każdemu ze swoich stu pięćdziesięciu zupełnie wyjątkowych przyjaciół, że kapitan Barton w istocie złożył, za jej aprobatą, propozycję małżeństwa jej siostrzenicy, pannie Montague, która przyjęła jego oświadczyny, pod warunkiem że zgodę wyrazi jej ojciec, który właśnie był w drodze powrotnej z Indii, tak że spodziewano się go za dwa lub trzy tygodnie najpóźniej.

Co do tej zgody nie mogło być żadnych wątpliwości — zwłoka więc była jedynie formalna. Uważano

ich za całkowicie zaręczonych i lady Rochdale, z rygorem typowym dla nieco staromodnego wychowania, z którego jej siostrzenica bez wątpienia chętnie by zrezygnowała, wycofała ją od tego momentu z wszelkiego udziału w rozrywkach miasta.

Kapitan Barton był ciągłym odwiedzającym i gościem w domu — cieszył się wszelkimi przywilejami bliskości, którymi zazwyczaj obdarza się zaręczonego konkurenta. Takie relacje łączyły zainteresowanych, gdy zaczęły się nagle rysować tajemnicze okoliczności, które rzucą cień na tę opowieść.

Lady Rochdale rezydowała w eleganckim pałacu w północnej części Dublina, a kwatera pana Bartona, jak już wspomniałem, znajdowała się na południu miasta. Odległość pomiędzy nimi była znaczna, a kapitan Barton miał zwyczaj udawać się do domu pieszo bez towarzystwa służącego, zawsze gdy spędzał wieczór ze starszą panią i jej piękną podopieczną.

Najkrótsza dla niego droga w czasie takich nocnych spacerów prowadziła w znacznej części ulicą, która dopiero co została wytyczona, a wzdłuż niej wzniesiono niewiele ponad fundamenty domów.

Pewnej nocy, wkrótce po tym, jak rozpoczął się okres zaręczyn Bartona z panną Montague, zatrzymał się on u niej i u lady Rochdale wyjątkowo długo. Rozmowa zeszła na temat dowodów na Objawienie, na który to wypowiadał się z bezdusznym sceptycyzmem zagorzałego niewiernego. Tak zwane „francuskie zasady" w tamtym czasie zakorzeniły się już

mocno w modnym towarzystwie, szczególnie ta część, która głosiła sympatię dla liberalnych poglądów wigów, i ani starsza pani, ani jej podopieczna nie pozostały tak całkowicie wolne od ich wpływu, żeby traktować poglądy pana Bartona jako poważną przeszkodę dla proponowanego związku.

Dyskusja zeszła na tematy spraw nadprzyrodzonych i cudów, o których to kapitan wypowiadał się według dokładnie tej samej linii argumentacji i szyderstwa. W tym wszystkim, należy stwierdzić zgodnie z prawdą, kapitan Barton był wolny od wszelkiej afektacji. Doktryny, przy których się upierał, leżały w rzeczywistości w każdym calu u podstaw jego własnych ugruntowanych poglądów, jeśli można to tak określić. I być może wcale nie najmniej dziwny spośród wielu dziwnych okoliczności mojej opowieści jest fakt, że przedmiotem tych strasznych wpływów, które mam opisać, stał się on sam, z powodu niewzruszonych wieloletnich przekonań absolutnie niewierzący w to, co zwyczajowo określa się mianem zjawisk nadnaturalnych.

Było już sporo po północy, gdy pan Barton pożegnał się i wyruszył na swój samotny spacer do domu. Wkrótce znalazł się na opuszczonej ulicy. Po obydwu jej stronach, wzdłuż linii fundamentów planowanych rzędów domów, biegły niedokończone karłowate ściany. Księżyc świecił mglisto, a jego światło czyniło drogę, którą kroczył, jeszcze bardziej straszną. Królował tam ten rodzaj całkowitej ciszy, który ma

w sobie coś niewypowiedzianie ekscytującego, sprawiając, że dźwięk jego kroków, który jako jedyny ją przerywał, brzmiał nienaturalnie głośno i wyraźnie.

Kapitan Barton przemierzył tak pewien odcinek, gdy nagle usłyszał odgłos innych kroków, rozbrzmiewający w miarowym tempie i, jak się wydawało, około czterdziestu kroków za nim.

Podejrzenie, że ktoś nas śledzi, jest zawsze nieprzyjemne, a w miejscu tak odludnym staje się wyjątkowo przykre. Myśl owa tak bardzo zdominowała umysł kapitana Bartona, że gwałtownie odwrócił się, aby stanąć twarzą w twarz ze swoim prześladowcą. Jednak mimo że blask księżyca wystarczał, by odsłonić każdy obiekt na drodze, którą pokonał, nie rysowała się na niej żadna postać ani przedmiot.

Kroki, które usłyszał, nie mogły być echem jego własnych, ponieważ tupał nogą w ziemię, a następnie spacerował szybko tam i z powrotem, na próżno usiłując je przywołać. Nie będąc w najmniejszym stopniu osobą niedorzeczną, chętnie przypisał w końcu dźwięki swej wyobraźni i postanowił potraktować je jako złudzenie. Zaspokoiwszy w ten sposób ciekawość, ruszył w dalszą drogę, ale zanim zrobił kolejne dziesięć kroków, tajemniczy odgłos dał się znowu słyszeć z tyłu i tym razem, jakby ze szczególnym zamiarem pokazania, że dźwięki nie są odgłosem echa — kroki czasami zwalniały nieomal do całkowitego spoczynku, a czasami przyśpieszały przez sześć lub osiem długości do biegu, a potem znowu zwalniały do spaceru.

Kapitan Barton, tak jak przedtem, odwrócił się nagle do tyłu, z tym samym rezultatem — na opuszczonej ulicy nie widać było żadnego obiektu. Zawrócił do tego samego miejsca, zdecydowawszy, że cokolwiek mogło być powodem tych dźwięków, nie umknie jego poszukiwaniom — przedsięwzięcie jednak okazało się nieskuteczne.

Pomimo całego swojego sceptycyzmu czuł, jak szybko ogarnia go coś na kształt zabobonnego strachu, i tak odczuwając te niecodzienne i nieprzyjemne sensacje, ponownie się odwrócił i ruszył przed siebie. Prześladujące kroki nie rozległy się ponownie, dopóki nie znalazł się w miejscu, w którym ostatnio się zatrzymał, aby się cofnąć — tutaj znowu się powtórzyły, i to z nagłymi napadami biegu, grożąc, że niewidoczny prześladowca zaraz zrówna się z zaniepokojonym pieszym.

Kapitan Barton zatrzymał się tak jak poprzednio — niewytłumaczalna natura zdarzenia przepełniła go nieokreślonymi i nieprzyjemnymi uczuciami — i ulegając emocjom, które w nim narastały, zawołał surowo: „Kto tam?!". Dźwięk własnego głosu, w ten sposób z siebie wydobytego w całkowitej samotności, po którym następuje absolutna cisza, ma w sobie coś nieprzyjemnie przerażającego, kapitan więc poczuł pewną dozę zdenerwowania, której być może nie zaznał nigdy wcześniej.

Do samego końca tej samotnej ulicy kroki go prześladowały — a kapitan musiał zmobilizować całą

swą upartą dumę, żeby oprzeć się impulsowi, który z sekundy na sekundę popychał go, by wziąć nogi za pas i uciekać ile sił w nogach. Dopiero gdy znalazł się w swojej kwaterze i usiadł przy kominku, poczuł się na tyle bezpiecznie, żeby uporządkować i przemyśleć wydarzenia, które tak wyprowadziły go z równowagi. Tak drobna sprawa, jak widać, wystarcza, aby podważyć arogancję sceptycyzmu i potwierdzić stare proste prawa natury, które nami rządzą.

2

Obserwator

Pan Barton siedział następnego ranka przy późnym śniadaniu, rozmyślając o wydarzeniach poprzedniej nocy, bardziej z zaintrygowaniem niż ze strachem — tak szybko posępne wrażenia wyryte w umyśle znikają pod radosnym wpływem dnia — gdy list właśnie doręczony przez posłańca został położony przed nim na stole.

Nie było nic wyjątkowego w sposobie, w jaki zaadresowano ten list, poza tym, że charakter pisma był mu nieznajomy — być może ktoś chciał pozostać anonimowy, ponieważ wysokie, wąskie litery były pochylone, jakby ktoś pisał z wysiłkiem, celowo, jak zazwyczaj w takich sytuacjach. Rozmyślał nad adresem przez pełną minutę, zanim złamał pieczęć. Gdy już to uczynił, przeczytał następujące słowa, napisane tym samym charakterem pisma:

> Ostrzega się pana Bartona, byłego kapitana statku „Dolphin", przed NIEBEZPIECZEŃSTWEM. Postąpi mądrze, unikając ulicy [tutaj podano nazwę miejsca jego wczorajszej przygody]. Jeśli uda się tam pieszo, spotka go jakieś nieszczęście. Niech przyjmie to ostrzeżenie raz na zawsze, ponieważ ma powody, aby się obawiać.
>
> OBSERWATOR

Kapitan Barton czytał raz po raz to dziwne wyznanie, obracał kartkę wielokrotnie w każdą możliwą stronę, przyglądał się uważnie zapisanemu papierowi i analizował ponownie charakter pisma. Pokonany na tym polu, zajął się pieczęcią. Była to jedynie kropla wosku, na której był słabo widoczny przypadkowy odcisk kciuka.

Nie było najmniejszego śladu, najmniejszej wskazówki jakiegokolwiek rodzaju, która mogłaby doprowadzić go nawet do najodleglejszych przypuszczeń odnośnie do możliwego pochodzenia wiadomości. Motyw działania piszącego wydawał się przyjazny, a mimo to podpisywał się on jako ktoś, kogo miał „powody, aby się obawiać". Biorąc pod uwagę list, jego autor i jego prawdziwy cel stanowiły dla niego nierozwikłaną zagadkę, a na dodatek nieprzyjemnie przywodziły na myśl inne skojarzenia związane z przygodą z ostatniej nocy.

Ulegając pewnemu uczuciu — być może dumie — pan Barton nie poinformował nawet swojej przyszłej żony o wydarzeniach, które właśnie opisałem. Bez względu na to, jak nieistotne się wydawały, w rzeczywistości były dla niego bardzo nieprzyjemnym przeżyciem i nie chciał zdradzać nawet przed młodą damą, o której mowa, czegoś, co mogła uznać za oznaki słabości. List mógł równie dobrze okazać się głupim żartem, a tajemniczy odgłos kroków złudzeniem albo sztuczką. Jednak mimo że usiłował całe zdarzenie traktować jako niewarte zastanowienia,

ono prześladowało go nieustępliwie, dręcząc niepokojącymi wątpliwościami i przygnębiając nieokreślonymi obawami. Pewne jest, że przez dłuższy czas potem starannie unikał ulicy wskazanej w liście jako niebezpieczne miejsce.

Dopiero po około tygodniu od otrzymania listu, który opisałem, wydarzyło się coś jeszcze, co przypomniało kapitanowi Bartonowi o jego zawartości bądź też nie pozwoliło na stopniowe ulotnienie się z pamięci nieprzyjemnych wrażeń, jakich wtedy doznał.

Wracał pewnego wieczoru, po przerwie, o jakiej napisałem, z teatru, który wtedy znajdował się na Crow Street, i pożegnawszy się z panną Montague i lady Rochdale, które wsiadły tam do swojego powozu, zatrzymał się na chwilę z dwoma lub trzema znajomymi.

Rozstał się jednak z nimi w pobliżu college'u i ruszył samotnie w drogę. Była teraz godzina pierwsza, a ulice zupełnie opustoszałe. Podczas całego spaceru z towarzyszami, z którymi właśnie się rozstał, od czasu do czasu z przykrością odnotowywał dźwięk kroków, jak się wydawało, prześladujący ich po drodze.

Raz czy dwa obejrzał się do tyłu, trapiony obawą, że znowu doświadczy tych samych tajemniczych przykrości, które tak wytrąciły go z równowagi tydzień wcześniej, i mając gorącą nadzieję, że być może zobaczy jakąś postać, której w naturalny sposób

będzie można przypisać te dźwięki. Ulica jednak była pusta — nikogo nie było widać.

Idąc teraz zupełnie samotnie do domu, poczuł się bardzo zdenerwowany i nieswój, w miarę jak zaczął zdawać sobie sprawę, z coraz większą pewnością, z obecności tych dobrze znanych i teraz bez wątpienia wywołujących w nim strach kroków.

Przy pustym murze, który otaczał park college'u, dźwięk kroków nadal mu towarzyszył, rozbrzmiewając nieomal jednocześnie z odgłosem jego własnych kroków. To samo nierówne tempo — czasami wolne, czasami przez jakieś dwadzieścia metrów szybsze, nieomal zbliżone do biegu — dochodziło z tyłu. Raz po raz odwracał się, szybko i ukradkowo spoglądał przez ramię prawie co każde sześć kroków, ale nikogo widział.

Irytacja wypływająca z tego nienamacalnego i niewidocznego pościgu stała się nie do zniesienia i gdy w końcu dotarł do domu, jego nerwy osiągnęły taki szczyt rozstrojenia, że nie był w stanie się uspokoić i nie próbował nawet kłaść się do łóżka przed wschodem słońca.

Obudziło go pukanie do drzwi pokoju, a jego służący, wchodząc, podał mu kilka listów, które właśnie dostarczono jednopensową pocztą. Jeden z nich natychmiast przykuł jego uwagę — jedno spojrzenie na niego wyprowadziło go całkowicie z równowagi. Natychmiast rozpoznał charakter pisma i przeczytał, co następuje:

Panie Kapitanie, może być Pan pewien, że prędzej uda się Panu zgubić swój własny cień niż mnie; może Pan robić, co się Panu podoba, będę Pana widywał tak często, jak zechcę, a Pan mnie zobaczy, ponieważ nie chcę się ukrywać, tak jak Pan sobie życzy. Niech nie mąci to Pana spokoju, Kapitanie, bo, mając czyste sumienie, czegóż mógłby się Pan obawiać z rąk OBSERWATORA?

Nie ma potrzeby rozpisywać się o uczuciach, które towarzyszyły zapoznaniu się z tą dziwną wiadomością. Wszyscy zauważyli, że kapitan Barton był wyjątkowo nieobecny i przygnębiony przez kilka następnych dni, ale nikt nie domyślał się powodu.

Cokolwiek mógłby myśleć o widmowych krokach, które go śledziły, nie mogło być mowy o iluzji w przypadku listów, które otrzymał, i należało przyznać, że ich pojawienie się natychmiast po tajemniczych dźwiękach, które go prześladowały, było dziwnym zbiegiem okoliczności.

Cała sprawa, zdawało mu się, była niejasno i instynktownie powiązana z pewnymi zdarzeniami w jego ubiegłym życiu, które zresztą wspominał ze szczególną niechęcią.

Zdarzyło się bowiem tak, że oprócz zbliżającego się własnego ślubu pan Barton musiał akurat wtedy zająć się — być może szczęśliwie dla niego — pewną bardzo absorbującą sprawą, związaną z uregulowaniem dużych i dawnych roszczeń do określonych nieruchomości. Pośpiech i emocje związane z tą sprawą w naturalny sposób rozpędziły stopniowo posępny nastrój, który od pewnego czasu okazjonalnie mu towarzyszył, i w niedługim czasie kapitan całkowicie odzyskał swój dawny temperament.

Przez cały ten czas jednak przeżywał chwile grozy, gdy na powrót dręczyły go niewyraźne i na wpół słyszalne odgłosy, i to w miejscach odludnych — za dnia, jak również po zapadnięciu zmroku. Ponowne przypadki tych dziwnych doznań, przez które tak bardzo cierpiał, były jednak bardzo iluzoryczne i słabe, do tego stopnia, że często nie był naprawdę w stanie, ku własnej satysfakcji, rozróżnić ich od zwykłych wytworów rozbudzonej wyobraźni.

Pewnego wieczoru szliśmy spacerem do Trinity College z panem Norcottem, znajomym jego i moim. Była to jedna z nielicznych okazji, gdy przebywałem w towarzystwie pana Bartona. Gdy tak spacerowaliśmy, zauważyłem, że stał się nieobecny i milczący, i to w stopniu, który zdawał się zdradzać jakiś bezpośredni i całkowicie paraliżujący go niepokój. Dowiedziałem się później, że podczas całego naszego spaceru słyszał on dobrze mu znane kroki prześladujące go, gdy kontynuowaliśmy wędrówkę.

Był to jednak ostatni raz, gdy cierpiał tę fazę prześladowania, której był już świadomą ofiarą. Nowa i bardzo odmienna miała wkrótce dać się poznać.

3

Ogłoszenie

Z nowej serii wrażeń, które miały od tej pory stopniowo ukształtować jego przeznaczenie, był on tego wieczoru świadkiem pierwszego z nich i gdyby nie jego związek z pasmem zdarzeń, które nastąpiły, wątpię, że pamiętałbym dzisiaj ten incydent.

Gdy byliśmy już nieomal na miejscu, przy pasażu prowadzącym z College Green, pojawił się mężczyzna, o którym pamiętam jedynie, że był niski, wyglądał jak przybysz z innego kraju i miał na sobie futrzaną czapkę. Zmierzał on bardzo energicznie, jakby mocno wzburzony, prosto w naszą stronę, mówiąc przez cały czas coś do siebie szybko i gwałtownie.

Ta dziwnie wyglądająca osoba kierowała się wprost na Bartona, który szedł na przedzie naszej trójki, i zatrzymała się, przyglądając mu się przez sekundę czy dwie z wyrazem maniakalnej wrogości i wściekłości, a potem odwracając się równie niespodziewanie, ruszyła przed nami tym samym pośpiesznym krokiem, po czym zniknęła w bocznej uliczce. Rzeczywiście wyraźnie pamiętam, że poczułem się wstrząśnięty wyrazem twarzy i zachowaniem tego człowieka, który zaiste wywarł na mnie nieodparte wrażenie niejasnego poczucia zagrożenia, jakiego nigdy przedtem ani nigdy później nie poczułem

w obecności ludzkiej istoty. Te odczucia jednak, jeśli o mnie chodzi, w odległy nawet sposób nie urastały do niczego tak niepokojącego, aby miały mnie poruszyć czy też wprawić w stan zdenerwowania — ujrzałem jedynie wyjątkowo złowrogą twarz, ożywioną, jak się wydawało, porywem szaleństwa.

Byłem jednak całkowicie zaskoczony efektem, jaki wywarła ta zjawa na kapitanie Bartonie. Znałem go jako człowieka dumnego, odważnego i zachowującego zimną krew w obliczu niebezpieczeństwa — wszystko to sprawiło, że jego postępowanie w tej sytuacji wydało mi się w jeszcze bardziej oczywisty sposób dziwne. Cofnął się krok lub dwa, gdy nieznajomy się zbliżył, i chwycił mnie za ramię, milcząc, jak się wydawało, w akcie agonii czy przerażenia, a potem, gdy postać zniknęła, odpychając mnie gwałtownie, ruszył za nią, robiąc kilka kroków, zatrzymał się wielce wzburzony i usiadł na ławce. Nigdy nie widziałem, żeby ktoś wyglądał na tak przerażonego i zrozpaczonego.

— Na litość boską, Barton, co się dzieje?! — zawołał nasz towarzysz, naprawdę zaniepokojony jego wyglądem. — Nie jesteś ranny, prawda? A może źle się czujesz? Co się stało?

— Co on powiedział? Nie usłyszałem, jakie były jego słowa — dopytywał się Barton, całkowicie ignorując pytanie.

— Absurd — odparł Norcott, wielce zdziwiony. — Kogo to obchodzi, co powiedział tamten osobnik?

Coś ci jest, Barton... zdecydowanie coś ci dolega. Pozwól, że zawołam powóz.

— Coś mi jest?! Nie, nic mi nie dolega — odparł Barton, wyraźnie starając się odzyskać równowagę — ale szczerze mówiąc, jestem zmęczony, trochę przepracowany... i być może trochę drażliwy. Byłem w sądzie, a zamykanie sprawy sądowej to zawsze nerwowe przeżycie. Czułem się nieswojo przez cały wieczór, ale teraz już mi lepiej. Proszę, proszę, idziemy dalej?

— Nie, nie. Posłuchaj mojej rady, Barton, i idź do domu. Naprawdę potrzebujesz odpoczynku, wyglądasz niezbyt dobrze. Naprawdę nalegam, abyś pozwolił mi się odprowadzić do domu — odparł jego przyjaciel.

Poparłem radę Norcotta tym gorliwiej, że i Barton wyglądał na skłonnego ulec naszym namowom. Opuścił nas, odrzucając ofertę eskorty. Nie byłem na tyle blisko z Norcottem, aby omawiać scenę, której obydwaj byliśmy właśnie świadkami. Sądząc jednak po jego zachowaniu oraz kilku zdawkowych komentarzach i wyrazach współczucia, które wymieniliśmy, byłem pewien, że i jego nie przekonała zaimprowizowana odpowiedź o chorobie, którą Barton chciał usprawiedliwić dziwne zachowanie, i że obydwaj byliśmy zgodni w naszych podejrzeniach o jakiejś mrocznej tajemnicy, która się za wszystkim kryła.

Złożyłem następnego dnia wizytę w domu Bartona, żeby zapytać o jego zdrowie, i dowiedziałem się od służącego, że nie wychodził ze swojego pokoju od

powrotu poprzedniego wieczoru, ale że nie dolega mu nic poważnego i że ma nadzieję powrócić do życia towarzyskiego za kilka dni. Tego wieczoru posłał po doktora Richardsa, który wtedy prowadził dużą i modną praktykę w Dublinie, a ich rozmowa była, mówi się, dziwna.

Zaczął omawiać szczegóły własnych symptomów w dość nieobecny i pobieżny sposób, który zdawał się sygnalizować dziwny brak zainteresowania własnym leczeniem, a w każdym razie jasno pokazał, że jest jakiś inny temat absorbujący jego myśli, mający o wiele większe znaczenie niż jego obecna dolegliwość. Uskarżał się na występujące od czasu do czasu palpitacje serca i ból głowy.

Doktor Richards zapytał go, między innymi, czy nie dręczą go obecnie jakieś drażniące okoliczności bądź niepokój. Zaprzeczył temu szybko i nieomal z irytacją, lekarz wyraził zatem swoją opinię, że wszystko jest w porządku, z wyjątkiem niewielkiego zaburzenia trawienia, na które następnie przepisał leki, i już miał odejść, gdy pan Barton, zachowując się jak ktoś, komu właśnie przypomniało się coś, o czym nieomal zapomniał, zawołał do niego:

— Najmocniej przepraszam, doktorze, ale naprawdę prawie zapomniałem... czy pozwoli pan, że zadam dwa lub trzy medyczne pytania... raczej dziwne, być może, ale od odpowiedzi na nie zależy rozstrzygnięcie zakładu. Wybaczy pan, mam nadzieję, ich naiwność?

Lekarz chętnie zgodził się na udzielnie odpowiedzi.

Bartonowi sprawiło najwyraźniej pewną trudność rozpoczęcie serii pytań, ponieważ milczał przez minutę, następnie podszedł do biblioteczki, po czym znowu wrócił na swoje miejsce; w końcu usiadł i powiedział:

— Będzie pan myślał, że to bardzo dziecinne pytania, ale nie mogę rozwiązać zakładu bez decyzji w tej sprawie, więc muszę je zadać. Chciałbym się najpierw dowiedzieć o szczękościsku. Jeśli człowiek w istocie cierpiał na taką dolegliwość i wygląda, jakby na to umarł... do tego stopnia, że posiadający przeciętne umiejętności lekarz stwierdza zgon... może on, mimo to, wrócić do życia?

Lekarz uśmiechnął się i potrząsnął przecząco głową.

— Ale... może dojść do pomyłki? — kontynuował Barton. — Załóżmy, że to nieposiadający dogłębnej wiedzy adept sztuki medycznej. Czy może aż tak bardzo być w błędzie co do któregoś z etapów dolegliwości, aby pomylić to, co jest zaledwie częścią postępu choroby, z samym zgonem?

— Nikt, kto kiedykolwiek widział śmierć — odparł lekarz — nie pomyliłby jej z przypadkiem szczękościsku.

Barton rozmyślał przez kilka minut.

— Zamierzam zadać panu pytanie być może jeszcze bardziej dziecinne, ale najpierw proszę mi powiedzieć, czy przepisy w zagranicznych szpitalach, takich jak, powiedzmy, w Neapolu, mogą być bardzo luźne i nieudolne? Czy wszelkiego rodzaju pomyłki i niedopatrzenia nie mogą się pojawić w rejestrze nazwisk i tak dalej?

Doktor Richards zadeklarował brak wystarczających kompetencji, by odpowiedzieć na to pytanie.

— No cóż, doktorze, oto jest ostatnie z moich pytań. Prawdopodobnie będzie się pan z niego śmiał, ale mimo to muszę je panu zadać. Czy istnieje choroba, w całej gamie ludzkich dolegliwości, która miałaby efekt widocznego kurczenia się postaci i całej sylwetki... powodując, że człowiek maleje proporcjonalnie, a mimo to zachowuje podobieństwo do siebie w każdym szczególe — z jednym wyjątkiem: jego wzrostu i masy. Jakakolwiek choroba, proszę zwrócić uwagę, bez względu na to jak rzadka, jak mało znana, ogólnie — która mogłaby prowadzić do powstania takiego efektu?

Lekarz odpowiedział uśmiechem i bardzo zdecydowanym zaprzeczeniem.

— Proszę mi w takim razie powiedzieć — zawołał Barton gwałtownie — jeśli człowiek ma podstawy obawiać się ataku ze strony szaleńca przebywającego na wolności, czyż nie może on żądać wystawienia nakazu jego aresztowania i zatrzymania?

— W istocie to bardziej pytanie do prawnika niż do kogoś mojej profesji — odparł doktor Richards — ale myślę, że po skierowaniu sprawy do magistratu takie właśnie działania zostałyby podjęte.

Następnie lekarz się pożegnał, ale gdy był już przy

drzwiach, przypomniał sobie, że zostawił na górze swoją laskę i wrócił po nią. Jego ponowne pojawienie się było dość niezręczne, a to ze względu na kawałek papieru, w którym rozpoznał swoją receptę, dogasający wolno na kominku, podczas gdy Barton siedział obok z wyrazem głębokiego przygnębienia i przerażenia na twarzy.

Doktor Richards był zbyt taktowny, aby dać po sobie znać, co zauważył, ale zobaczył wystarczająco dużo, aby upewnić się, że to umysł, a nie ciało kapitana Bartona, był w rzeczywistości siedliskiem cierpienia.

Kilka dni później następujące ogłoszenie pojawiło się w gazetach w Dublinie:

> Jeśli Sylvester Yelland, były marynarz na pokładzie fregaty „Dolphin", lub jego najbliżsi krewni udadzą się do Pana Huberta Smitha, adwokata, do jego biura na Dame Street, on lub oni mogą usłyszeć coś bardzo dla nich pomyślnego. Mogą się tam zgłosić o dowolnej porze, do godziny dwunastej w nocy, gdyby strony pragnęły pozostać niezauważone. Ścisła poufność w odniesieniu do wszelkiej komunikacji, która ma taka pozostać, będzie honorowo przestrzegana.

„Dolphin", jak wspominałem, był statkiem, którym dowodził kapitan Barton, i te okoliczności, w połączeniu z wyjątkowym wysiłkiem włożonym w roz-

propagowanie ulotek i tym podobnych, jak również ponawianie ogłoszeń, aby nadać temu dziwnemu obwieszczeniu jak największy rozgłos, skłoniły doktora Richardsa do przypuszczenia, że ten wyjątkowy niepokój kapitana Bartona był jakoś powiązany z osobą, do której było skierowane ogłoszenie, i że to on sam był jego autorem.

Były to jednak, nie muszę dodawać, jedynie domysły. Żadna informacja co do prawdziwego celu ogłoszenia nie została wyjawiona przez agenta, jak też i żadna wskazówka co do tego, kto mógłby być jego zleceniodawcą.

4

Mężczyzna rozmawia z duchownym

Pan Barton, mimo że ostatnio zaczął zaskarbiać sobie opinię hipochondryka, na razie jeszcze zupełnie na nią nie zasługiwał. Nie tryskał wprawdzie jakąś wyjątkową energią, obecnie jednak zachowywał się w jak najbardziej zrównoważony sposób i w żadnym wypadku nie cierpiał na depresję.

Wkrótce zatem zaczął powracać do swoich nawyków, a jednym z pierwszych objawów zdrowszego stanu było jego pojawienie się na uroczystym obiedzie masonów, którego to szacownego braterstwa był członkiem. Barton, na początku posępny i zamyślony, pił dużo swobodniej, niż miał w zwyczaju — prawdopodobnie, aby przepędzić swoje własne niepokoje — i pod wpływem dobrego wina i przyjemnego towarzystwa stał się stopniowo — zaskakująco jak na niego — rozmowny, a nawet hałaśliwy.

To właśnie w stanie takiej niecodziennej ekscytacji opuścił towarzystwo około wpół do jedenastej w nocy, a jako że taka jowialność prowadzi gładko do szarmanckich gestów, przyszło mu do głowy, aby udać się stamtąd prosto do lady Rochdale i spędzić pozostałą część wieczoru z nią i ze swoją przyszłą żoną.

Co za tym idzie, wkrótce znalazł się na Henrietta Street, gdzie gawędził wesoło z damami. Błędem

byłoby przypuszczać, że kapitan Barton przekroczył granice, które przyzwoitość wyznacza dla przyjacielskich relacji — wypił jedynie dość wina, by poprawić sobie humor, w najmniejszym nawet stopniu nie tracąc jasności umysłu czy też dobrych manier.

Tej radykalnej poprawie nastroju towarzyszyła całkowita niepamięć czy też pogarda dla tych nieokreślonych obaw, które tak długo dręczyły jego umysł i w pewnym stopniu odizolowały go od towarzystwa, ale w miarę jak zapadała noc, a jego sztuczna wesołość zaczynała przygasać, te bolesne uczucia stopniowo znowu zaczęły się w nim budzić, a on zrobił się zamyślony i zdenerwowany tak jak przedtem.

Pożegnał się w końcu, z nieprzyjemnym przeczuciem jakiegoś zbliżającego się nieszczęścia i z głową nękaną tajemniczymi obawami. Pomimo że dotkliwie odczuwał ich presję, niemniej wewnętrznie starał się bądź przynajmniej usiłował robić wrażenie, że ma je za nic.

To właśnie jego dumna postawa wobec tego, co uważał za swoją słabość, skłoniła go w tej sytuacji do działania, które z kolei doprowadziło do zdarzenia, jakie zamierzam opisać.

Pan Barton mógł z łatwością zawołać powóz, był jednak świadom, że jego ogromna chęć, by tak postąpić, nie bierze się z niczego innego, tylko — jak uporczywie i rozpaczliwie sobie wmawiał — z jego własnych zabobonnych lęków.

Mógł również wrócić do domu trasą inną niż ta, przed którą przestrzegał go tajemniczy autor korespondencji, z opisanego jednak wyżej powodu zrezygnował z tego pomysłu i z nieprzejednanym, na wpół desperackim postanowieniem, by doprowadzić sprawy do finału, jeżeli istniały realne powody jego uprzednich cierpień, a jeśli nie, by skutecznie udowodnić ich iluzoryczność, postanowił iść dokładnie tą samą trasą, którą przemierzał boleśnie pamiętną nocą, kiedy to rozpoczęło się dziwne prześladowanie. Chociaż, trzeba to przyznać, żaden kapitan, który dowodził okrętem pod lufami wrogiej baterii, nie podjął się wcześniej zadania, którego pomyślne wykonanie wystawione byłoby na większą próbę niż kapitan Barton, gdy pokonywał wtedy bez tchu opuszczoną drogę, co do której, na przekór wszelkim wysiłkom na rzecz sceptycyzmu i rozumu, obawiał się, że jest nawiedzona — jeśli chodzi o jego zdanie — przez jakąś złowrogą istotę.

Pokonywał drogę metodycznie i szybko, ledwie oddychając z powodu przytłaczającego niepokoju, tym razem jednak nie rozległo się ponownie przerażające echo kroków i już zaczynał odczuwać powrót pewności siebie, gdy — pokonawszy bezkarnie ponad trzy czwarte drogi — zbliżył się do długiego szpaleru migoczących lamp naftowych, które zwiastowały uczęszczane ulice.

Uczucie samozadowolenia było jednak tylko chwilowe. Wystrzał z muszkietu, jaki rozległ się niespeł-

na sto metrów za nim, i świst kuli blisko jego głowy zaskakująco i w nieprzyjemny sposób je rozwiały. Pierwszy impuls powiedział mu, by zawrócić i ruszyć w pościg za tym, który chciał go zabić. Wzdłuż drogi jednak, po obydwu stronach, jak już wspominałem, ciągnęły się jedynie żałosne zalążki budowy, za którymi rozciągały się puste pola, pełne odpadków i porzuconych pieców do wypalania wapna i cegły, a wokół panowała teraz całkowita cisza, jakby żaden dźwięk nigdy nie zakłócił ich ciemnej i szpetnej samotności. Daremność samodzielnego podjęcia się w takich okolicznościach poszukiwania mordercy była oczywista, szczególnie że żaden dźwięk, ani wycofujących się kroków, ani jakiegokolwiek innego rodzaju, nie dał się słyszeć, by nadać kierunek poszukiwaniom.

Targany mieszaniną uczuć kogoś, kto właśnie przeżył zamach na własne życie i ledwie z nim uszedł, kapitan Barton ponownie się odwrócił i nie przyśpieszając co prawda kroku do prawdziwego biegu, pośpiesznie kontynuował wędrówkę.

Odwrócił się, jak już powiedziałem, po upływie kilku sekund i właśnie rozpoczął swój pośpieszny odwrót, gdy niespodziewanie natknął się na pamiętnego małego człowieka w futrzanej czapce. Spotkanie było zaledwie chwilowe. Postać poruszała się z tą samą przesadną prędkością i wyglądała równie złowrogo jak poprzednio, a gdy go mijała, wydawało mu się, że usłyszał, jak mówi wściekle szeptem: „Wciąż wśród żywych — wciąż wśród żywych!".

Pogarszający się stan ducha pana Bartona zaczął teraz znajdować bezpośrednie odzwierciedlenie w jego pogarszającym się stanie zdrowia i wyglądzie, i to w takim stopniu, że niemożliwe było, aby wszyscy tego nie zauważyli.

Z jakiegoś powodu, znanego tylko sobie, nie poczynił żadnych kroków, aby poinformować stosowne władze o zamachu na swoje życie, z którego cudem wyszedł cało, wręcz przeciwnie, trzymał go w największej tajemnicy i dopiero po kilku tygodniach od tego zdarzenia powiedział o nim, i to w największym zaufaniu, dżentelmenowi, którego rady zdecydował się w końcu zasięgnąć, zmuszony prawdziwymi katuszami umysłu.

Pomimo całego przygnębienia biedny Barton, nie mając satysfakcjonującego powodu, który mógłby przedstawić opinii publicznej, na usprawiedliwienie nieuzasadnionego uchybienia w atencji, jakiej wymagała relacja istniejąca pomiędzy nim i panną Montague, był zobligowany starać się i pokazywać światu pewne siebie i wesołe oblicze.

Prawdziwe źródło cierpienia i wszystkie okoliczności z nim związane skrywał tak gorliwie, że wydawało się to podyktowane przynajmniej podejrzeniem, że źródło tego dziwnego prześladowania jest mu znajome i że jest natury, której, w jego ocenie, nie może bądź nie śmie ujawnić.

Umysł w ten sposób skierowany na siebie i nieustannie zaabsorbowany prześladującym go lękiem,

którego nie śmie wyjawić czy powierzyć żadnemu człowieczemu sercu, stawał się z każdym dniem coraz bardziej wzburzony i oczywiście coraz bardziej podatny na systemowy atak, któremu był poddawany jego system nerwowy. I w tym oto stanie musiał znosić, z coraz większą częstotliwością, ukradkowe wizytacje tego ducha, który od początku zdawał się mieć tę straszną władzę nad jego wyobraźnią.

Mniej więcej w tym czasie kapitan Barton złożył wizytę cieszącemu się wówczas dużym uznaniem księdzu, doktorowi Macklinowi, którego miał okazję poznać wcześniej. W wyniku spotkania wywiązała się pomiędzy nimi wyjątkowa rozmowa.

Duchowny przebywał w swoich pokojach w college'u, otoczony dziełami poświęconymi swej ulubionej dziedzinie, zatopiony w teologii, gdy zaanonsowano Bartona.

Coś na kształt jednoczesnego zawstydzenia i nadmiernej ekscytacji zdawało się emanować z zachowania mężczyzny, co wraz z jego bladym i wymizerowanym obliczem sprawiło, iż naukowiec zdał sobie z przykrością sprawę, że jego gość musiał zaiste cierpieć ostatnio straszne katusze, co jedynie mogło tłumaczyć tak uderzającą — nieomal szokującą — zmianę.

Po stosownym powitaniu i zwyczajowej wymianie grzeczności oraz kilku zdawkowych uwag kapitan Barton, który oczywiście zauważył zaskoczenie, jakie wywołała jego wizyta, i którego doktor Macklin nie był w stanie całkowicie ukryć, przerwał po chwili ciszę wyjaśnieniem:

— To dziwna wizyta, doktorze Macklin, być może zuchwała, zważywszy na to, jak wątła jest nasza znajomość. W normalnych okolicznościach nie odważyłbym się panu przeszkadzać, ale składając tę wizytę, nie narzucam się panu z czczej nudy ani impertynencji. Jestem pewien, że nie będzie pan tak myślał, gdy powiem panu, jak bardzo cierpię.

Doktor Macklin pośpieszył z wszelkimi zapewnieniami, jakich wymagało dobre wychowanie, i Barton kontynuował opowieść:

— Przyszedłem, doktorze, wystawić na próbę pana cierpliwość, prosząc o radę. Mówiąc „pana cierpliwość", mógłbym w istocie powiedzieć więcej, mógłbym powiedzieć „pana człowieczeństwo", „pana współczucie", ponieważ cierpiałem wiele i nadal cierpię.

— Mój drogi panie — odparł duchowny — zaiste da mi to nieskończoną satysfakcję, jeśli będę mógł panu pomóc w ukojeniu rozterek umysłu. Jednakże, proszę zrozumieć...

— Wiem, co zamierza pan powiedzieć — przerwał mu Barton, kontynuując. — Jestem niewierzący i dlatego nie jestem w stanie znaleźć pomocy w religii, proszę jednak nie przyjmować tego za pewnik. Przynajmniej nie może pan zakładać, że — jakkolwiek nieugruntowane mogą być moje przekonania

— nie odczuwam głębokiego, bardzo głębokiego zainteresowania tym tematem. Okoliczności przywiodły mi go ostatnio na uwagę w sposób, który zmusił mnie do rozważenia całego problemu z większą pokorą i otwartością niż, jak mi się wydaje, czyniłem to wcześniej.

— Pana wątpliwości, zakładam, dotyczą kwestii objawienia — zasugerował duchowny.

— Ależ nie, nie całkowicie. W istocie, muszę przyznać ze wstydem, nie przemyślałem moich obiekcji w wystarczający sposób, żeby je składnie przedstawić, ale… ale jest jeden temat, który mnie szczególnie interesuje.

Znowu przerwał i doktor Macklin poprosił go, aby kontynuował.

— Rzecz w tym — powiedział Barton — bez względu na mój brak przekonania co do autentyczności tego, co uczą nas nazywać objawieniem, że co do jednej rzeczy mam głęboką i przerażającą pewność, a mianowicie, że istnieje obok tego świata świat duchowy — system, którego funkcjonowanie jest na ogół, litościwie dla nas, przed nami ukryte, system, który może i który jest czasami częściowo i w straszliwy sposób ukazywany. Jestem pewien, wiem — kontynuował Barton z rosnącym podnieceniem — że jest Bóg… straszny Bóg… i że po winie następuje kara, w najbardziej tajemniczy i zdumiewający sposób wymierzana przez siły najbardziej niepojęte i straszne. Istnieje system duchowy… dobry Boże, jak bardzo jestem tego pewien! System nienawistny i nieprzejednany, i wszechmocny, pod którego prześladowaniami cierpiałem i cierpię katusze przeklętego! O tak, doktorze, tak: ogień i gorączkę piekieł!

Gdy Barton mówił, jego zdenerwowanie stało się tak silne, że zaszokowało, a nawet zaniepokoiło duchownego. Dzika i nerwowa gwałtowność, z jaką mówił, a przede wszystkim niepojęte przerażenie, które emanowało z jego twarzy, stanowiło kontrast w stosunku do zazwyczaj chłodnego i stonowanego opanowania, uderzający i bolesny w najwyższym stopniu.

5

Pan Barton przedstawia swą prośbę

— Mój drogi panie — zaczął doktor Macklin po krótkiej przerwie — obawiam się, że był pan bardzo nieszczęśliwy, ale śmiem przypuszczać, że depresja, która jest źródłem pana cierpienia, okaże się czysto fizycznego pochodzenia, a wraz ze zmianą otoczenia i za pomocą kilku tonizujących leków powróci pana dobre samopoczucie, usposobienie zaś pana umysłu będzie znowu wesołe i spokojne, jak do tej pory. Było, mimo wszystko, więcej prawdy, niż jesteśmy skłonni to przyznać w klasycznych teoriach, które przypisywały niepożądaną przewagę któregokolwiek z odczuć umysłu niepożądanemu działaniu lub nieaktywności tego czy innego z naszych cielesnych organów. Proszę mi wierzyć, że zwrócenie uwagi na dietę, ćwiczenia oraz inne niezbędne składniki zdrowia, pod kompetentnym nadzorem, uczynią pana na powrót sobą, w każdym calu.

— Doktorze — odparł Barton, jakby z dreszczem odrazy — nie mogę mamić się takimi nadziejami. Nie mam nadziei, której mógłbym się trzymać, z wyjątkiem jednej, a mianowicie, że za pośrednictwem jakiejś innej duchowej siły, potężniejszej niż ta, która mnie prześladuje, może ona zostać pokonana, a ja

zbawiony. Jeśli to jest niemożliwe, jestem zgubiony… teraz i na wieki.

— Ależ kapitanie, musi pan pamiętać — przekonywał jego rozmówca — że inni cierpieli tak jak pan i…

— Nie, nie, nie — przerwał zirytowany — nie, doktorze, nie jestem łatwowierny i z pewnością nie jestem też przesądnym człowiekiem. Miałem być może nadmierne skłonności do zgoła odmiennych przekonań — byłem zbyt sceptyczny, zbyt trudno mi było uwierzyć, Bóg mi świadkiem, jeśli nie byłem tym, którego nie mogły przekonać żadne dowody, jeśli nie odrzucałem z pogardą powtarzających się, nieustannych dowodów, które podsuwały mi moje własne zmysły, w końcu zostałem zmuszony, żeby uwierzyć. Nie ma dla mnie ucieczki od przekonania, porażającej pewności, że jestem prześladowany i szczuty, gdziekolwiek bym nie poszedł, przez… przez demona!

Na twarzy Bartona malowało się nadnaturalne żywiołowe przerażenie, gdy zwrócony do swojego towarzysza twarzą mokrą od potu, którą przecinały bruzdy śmiertelnego strachu, tak o sobie opowiadał.

— Niech Bóg ma pana w swojej opiece, mój biedny przyjacielu — odparł doktor Macklin, wielce poruszony. — Niech Bóg panu pomoże, bo zaiste bardzo pan cierpi, bez względu na to, co spowodowało pana cierpienia.

— Tak, tak, Boże, miej mnie w swojej opiece —

powtórzył Barton ze śmiertelną powagą — ale czy On mi pomoże? Czy On mi pomoże?

— Proszę się do Niego modlić... proszę się do Niego modlić z pokorą i zaufaniem — odparł doktor Macklin.

— Modlić się, modlić — powtórzył znowu. — Nie jestem w stanie się modlić, łatwiej byłoby mi poruszyć górę siłą woli. Nie mam w sobie dość wiary, żeby się modlić, jest we mnie coś, co nie pozwala mi się modlić. Zaleca mi pan rzeczy niemożliwe, dosłownie niemożliwe.

— Zobaczy pan, że tak nie jest, jeśli tylko pan spróbuje — przekonywał doktor.

— Spróbować? Próbowałem! Próba sprawia jedynie, że czuję się jeszcze bardziej zagubiony, a czasami przerażony. Próbowałem na próżno i jeszcze więcej niż na próżno. Straszna, niewypowiedziana idea wieczności i nieskończoności atakuje i doprowadza do szału mój umysł, gdy tylko przybliża się on do kontemplacji Stwórcy. Cofam się przed tą próbą przerażony. Zaprawdę, doktorze, jeżeli mam być zbawiony, musi się to stać innym sposobem. Idea wiecznego Stworzyciela jest dla mnie nie do zniesienia. Mój umysł nie jest w stanie tego zaakceptować.

— Proszę powiedzieć w takim razie, mój drogi panie — zachęcał duchowny — proszę powiedzieć, jak chciałby pan, abym panu pomógł. Czego chciałby pan się ode mnie dowiedzieć? Co mogę zrobić albo powiedzieć, żeby przynieść panu ulgę?

— Proszę mnie najpierw wysłuchać — odparł kapitan Barton przygnębiony, usiłując zapanować nad swoim zdenerwowaniem. — Proszę mnie posłuchać, podczas gdy ja opiszę w szczegółach okoliczności prześladowania, które sprawiło, że moje życie stało się nie do zniesienia. Prześladowania, które sprawiło, że obawiam się śmierci i świata pozagrobowego tak bardzo, jak zacząłem nienawidzić życia.

Barton następnie opisał okoliczności, które już przedstawiłem, a potem kontynuował:

— Stało się to teraz zwyczajem... rzeczą zwyczajną. Nie widuję go oczywiście pod fizyczną postacią, dzięki Bogu, przynajmniej to nie dzieje się codziennie. Dzięki Bogu, od niewysłowionych horrorów tych wizytacji dane są mi litościwie okresy odpoczynku, chociaż nie bezpieczeństwa, ale od świadomości, że ta złośliwa istota chodzi za mną i obserwuje mnie, gdziekolwiek bym nie poszedł, nie miałem nigdy, ani na chwilę, nawet chwilowego wytchnienia. Prześladują mnie bluźnierstwa, krzyki rozpaczy i odrażającej nienawiści. Słyszę te przeraźliwe dźwięki wykrzykiwane za mną, gdy skręcam w ulicę, pojawiają się nocą, gdy siedzę sam w komnacie, prześladują mnie wszędzie, oskarżając mnie o straszne zbrodnie i, dobry Boże, grożąc mi nadchodzącą zemstą i wiecznym potępieniem. Sza! Słyszał to pan?! — zawołał z przerażającym uśmiechem triumfu. — O! Czy to pana przekonuje?

Duchowny poczuł, jak przeszywa go dreszcz prze-

rażenia, gdy razem z jękiem gwałtownego podmuchu wiatru usłyszał, albo wydawało mu się, że usłyszał, na wpół wyartykułowane dźwięki gniewu i szyderstwa przemieszane z szumem.

— I co pan o tym myśli? — zawołał w końcu Barton, wciągając powietrze przez zęby.

— Słyszałem wiatr — odparł doktor Macklin. — Co mam o tym myśleć? Cóż jest w tym wyjątkowego?

— Książę mocy powietrza — wyszeptał Barton, drżąc.

— Ejże! Mój drogi panie — zawołał naukowiec, usiłując dodać sobie pewności, bo mimo że był środek dnia, pojawiło się jednak coś nieprzyjemnie zaraźliwego w nerwowym podnieceniu, na które jego gość tak straszliwie cierpiał. — Nie może pan ulegać tym dzikim fantazjom, musi pan oprzeć się tym impulsom wyobraźni.

— Tak, tak. „Przeciwstawiajcie się (...) diabłu, a ucieknie od was"* — powiedział Barton tym samym tonem. — Ale jak mam mu się przeciwstawić? Tak, to jest to... w tym właśnie cały problem. Co... co mam zrobić? Co mogę zrobić?

— Mój drogi panie, to pana wyobraźnia — zauważył człowiek nauki. — Pan sam jest swoim prześladowcą.

— Nie, nie, doktorze. Moja wyobraźnia nie ma w tym żadnego udziału — odpowiedział Barton,

---

* List św. Jakuba Apostoła (4,7) za Biblią Tysiąclecia, Wydawnictwo Pallottinum, Poznań 2005.

trochę surowo. — Wyobraźnia! Czy to wyobraźnia sprawiła, że usłyszał pan, jak i ja, te piekielne akordy? Wyobraźnia, zaiste! Nie, nie.

— Ale widział pan tę osobę wiele razy — zauważył duchowny. — Dlaczego nie zaczepił jej pan albo nie zatrzymał? Czy to nie zbyt pochopne, żeby nie powiedzieć więcej, zakładać, jak to pan uczynił, istnienie nadnaturalnej istoty, gdy być może da się to łatwo wyjaśnić, jeżeli tylko podejmie się właściwe kroki, żeby naświetlić tę sprawę.

— Istnieją pewne okoliczności związane z tą... z tą zjawą — wyznał Barton — których ujawnianie jest niepotrzebne, ale które dla mnie są dowodem na jej straszną naturę. Wiem, że istota, która mnie prześladuje, nie jest ludzka. Mówię, że to wiem. Mógłbym to udowodnić, żeby pana przekonać. — Przerwał na chwilę, a potem dodał: — A co do zaczepienia jej, nie śmiem, nie mógłbym. Gdy ją widzę, jestem bezsilny, stoję w obliczu śmierci, w triumfującej obecności piekielnej mocy i wrogości. Moja siła i władze umysłu, i pamięć... wszystko mnie zawodzi. O Boże, obawiam się, doktorze, że nie wie pan, o czym pan mówi. Litości, litości! Niech niebiosa mają nade mną litość!

Oparł łokieć na stole i przesunął dłoń nad oczami, jakby chciał wymazać jakiś przerażający obraz, powtarzając raz po raz szeptem ostatnie słowa zdania, które właśnie zakończył.

— Doktorze Macklin — powiedział, gwałtownie podnosząc się i patrząc prosto na duchownego

z wyrazem błagania w oczach — wiem, że zrobi pan dla mnie wszystko, co możliwe. Zna pan teraz w pełni okoliczności i naturę mojej przypadłości. Mówię panu, nie umiem sobie z tym poradzić. Nie mam nadziei na ucieczkę, jestem całkowicie bierny. Zaklinam więc pana, aby dobrze rozważył pan mój przypadek i jeśli cokolwiek może zostać dla mnie uczynione poprzez czyjeś wstawiennictwo... poprzez interwencję dobra lub za jakąkolwiek inną pomocą albo wpływem, błagam pana, zaklinam pana w imię Najwyższego, proszę mi pozwolić skorzystać z tego wpływu; proszę uwolnić mnie od ciężaru tej śmierci. Proszę o mnie walczyć, proszę się nade mną ulitować. Wiem, że pan to zrobi, nie może mi pan odmówić, to cel i przedmiot mojej wizyty. Proszę odesłać mnie z jakąś nadzieją... chociażby niewielką... jakimś cieniem nadziei na wyswobodzenie, a ja zmuszę się, żeby przeżyć, z godziny na godzinę, ten straszny sen, do jakiego została sprowadzona moja egzystencja.

Doktor Macklin zapewnił go, że wszystko, co może zrobić, to modlić się za niego gorliwie, że z pewnością go nie zawiedzie i wypełni swoje zobowiązanie. Rozstali się szybko, z melancholijnym pożegnaniem. Barton pośpieszył do powozu, który czekał na niego przy drzwiach, opuścił żaluzje i odjechał, podczas gdy doktor Macklin powrócił do swojego pokoju, aby rozważyć dziwną rozmowę, która zakłóciła jego pracę naukową.

6

Widziany ponownie

Należało się spodziewać, że zmienione i ekscentryczne nawyki kapitana Bartona zostaną w niedługim czasie zauważone i staną się przedmiotem plotek. Proponowano najrozmaitsze teorie, aby je wyjaśnić. Niektórzy przypisywali tę zmianę presji sekretnych problemów finansowych, inni niechęci do wypełnienia przyjętego zobowiązania zaręczyn, na które to — zakładano — zbyt pochopnie się zdecydował, a inni znowu domniemanym początkom choroby psychicznej. Ze wszystkich wymienianych wśród plotek hipotez ta ostatnia, zaiste, była przyjmowana za najbardziej wiarygodną.

Od samego początku postępowania tej zmiany, zrazu bardzo powolnego, panna Montague była jej oczywiście świadoma. Bliskość, jaka wynikała z ich szczególnej relacji, jak również zrozumiałe zainteresowanie, którym skutkowała, stanowiły w jej przypadku doskonałą okazję i motywację do skutecznego zastosowania bystrego i przenikliwego zmysłu obserwacji, charakterystycznego dla jej płci.

Jego wizyty stały się w końcu tak nerwowe, a on sam zachowywał się podczas nich w tak nieobecny, dziwny i wzburzony sposób, że lady Rochdale, po kilkakrotnym dyskretnym zasygnalizowaniu swojego

niepokoju i podejrzeń, w końcu wyraźnie zadeklarowała swoje obawy i zażądała wyjaśnień.

Wyjaśnienia zostały udzielone, a mimo że ich natura na początku uspokoiła najgorsze podejrzenia starszej pani i jej siostrzenicy, to jednak okoliczności, które im towarzyszyły i zaiste straszne konsekwencje, jakie one w oczywisty sposób rodziły w odniesieniu do ducha i umysłu teraz biednego człowieka, który złożył tę dziwną deklarację, były wystarczające, aby po krótkim zastanowieniu przepełnić ich umysły lękiem i niepokojem.

Generał Montague, ojciec młodej damy, w końcu przyjechał. Osobiście poznał Bartona jakieś dziesięć czy dwanaście lat temu i będąc świadom jego majątku i koneksji, uznał go za wyjątkową i w istocie bardzo dobrą partię dla swojej córki. Roześmiał się, słysząc opowieści o nadprzyrodzonych wizytacjach Bartona, i nie tracąc czasu, złożył wizytę swojemu przyszłemu zięciowi.

— Mój drogi Bartonie — rzucił wesoło po krótkiej rozmowie — moja siostra mówi mi, że padłeś ofiarą depresji, pod zupełnie nową i oryginalną postacią.

Barton zmienił się na twarzy i westchnął głęboko.

— Ależ, drogi przyjacielu, tak nie może być — kontynuował generał. — Wyglądasz bardziej jak człowiek w drodze na szubienicę niż do ołtarza. Ta depresja zrobiła z ciebie nieomal świętego.

Barton usiłował zmienić temat rozmowy.

— Nic z tego — odparł jego gość, śmiejąc się. — Zamierzam powiedzieć, co mam do powiedzenia na temat tej twojej wspaniałej, wydumanej tajemnicy. Proszę, nie złość się, ale naprawdę przykro widzieć cię w twoim wieku, absolutnie przestraszonego i bojącego się cokolwiek zrobić, jak niedobre dziecko, któremu ktoś pogroził straszakiem, i to, na ile mogłem się dowiedzieć, godnym wyjątkowej pogardy. Poważnie mówiąc, bardzo mnie rozzłościło to, co mi powiedzieli, ale jednocześnie jestem absolutnie przekonany, że nie ma w tej sprawie nic, czego nie udałoby się wyjaśnić, gdyby poświęcić temu odrobinę uwagi i wysiłku, najdalej w ciągu tygodnia.

— Och, generale, nic pan nie wie — zaczął Barton.

— Wiem wystarczająco dużo, by móc powiedzieć z całą pewnością to, co powiedziałem — przerwał generał. — Czyż nie wiem, że całe pana rozdrażnienie bierze się z tego, że od czasu do czasu widzi pan pewnego małego człowieczka w czapce i płaszczu wojskowym, z czerwoną kamizelką, o złowrogiej twarzy, który chodzi za panem i pojawia się niespodziewanie na rogach ulic, i przyprawia pana o napady strachu? Otóż, mój drogi przyjacielu, zobowiązuję się, że złapię tego podstępnego małego oszusta i albo własnoręcznie zbiję go na kwaśne jabłko, albo każę go wychłostać na oczach miasta, ciągniętego za wozem, przed upływem miesiąca.

— Gdyby tylko wiedział pan to, co ja wiem — westchnął Barton z ponurym niepokojem — mówiłby pan zupełnie inaczej. Proszę nie myśleć, że jestem taki słaby, aby uznawać bez najbardziej porażającego

dowodu wnioski, które zostałem zmuszony przyjąć. Dowody są tutaj, są zamknięte tutaj.

Mówiąc to, uderzył się w piersi i z rozpaczliwym westchnieniem kontynuował wędrówkę tam i z powrotem po pokoju.

— No cóż, Barton — odparł gość — stawiam konia z rzędem, że złapię tego ducha i przekonam nawet ciebie, i to w niedługim czasie.

Kontynuował swoją wypowiedź w tym samym duchu, gdy nagle powstrzymał go i wprawił w osłupienie widok Bartona, który podszedłszy do okna, zachwiał się do tyłu jak ktoś, kto otrzymał znienacka cios, i z ramieniem wyciągniętym w stronę ulicy, bladą twarzą i sinymi wargami wyszeptał:

— Tam... na Boga! Tam... tam!

Generał Montague zerwał się na równe nogi i z okna salonu ujrzał postać odpowiadającą, na tyle, na ile pośpiech, z jakim się poruszała, pozwalał to stwierdzić, opisowi osoby, której pojawienie się tak uporczywie zakłócało spokój jego przyjaciela.

Postać właśnie oddalała się od ogrodzenia terenu, o które się opierała, i starszy dżentelmen, nie czekając, żeby zobaczyć więcej, porwał swoją laskę i kapelusz i ruszył w dół po schodach z szaloną nadzieją zatrzymania tej osoby i ukarania zuchwałości tajemniczego nieznajomego.

Rozejrzał się dookoła — ale na próżno — w poszukiwaniu śladów osoby, którą sam wyraźnie widział. Podbiegł bez tchu do najbliższego rogu, oczekując, że

stamtąd ujrzy uciekającą postać, ale nic nie zobaczył. Tam i z powrotem, od przejścia do przejścia, biegał pędem i dopiero gdy zaciekawione spojrzenia i roześmiane twarze przechodniów sprawiły, że zrozumiał absurdalność swojej pogoni, opuścił laskę uniesioną wysoko w złowrogim, mechanicznym geście, poprawił kapelusz i ruszył spokojnie z powrotem, w duszy zirytowany i poruszony. Gdy wrócił, Barton był blady i roztrzęsiony, obaj milczeli, chociaż kierowały nimi zupełnie inne emocje. W końcu Barton wyszeptał:

— Widział to generał?

— To... jego... kogoś... chciałeś powiedzieć. Oczywiście, że widziałem — odparł Montague niepewnie. — Ale co dobrego albo złego wynika z tego, że się go zobaczy? Ten gość biega jak latarnik uliczny. Chciałem go złapać, ale zniknął, zanim zdążyłem dobiec do drzwi. To nie ma jednak większego znaczenia. Następnym razem, wydaje mi się, lepiej sobie poradzę i, na Boga, gdy już go dopadnę, poczuje na plecach ciężar mojej laski.

Jednak mimo działań i deklaracji generała Montague'a Barton nadal cierpiał z tego samego niewyjaśnionego powodu. Gdziekolwiek by się udał i kiedy, wciąż był nieustannie prześladowany lub nachodzony przez istotę, która zdobyła nad nim taką władzę.

Nigdzie i o żadnej porze nie był wolny od dziwnej zjawy, która prześladowała go z takim diabelskim uporem. Jego depresja, przygnębienie i rozgorączkowanie z każdym dniem stawały się coraz silniejsze i niepokojące, a katusze umysłu, których nieustająco

doznawał, zaczęły w końcu tak wyraźnie wpływać na jego zdrowie, że lady Rochdale i generałowi Montague'owi udało się, bez w istocie większych trudności, nakłonić go do krótkiej podróży po kontynencie w nadziei, że całkowita zmiana scenerii przerwie przynajmniej zgubny wpływ lokalnych skojarzeń, które — jak zakładali bardziej sceptyczni z jego przyjaciół — miały niewątpliwie swój udział w wywoływaniu i utrwalaniu tego, co postrzegali jako zwykłą formę nerwowego złudzenia.

Generał Montague w istocie był przekonany, że postać, która prześladowała jego przyszłego zięcia, nie była żadną miarą wytworem jego wyobraźni, a wręcz przeciwnie, realną postacią z krwi i kości, powodowaną postanowieniem, może nawet morderczym zamiarem w dłuższej perspektywie, by obserwować i śledzić nieszczęsnego dżentelmena.

Nawet ta hipoteza nie była zbyt przyjemna, mimo to było oczywiste, że jeśli tylko udałoby się przekonać Bartona, iż nie ma nic nadprzyrodzonego w zjawisku, które postrzegał do tej pory w takim świetle, sprawa straciłaby w jego oczach całą otoczkę strachu i przestałaby całkowicie wywierać na jego zdrowie i ducha ten onieśmielający wpływ, tak widoczny do tej pory. Rozumował on zatem, że jeśli udałoby mu się uciec od tych przykrych doznań jedynie poprzez podróż i zmianę scenerii, to w oczywisty sposób nie mogłyby być one wywierane przez żadne siły nadprzyrodzone.

7

Ucieczka

Ulegając namowom, Barton wyjechał z Dublina do Anglii w towarzystwie generała Montague'a. Wyruszyli szybko do Londynu, a stamtąd do Dover, skąd, korzystając z pomyślnych wiatrów, popłynęli statkiem pocztowym do Calais. Wiara generała w pozytywny wpływ tej ekspedycji na nastrój Bartona rosła z każdym dniem, od chwili gdy opuścili brzegi Irlandii, ponieważ ku nieopisanej uldze i radości tego drugiego od tamtej pory ani razu nawet nie wydawało mu się, że powtórzyły się tamte przywidzenia, które, gdy był w domu, doprowadziły go stopniowo nieomal na samo dno rozpaczy.

To wybawienie od czegoś, co zaczął traktować jako nieunikniony warunek własnej egzystencji, i poczucie bezpieczeństwa, które zaczęło wypełniać jego umysł, były niewypowiedzianie przyjemne. I tak rozkoszując się, jak uważał, swoim wybawieniem, oddał się tysiącu szczęśliwych planów na przyszłość, w którą jeszcze całkiem niedawno bał się patrzeć. Krótko mówiąc, on i jego towarzysz w duchu gratulowali sobie zakończenia tego prześladowania, które dla bezpośredniej ofiary było źródłem niewypowiedzianego cierpienia.

To był piękny dzień; tłum gapiów stał na molo,

oczekując na pojawienie się statku pocztowego, by uczestniczyć w radosnym zamieszaniu, jakie towarzyszy przybyciu gości. Montague szedł kilka kroków przed swoim przyjacielem, a gdy przeciskał się przez tłum, mały mężczyzna dotknął jego ramienia i zwrócił się do niego z mocnym prowincjonalnym akcentem:

— Monsieur idzie zbyt szybko, zgubi pan swojego przyjaciela w tłumie, bo, niech mnie licho, wygląda na to, że biedny dżentelmen zaraz zemdleje.

Montague odwrócił się szybko i zauważył, że Barton istotnie jest śmiertelnie blady. Pośpieszył w jego kierunku.

— Mój drogi przyjacielu, źle się czujesz? — zapytał z niepokojem.

Pytanie pozostało bez odpowiedzi i dopiero po dwukrotnym jego zadaniu Barton wyjąkał:

— Widziałem go... na Boga, widziałem go!

— Jego?! Tego niegodziwca, który...? Gdzie? Gdzie on teraz jest? — zawołał Montague, rozglądając się dookoła.

— Widziałem go... ale zniknął — powtórzył Barton słabo.

— Ale gdzie... gdzie?! Na litość boską, mów! — ponaglał go Montague.

— Zaledwie przed chwilą... tutaj — dodał.

— Ale jak wyglądał... co miał na sobie... w co był ubrany? Szybko, szybko! — pośpieszał Bartona jego podekscytowany towarzysz, gotów ruszyć w tłum i przyłapać winowajcę na gorącym uczynku.

— Dotknął twojego ramienia... mówił do ciebie... pokazywał na mnie. Boże, bądź mi litościw, nie ma dla mnie ucieczki — rzucił Barton niskim, przygaszonym głosem rozpaczy.

Montague już ruszył przed siebie w gorączce mieszaniny nadziei i gniewu, jednak mimo że wyjątkowy wygląd nieznajomego, który go zaczepił, wyrył mu się żywo w pamięci, nie udało mu się dostrzec w tłumie nikogo nawet odrobinę go przypominającego.

Po bezowocnym wypatrywaniu, do jakiego zaangażował kilku gapiów, którzy pomagali mu tym bardziej gorliwie, iż byli przekonani, że został okradziony, w końcu bez tchu i zdezorientowany zrezygnował z poszukiwań.

— Och, mój przyjacielu, nic z tego nie będzie — powiedział Barton słabym głosem, wyglądając na tak zdumionego i przerażonego, jak ktoś, kto doznał śmiertelnego szoku. — Nie ma sensu się nad tym zastanawiać, cokolwiek to jest, ta straszna więź pomiędzy nim i mną została ustanowiona. Nigdy nie uda mi się uciec... nigdy!

— Nonsens, nonsens, mój drogi Bartonie. Nie mów tak — zawołał Montague z jednoczesną irytacją i przerażeniem — tak nie wolno. Mówię ci, że jeszcze dopadniemy tego drania, nie martw się, mówię ci, nie martw się.

Od tej pory jednak wszelkie starania, aby rozbudzić w Bartonie nadzieję, okazały się daremne. Opanowało go przygnębienie.

Ta nienamacalna i — jak się wydawało — wielce złośliwa siła szybko niszczyła witalność jego intelektu, charakteru i zdrowia. Jego najważniejszym celem stał się teraz powrót do Irlandii, gdzie — jak wierzył, a teraz nieomal miał nadzieję — czekała go szybka śmierć.

Powrócił zatem do Irlandii i jedną z pierwszych twarzy, które ujrzał na brzegu, była ponownie twarz jego nieprzejednanego i przerażającego towarzysza. Zdawało się, że Barton utracił w końcu nie tylko całą radość życia i nadzieję, ale oprócz tego wszelką niezależność woli. Zawierzył teraz swoje życie przyjaciołom, którym najbardziej zależało na jego pomyślności. Z apatią zrodzoną z rozpaczy poddał się wszelkim działaniom, które zasugerowali i zalecili. I tak, jako ostateczny środek zaradczy, postanowili ukryć go w domu lady Rochdale, niedaleko Clontarf, gdzie za radą jego lekarza, który utrzymywał, że cała seria zdarzeń jest spowodowana jedynie rozstrojem nerwowym, postanowiono, że kapitan nie powinien opuszczać domu i że będzie korzystał tylko z tych apartamentów, które wychodzą na zamknięty dziedziniec, do którego brama miała być zamknięta i pilnie strzeżona.

Te środki bezpieczeństwa z pewnością zapobiegną przypadkowemu pojawieniu się istoty, jaką jego pobudzona wyobraźnia mogłaby pomylić ze zjawą, którą, jak skonstatowano, jego umysł rozpoznaje w każdej postaci noszącej nawet najmniejsze czy też bardzo dalekie podobieństwo do cech szczególnych, jakie tenże umysł na początku jej nadał.

Miesiąc lub sześć tygodni całkowitego odosobnienia w tych warunkach, wierzono, pomoże — poprzez przerwanie serii strasznych doznań — w stopniowym zwalczeniu natrętnych obaw i skojarzeń, które utwierdzały kapitana w domniemanej chorobie i czyniły powrót do zdrowia niemożliwym.

Wesołe towarzystwo, i to jego przyjaciół, miało być nieustająco zapewnione i ogólnie żywiono bardzo optymistyczne przekonania, że w wyniku wyżej przedstawionej terapii uporczywa hipochondria pacjenta może z czasem ustąpić.

W towarzystwie zatem lady Rochdale, generała Montague'a i jego córki — przyrzeczonej mu przyszłej żony — biedny Barton — sam nie mając dość śmiałości, by łudzić się nadzieją na ostateczne uwolnienie od horrorów, z powodu których jego własne życie dosłownie przygasało — zajął apartamenty, których położenie chroniło go przed napaścią wzbudzającą w nim ten niewypowiedziany strach.

Po pewnym czasie uporczywe przestrzeganie nakreślonych zasad zaczęło dawać spodziewane rezultaty w postaci stopniowej, ale bardzo wyraźnej poprawy, zarówno w zdrowiu, jak i nastroju pacjenta. Nie na tyle jednak, aby dało się dostrzec coś zbliżonego do całkowitego wyleczenia. Wręcz przeciwnie, dla tych, którzy nie widzieli go od czasu, gdy zaczęły się te straszne cierpienia, ta zmiana mogłaby okazać się szokiem.

Poprawa jednak, bez względu na to jak niewielka,

została przyjęta z wdzięcznością i zachwytem, szczególnie przez młodą damę, której związek z nim, jak również obecna wyjątkowo bolesna sytuacja wynikająca z jego przedłużającej się choroby, czyniły ją postacią zaledwie o jeden stopień mniej godną pożałowania niż on sam.

Minął tydzień, dwa tygodnie, a mimo to znienawidzona wizytacja się nie powtórzyła. Leczenie, jak na razie, zakończyło się całkowitym sukcesem. Łańcuch powiązań został przerwany. Ciągła presja wywierana na skołatanego ducha została usunięta i w tych stosunkowo przyjaznych okolicznościach poczucie wspólnoty z otaczającym go światem i coś na kształt zainteresowania, jeśli nie zadowolenia, zaczęło go ożywiać.

Mniej więcej wtedy lady Rochdale, która — jak większość starszych dam w owym czasie — lubowała się w domowych recepturach i pretendowała do roli ogromnego znawcy medycyny, wysłała swoją pokojówkę do kuchennego ogrodu z listą ziół, które miały zostać pieczołowicie zebrane i przyniesione do gospodyni w określonym celu. Pokojówka jednak powróciła, nie ukończywszy zadania, bardzo zaaferowana i zaniepokojona. To, jak wyjaśniała swoją pośpieszną ucieczkę i jawne zdenerwowanie, wydało się starszej pani dziwne i zaskakujące.

8

Ukojenie

Wyglądało na to, że służąca oddaliła się do warzywnego ogrodu, zgodnie z poleceniem jej pani, i zaczęła tam dokonywać zaleconej selekcji spośród zwykłych i zapomnianych ziół, stłoczonych w jednym zakątku. Zaabsorbowana tą przyjemną pracą, śpiewała beztrosko fragment starej piosenki, jak opowiadała, „by dodać sobie odwagi". Wszystko to zakłócił jednak złowrogi śmiech i podnosząc wzrok, ujrzała przez stary żywopłot, który otaczał ogród, wyjątkowo źle wyglądającego, niedużego człowieka, którego wyraz twarzy naznaczony był wrogością i złośliwością. Stał on blisko niej, po drugiej stronie żywopłotu.

Opowiadała, że nie była w stanie poruszyć się ani mówić, gdy przekazywał on jej wiadomość dla kapitana Bartona, której treść — dokładnie pamiętała — sprowadzała się do tego, że kapitan Barton musi wychodzić z domu jak zwykle i pokazywać się przyjaciołom na zewnątrz, w przeciwnym razie powinien przygotować się na wizytę we własnej komnacie.

Zakończywszy relacjonowanie tej krótkiej wiadomości, nieznajomy o wrogim wyglądzie przedostał się do zewnętrznego rowu i chwycił pędy żywopłotu, jakby zamierzał przeskoczyć przez ogrodzenie, któ-

rego to wyczynu można było dokonać bez większej trudności.

Nie czekając oczywiście na koniec, dziewczyna — ciskając swój skarb w postaci rozmarynu i tymianku — obróciła się i gnana przerażeniem uciekła do domu. Lady Rochdale poleciła jej, pod groźbą natychmiastowego zwolnienia z pracy, aby zachowała całkowite milczenie w kwestii całego incydentu związanego z kapitanem Bartonem. Jednocześnie zleciła swoim ludziom przeprowadzenie natychmiastowych poszukiwań w ogrodzie i na przylegających polach. Te kroki jednak, jak zwykle, okazały się nieskuteczne i przepełniona trudnymi do określenia złymi przeczuciami lady Rochdale opisała całe zdarzenie swojemu bratu. Opowieść jednak jeszcze na długo pozostała tajemnicą i oczywiście była pieczołowicie skrywana przed Bartonem, którego stan zdrowia poprawiał się, mimo że dość wolno.

Barton zaczął teraz spacerować od czasu do czasu po wspomnianym dziedzińcu. Dziedziniec ten, otoczony wysokim murem, nie dawał widoku na zewnątrz. Tutaj więc kapitan uważał się za całkowicie bezpiecznego i gdyby nie lekkomyślne naruszenie rozkazów przez jednego z chłopców stajennych, mógłby się cieszyć, przynajmniej przez nieco dłuższy czas, swoją wielce cenioną nietykalnością. Dziedziniec ten wychodził na publiczną drogę, wyjście prowadziło przez drewnianą bramę, wewnątrz której znajdowała się furtka. Na zewnątrz dodatkową ochronę stanowiła kuta brama. Wydano surowe rozkazy, aby obydwie bramy starannie zamykać — mimo to jednak zdarzyło się, że pewnego dnia, gdy Barton wolno przemierzał ten wąski plac podczas zwyczajowego spaceru i — zbliżywszy się do najodleglejszego końca — odwracał się, by zawrócić, ujrzał furtkę z desek szeroko otwartą i twarz swojego prześladowcy, bez ruchu spoglądającą na niego przez żelazne pręty. Przez kilka sekund stał przykuty do ziemi — bez tchu i bez życia — nie mogąc uwolnić się od przerażającego spojrzenia, a potem upadł bezsilnie na chodnik.

Tam został znaleziony kilka minut później i przeniesiony do swojego pokoju — apartamentu, którego już nigdy potem miał nie opuścić żywy. Od tej pory wyraźna i trudna do wyjaśnienia zmiana dała się zauważyć w nastroju jego umysłu. Kapitan Barton nie był już tym rozgorączkowanym i rozpaczającym człowiekiem co przedtem. Zaszła w nim dziwna przemiana — jego umysłem zawładnął nieziemski spokój; był to przeczuwany spokój grobu.

— Montague, mój przyjacielu, ta walka jest już prawie skończona — oznajmił spokojnie, ale wyglądając na śmiertelnie przerażonego. — Zaznałem w końcu odrobiny pocieszenia od tego świata duchów, z którego przyszła do mnie kara. Wiem teraz, że moje cierpienia wkrótce się skończą.

Montague naciskał, aby mówił dalej.

— Tak — odparł łagodnym głosem — moja kara

dobiega końca. Od smutku być może, w tym czasie czy w wieczności, nigdy nie ucieknę, ale moja agonia już nieomal dobiegła końca. Doznałem pocieszenia, a to, co pozostaje z przeznaczonego mi cierpienia, zniosę cierpliwie, nawet pełen nadziei.

— Cieszę się, że mówisz tak spokojnie, mój drogi Bartonie — odparł Montague. — Spokój i radość umysłu to wszystko, czego potrzebujesz, abyś stał się taki jak kiedyś.

— Nie, nie, nigdy już taki nie będę — odparł posępnie. — Już nie nadaję się do życia. Wkrótce umrę. Mam go zobaczyć jeszcze tylko jeden raz, a potem wszystko się skończy.

— Więc on tak powiedział? — zgadywał Montague.

— On? Nie, nie. Dobre nowiny nie mogłyby pochodzić od niego, a te były dobre i przyjęte z radością, nadeszły zaś tak dostojnie i słodko, z tak niewypowiedzianą miłością i melancholią, której nie mógłbym bez zdradzenia więcej, niż potrzeba i wypada o innych dawno minionych zdarzeniach i osobach, w pełni ci wytłumaczyć. — Mówiąc to, Barton ronił łzy.

— Ależ, ależ — rzucił Montague, błędnie interpretując źródło jego emocji — nie możesz się poddawać. Czyż nie jest to, mimo wszystko, zwykły stek bzdur i urojeń? Albo w najgorszym wypadku występki knowającego łobuza, który znajduje przyjemność w igraniu z twoimi nerwami i uwielbia się popisywać taką władzą. Podstępny włóczęga, który ma do ciebie o coś żal i odgrywa się w ten sposób, nie mając dość odwagi, by postąpić jak prawdziwy mężczyzna.

— Żal ma on do mnie w istocie, mówisz słusznie — przyznał Barton, gwałtownie się wzdragając. — Żal, jak to nazywasz. O mój dobry Boże! Gdy sprawiedliwość niebios pozwala Szatanowi przeprowadzić plan zemsty, gdy jego wykonanie zostaje powierzone zgubionej i strasznej ofierze grzechu, która zawdzięcza własną ruinę człowiekowi, temu człowiekowi, którego ma za zadanie prześladować... wtedy, w istocie, męki i katusze piekieł doświadczane są na ziemi. Ale niebiosa były dla mnie łaskawe... nadzieja w końcu mi się ukazała i gdyby śmierć mogła nadejść bez tego strasznego widoku, który jestem skazany zobaczyć, chętnie zamknąłbym oczy na wieki w tej chwili. Jednak mimo że śmierć przyjmę z radością, oczekuję z panicznym strachem, którego nie możesz zrozumieć, z prawdziwą gorączką przerażenia ostatniego spotkania z tym... tym demonem, który przywiódł mnie w ten sposób na krawędź przepaści i który sam mnie do niej strąci. Mam go zobaczyć ponownie jeszcze jeden raz, ale w okolicznościach niewypowiedzianie straszniejszych niż kiedykolwiek przedtem.

Mówiąc to, Barton drżał tak gwałtownie, że Montague naprawdę zaniepokoił się intensywnością jego nagłego zdenerwowania i pośpiesznie sprowadził go znowu na temat, który uprzednio zdawał się mieć taki uspokajający wpływ na jego umysł.

— To nie był sen — odparł po chwili. — Znajdo-

wałem się w innym stanie, czułem się inaczej i dziwnie, a mimo wszystko było to tak realne, tak wyraźne i żywe jak to, co słyszę i widzę teraz... to była rzeczywistość.

— I co widziałeś, co słyszałeś? — ponaglał jego towarzysz.

— Gdy się ocknąłem z omdlenia, jakiego doznałem, kiedy go zobaczyłem — odparł Barton, kontynuując, jakby nie usłyszał pytania — a działo się to wolno, bardzo wolno, leżałem nad brzegiem szerokiego jeziora, otoczonego skąpanymi we mgle szczytami gór, a wszystko oświetlało łagodne, melancholijne, różane światło. Miejsce to było wyjątkowo smutne i odludne, a mimo to piękniejsze niż jakakolwiek inna ziemska sceneria. Moja głowa spoczywała na kolanach dziewczyny, a ona śpiewała pieśń, która opowiadała, nie wiem jak, czy to słowami, czy też harmonią... o całym moim życiu, o wszystkim, co minęło, i o wszystkim, co ma jeszcze nadejść, a z tą pieśnią stare uczucia, o których myślałem, że już dawno we mnie umarły, wróciły i z oczu popłynęły mi łzy... częściowo z powodu tej piosenki i jej tajemniczego piękna, a częściowo z powodu nieziemskiej słodyczy jej głosu, a ja przecież znałem ten głos, ach, jak dobrze! I byłem jak zaklęty, gdy tak słuchałem i przyglądałem się temu odludnemu miejscu, nie poruszając się, nieomal nie oddychając... i — niestety! niestety! — nie obracając wzroku w stronę tej twarzy, o której wiedziałem, że jest blisko mnie,

tak cudownie potężny był ten czar, który miał mnie w swojej mocy. I tak, wolno, pieśń i scena stawały się coraz słabiej i słabiej odczuwalne przez moje zmysły, aż znowu zapadła ciemność i cisza. A potem obudziłem się w tym świecie, jak widziałeś, zaznawszy ukojenia, ponieważ wiedziałem, że wiele mi wybaczono.

Barton zapłakał ponownie, gorzko i długo.

Od tej pory, jak wspominałem, dominującym nastrojem jego umysłu była głęboka i spokojna melancholia. Nie działo się to jednak bez pewnych zakłóceń. Barton był całkowicie przekonany, że doświadczy jeszcze jednej, ostatniej wizytacji, przewyższającej w swojej straszności wszystko, czego doświadczył do tej pory. Strach przed tą oczekiwaną i nieznaną agonią wywoływał u niego takie napady skrajnego przerażenia i niepokoju, że całe domostwo przepełniała rozpacz i pogańska panika. Nawet ci spośród tych, którzy utrzymywali, że nie dają wiary teorii o nadprzyrodzonej istocie, często w cichości swojej duszy doświadczali głęboką nocą doznań i podejrzeń, do których niechętnie by się przyznali, i żaden z nich nie próbował odwieść Bartona od postanowienia, którego teraz konsekwentnie przestrzegał, a mianowicie od zamykania się w swoim apartamencie. Żaluzje w jego pokoju były zawsze opuszczone, a jego osobisty sługa rzadko zostawiał go samego, dniem i nocą jego łóżko znajdowało się w tej samej komnacie.

Człowiek ten był przywiązanym i godnym zaufa-

nia sługą, a jego obowiązki, oprócz tych zwyczajowo nakładanych na osobistą służbę, ale zazwyczaj zbędnych w przypadku Bartona ze względu na jego niezależny styl życia i nawyki, polegały na pilnym przestrzeganiu środków bezpieczeństwa, dzięki którym jego pan miał nadzieję uniknąć niechcianej wizyty „Obserwatora". I oprócz czynienia tychże powinności, które sprowadzały się po prostu do zapobiegania sytuacjom, w których jego pan — przez niezasłonięte okno lub otwarte drzwi — mógłby zostać narażony na niechcianą wizytację, sługa miał nigdy nie dopuścić do sytuacji, w której Barton pozostałby sam. Całkowita samotność, nawet przez minutę, stała się dla niego tak samo nie do zniesienia jak pomysł wyjścia na zewnątrz, na publiczne drogi. Było to instynktowne przeczucie tego, co nadchodziło.

9

Niech odpoczywa w pokoju

Nie trzeba wspominać, że w tych okolicznościach nie poczyniono żadnych kroków do sfinalizowania zaręczyn, które kapitan zawarł. Istniał na tyle znaczny rozdźwięk w kwestii wieku, jak również, w istocie, nawyków pomiędzy młodą damą i kapitanem Bartonem, by wykluczyć jakiekolwiek gwałtowne czy też romantyczne przywiązanie z jej strony. Chociaż zasmucona i zaniepokojona, daleka była od rozpaczy.

Panna Montague mimo to poświęcała dużo czasu cierpliwym, aczkolwiek bezskutecznym próbom rozweselenia nieszczęśliwego chorego. Czytała mu i rozmawiała z nim. Było jednak oczywiste, że bez względu na jego deklaracje wszelkie próby ucieczki przed wiecznie żywym strachem, który go nękał, były całkowicie i żałośnie nieudane.

Młode damy są bardzo oddane pielęgnowaniu domowych pupilów, a jednym z tych, który zaskarbił sobie łaski panny Montague, była dostojna stara sowa. Ogrodnik złapał ją, drzemiącą pośród bluszczu, w rozsypującej się stajni i posłusznie oddał ptaka w prezencie młodej damie.

Kaprys, który rządzi takimi preferencjami, był widoczny w ekstrawaganckich przywilejach, jakimi ten posępny i niezbyt urodziwy ptak został natychmiast

wyróżniony przez swoją panią, i bez względu na to, jak nieznacząca może się wydawać ta tajemnicza okoliczność, jestem zmuszony o niej wspomnieć o tyle, o ile wiąże się ona, zgoła zadziwiająco, z końcową sceną tej opowieści.

Absolutnie nieskłonny do podzielenia tego zachwytu dla nowego pupila, Barton traktował sowę od samego początku z antypatią równie gwałtowną, co i całkowicie niewytłumaczalną. Sama jej obecność w pobliżu była dla niego nie do zniesienia. Zdawał się jej nienawidzić i obawiać z gwałtownością, która wyglądała na śmieszną, a tym, którzy nigdy nie byli świadkami demonstracji tego rodzaju antypatii, wydawałaby się niewiarygodna.

Po tych słowach wstępnego wyjaśnienia przejdę do przedstawienia szczegółów ostatniej sceny w tej dziwnej serii zdarzeń. Była prawie druga godzina pewnej zimowej nocy i Barton leżał, jak zwykle o tej porze, w łóżku. Sługa, o którym wspominałem, zajmował małe łóżko w tym samym pokoju, paliła się też świeca. Mężczyzna został nagle zbudzony przez swojego pana, który powiedział:

— Cały czas wydaje mi się, że ten przeklęty ptak wydostał się w jakiś sposób i czai się w którymś kącie pokoju. Śnił mi się. Wstań, Smith, i się rozejrzyj. Taki straszny sen!

Służący wstał i dokładnie obejrzał komnatę, a gdy się tym zajmował, usłyszał dobrze znany dźwięk, przypominający raczej odgłos głęboko wciąganego powietrza niż syczenia, którym ptaki te ze swoich sekretnych kryjówek napełniają trwogą ciszę nocy.

Ta przerażająca oznaka jej bliskości, jako że dźwięk dochodził z przejścia, do jakiego prowadziły drzwi komnaty Bartona, wyznaczyła kierunek poszukiwań sługi, który — otwierając drzwi — zrobił jeden czy dwa kroki, aby przepędzić ptaka. Nie zdążył jednak wejść jeszcze do holu, gdy drzwi za nim wolno się zamknęły pod wpływem, jak się wydawało, delikatnego podmuchu wiatru. Jako że bezpośrednio nad drzwiami znajdował się rodzaj okna, by dodatkowo oświetlić przejście w ciągu dnia, przez które obecnie przedostawało się światło świecy, sługa widział jednak na tyle dobrze, by kontynuować zadanie.

Idąc dalej, usłyszał głos swojego pana — który leżąc w łóżku z zasłoniętymi kotarami, nie zauważył najwyraźniej, że wyszedł on z pokoju — wzywającego go po imieniu i nakazującego mu, aby postawił świecę na stoliku przy jego łóżku. Służący, który znajdował się teraz dość daleko od pokoju i odpowiadając, nie chciał podnosić głosu, żeby nie przestraszyć śpiących domowników, ruszył pośpiesznie i ostrożnie z powrotem, gdy — ku swojemu zdziwieniu — usłyszał dochodzący z komnaty głos, odpowiadający spokojnie, i zobaczył przez okno nad drzwiami, że światło porusza się powoli, jakby było niesione przez pokój w odpowiedzi na wezwanie jego pana. Sparaliżowany przez uczucie zbliżone do przerażenia, ale zmieszane

też z ciekawością, stał na progu bez tchu i słuchał, nie będąc w stanie zdobyć się na otwarcie drzwi i wejście do środka. Następnie dał się słyszeć szelest kotary i głos przypominający kogoś, kto cicho kołysze dziecko do snu, pośród którego usłyszał Bartona, jak mówi ze ściśniętym z przerażenia gardłem: „O Boże, o mój Boże!", a potem powtarza okrzyk jeszcze kilka razy. Później zapadła cisza, która znowu została przerwana przez ten sam kojący głos, aż w końcu dał się słyszeć wybuch, w jednym nabrzmiałym dźwięku, jęk agonii tak przerażający i okropny, że wiedziony impulsem nieopanowanego strachu sługa pośpieszył do drzwi i całą swoją siłą usiłował je otworzyć. Czy to jednak dlatego, że w zdenerwowaniu źle nacisnął klamkę, czy też że drzwi były zamknięte od wewnątrz, nie udało mu się wejść do środka. Gdy tak ciągnął i pchał, jęk za jękiem rozlegał się coraz głośniej i brzmiał coraz bardziej dziko, a towarzyszył mu ten sam uspokajający głos. Drżąc z przerażenia i nie wiedząc, co czyni, mężczyzna odwrócił się i ruszył korytarzem, załamując ręce z ogromu rozpaczy i niezdecydowania. U szczytu schodów natknął się na generała Montague'a, przestraszonego i zdenerwowanego, i dokładnie w chwili gdy się spotkali, przerażające dźwięki ustały.

— Co to? Kto... gdzie jest twój pan?! — zawołał Montague nieskładnie z ogromnego zdenerwowania. — Czy coś... na litość boską, czy coś się stało?

— Panie, miej litość nad nami, już po wszystkim — odparł mężczyzna, spoglądając z dzikim przerażeniem w stronę komnaty swojego pana. — Nie żyje, sir, jestem pewien, że nie żyje.

Nie czekając na dalsze pytania czy też wyjaśnienia, Montague, a w ślad za nim sługa pośpieszyli do drzwi komnaty. Generał nacisnął klamkę, otwierając drzwi. Gdy drzwi ustąpiły pod jego naporem, złowieszczy ptak, którego poszukiwał sługa, wydając z siebie okrzyk ostrzeżenia rodem z zaświatów, poderwał się nagle z przeciwległego końca łóżka i wyfruwając przez drzwi tuż nad ich głowami oraz gasząc w trakcie lotu świecę, którą trzymał Montague, rozbił świetlik nad holem i wydostał się na zewnątrz, ginąc w ciemnościach przestworzy.

— Oto i jest, Boże, miej litość — szepnął mężczyzna, gdy już odzyskał głos.

— Niech będzie przeklęty ten ptak — zawołał generał zaskoczony tym niespodziewanym widokiem i nie będąc w stanie ukryć zmieszania.

— Ktoś przestawił świecę — zauważył mężczyzna po kolejnej chwili ciszy, wskazując na tę, która wciąż paliła się w pokoju. — Widzi generał? Postawił ją przy łóżku.

— Rozsuń kotary, przyjacielu, i nie stój tak, i się nie gap — szepnął surowo Montague.

Mężczyzna się zawahał.

— Przytrzymaj to w takim razie — nakazał Montague i ze zniecierpliwieniem wsuwając świecznik do dłoni służącego, sam zbliżył się do łóżka i rozsunął kotary.

Światło świecy, która wciąż paliła się przy łóżku, oświetlało skuloną postać, na wpół siedzącą u wezgłowia. Wydawało się, że ciało opadło do tyłu na tyle, na ile pozwalało solidne oparcie łóżka, a dłonie nadal były zaciśnięte na pościeli.

— Barton! Barton! — zawołał generał, z dziwną mieszaniną strachu i gwałtowności.

Wziął świecę i uniósł ją tak, że oświetlała dokładnie mężczyznę. Jego twarz była nieruchoma, posępna i biała, szczęka opadła, a niewidzące oczy, wciąż otwarte, spoglądały pusto w kierunku nóg łóżka.

— Wszechmogący Boże! Nie żyje — szepnął generał, obejmując wzrokiem tę przerażającą scenę. Obaj przyglądali się jej w ciszy jeszcze przez minutę lub dłużej. — I jest już zimny — wyszeptał Montague, zabierając dłoń z ręki zmarłego mężczyzny.

— I proszę, proszę zobaczyć... jak mi życie miłe — dodał służący po kolejnej przerwie, wzdragając się — jeśli nie było jeszcze czegoś z nim na łóżku. Tutaj... proszę spojrzeć tutaj... sir.

Mówiąc to, mężczyzna wskazał na wgłębienie, jakby spowodowane dużym ciężarem, w nogach łóżka.

Montague milczał.

— Chodźmy, chodźmy stąd, sir — szepnął mężczyzna, zbliżając się do niego i chwytając go mocno za ramię, jednocześnie rozglądając się z trwogą dookoła — nic tu po nas... chodźmy stąd, na litość boską!

W tej samej chwili usłyszeli zbliżające się kroki

kilku osób i Montague, pośpiesznie nakazując służącemu, aby ich zatrzymał, usiłował poluzować uścisk, z jakim palce zmarłego były zaciśnięte na pościeli, i ułożył, najlepiej jak potrafił, straszną postać w pozycji leżącej, a następnie zasuwając starannie kotarę, sam pośpieszył im na spotkanie.

Zbyteczne jest relacjonowanie dalszych losów postaci tak luźno powiązanych z tą opowieścią. Dość powiedzieć, że żadna wskazówka ułatwiająca rozwiązanie tych tajemniczych zdarzeń nigdy później nie została odkryta, a ponieważ od momentu, gdy zdarzenie, które opisałem, zwieńczyło tę dziwną historię, minęło tak wiele czasu, trudno oczekiwać, iż czas może rzucić jakieś nowe światło na jej mroczny i niewyjaśniony kształt. Do chwili zatem, gdy sekrety ziemi zostaną w końcu ujawnione, te zdarzenia muszą pozostać ukryte w ich pierwotnym mroku.

Jedynym wydarzeniem w życiu Bartona, na które wskazywano, jako na mogące mieć jakikolwiek związek z cierpieniami, którymi się ono zakończyło, i które on sam zdawał się uważać jako zadośćuczynienie za pewien poważny grzech popełniony w przeszłości, były okoliczności, które wyszły na jaw dopiero kilka lat po jego śmierci. Natura tego odkrycia była bolesna dla jego krewnych i przyniosła ujmę jego pamięci.

Okazało się, że około sześciu lat przed ostatecznym powrotem do Dublina kapitan Barton zawarł

w Plymouth pewną grzeszną znajomość z córką jednego z członków załogi swojego statku. Ojciec zareagował na słabość swego nieszczęśliwego dziecka z najwyższą surowością, a nawet brutalnością, i mówiono, że dziewczyna zmarła ze złamanym sercem. Zakładając udział Bartona w jej grzechu, mężczyzna ten zachowywał się w stosunku do niego wyjątkowo obraźliwie, a Barton odpłacał się za to — oraz za coś, co zrodziło w nim jeszcze bardziej bezsilną gorycz, a mianowicie za to, jak ojciec potraktował nieszczęsną dziewczynę — konsekwentnym stosowaniem tych strasznych i kontrowersyjnych praktyk, jakie przepisy morskie oddają w dyspozycję tym, którzy są odpowiedzialni za dyscyplinę na morzu. Mężczyźnie w końcu udało się uciec, w czasie gdy statek przebywał w porcie w Neapolu, ale zmarł, jak się mówiło, w miejskim szpitalu na skutek ran odniesionych podczas wymierzania jednej z ostatnich i krwawych kar.

Nie można oczywiście stwierdzić, czy te okoliczności miały faktycznie wpływ na wydarzenia w późniejszym życiu Bartona. Wydaje się jednak bardziej niż prawdopodobne, że były, przynajmniej w jego własnym umyśle, ściśle z nimi związane. Bez względu jednak na to, jaka może być prawda odnośnie do powodów i motywów tego tajemniczego prześladowania, nie może być wątpliwości, że jeśli chodzi o siły, za pośrednictwem których zostało to osiągnięte, będzie je spowijać całkowita i nieprzenikniona tajemnica aż do dnia Sądu Ostatecznego.

SĘDZIA HARBOTTLE

PROLOG

Na dokumentacji tego przypadku doktor Hesselius zamieścił jedynie tytuł „Raport Harmana" i proste odwołanie do własnego nadzwyczajnego eseju *O zmyśle wewnętrznym i warunkach jego otwarcia*.

Odwołanie jest do tomu I, akapitu 317, podpunktu z. Akapit, do którego odnosi się to odwołanie, mówi po prostu:

> Istnieją dwie relacje tego wyjątkowego przypadku sędziego Harbottle'a, jedna dostarczona przez panią Trimmer z Tunbridge Wells (z czerwca 1805 roku), druga, dużo późniejsza, spisana przez Anthony'ego Harmana. Dużo bardziej wolę tę pierwszą, ponieważ jest precyzyjna i szczegółowa, i napisana, wydaje mi się, z większą ostrożnością i wiedzą, a ponadto, ponieważ listy od doktora Hedstone'a, które zawiera, dostarczają materiału o ogromnym znaczeniu dla właściwego zrozumienia natury tej historii. Był to jeden z najlepiej opisanych przypadków otwarcia wewnętrznego zmysłu, z jakim się spotkałem. Towarzyszyło mu również zjawisko, które występuje na tyle

często, żeby wskazywać na pewną prawidłowość tych ekscentrycznych warunków, a mianowicie charakteryzowało się czymś, co mogę określić zaraźliwym charakterem tego rodzaju przenikania świata duchowego do faktycznej domeny materii. Gdy tylko siła duchowa wyzwoli się w przypadku jednego pacjenta, jej powstała energia zaczyna promieniować, mniej lub bardziej skutecznie, na innych. Wewnętrzne widzenie dziecka zostało otwarte, jak również jego matki, pani Pyneweck, i zarówno wewnętrzne widzenie, jak i słuch pomywaczki zostały otwarte przy tej samej okazji. Powtórne widzenie jest wynikiem prawa wyjaśnionego w tomie II, w akapitach 17 do 49. Wspólne centrum asocjacji, jednocześnie przywołane, jednoczy, czy też ponownie jednoczy, jak mogłoby się zdarzyć, na określony czas, jak mówi akapit 37. Maksymalnie może ono trwać do dwóch dni, minimalnie niewiele ponad sekundę. Obserwujemy działanie tej zasady wręcz idealnie w niektórych przypadkach lunatyzmu, epilepsji, katalepsji i manii, szczególnego i bolesnego charakteru, mimo że nie towarzyszy jej niemoc działania.

Nie byłem w stanie znaleźć pośród dokumentacji doktora Hesseliusa raportu na temat przypadku sędziego Harbottle'a, spisanego przez panią Trimmer z Tunbridge Wells, który to raport uważał za lepszy. Znalazłem w jego sekretarzyku notatkę stwierdzającą, że pożyczył on raport na temat przypadku sę-

dziego Harbottle'a, napisany przez panią Trimmer, doktorowi F. Heyne'owi. Napisałem zatem do tego uczonego i kompetentnego dżentelmena i otrzymałem od niego, wraz z odpowiedzią, która pełna była niepokoju i żalu z powodu niepewności co do bezpieczeństwa tego „cennego manuskryptu", karteczkę napisaną dawno temu przez doktora Hesseliusa, która całkowicie zwalniała go z odpowiedzialności, jako że potwierdzała zwrot dokumentów. Sprawozdanie pana Harmana jest zatem jedynym dostępnym materiałem do wykorzystania w tym zbiorze. Świętej pamięci doktor Hesselius w innym miejscu tej notatki, którą zacytowałem, pisze: „Co do faktów (niemedycznych) sprawy, opis pana Harmana dokładnie zgadza się z tym dostarczonym przez panią Trimmer". Czysto naukowe spojrzenie na sprawę z pewnością nie zainteresowałoby przeciętnego czytelnika i być może dla celów tego tomu powinienem, nawet gdyby obydwa raporty były dostępne, wybrać opis pana Harmana, który przedstawiam w całości na kolejnych kartach książki.

1

Dom sędziego

Trzydzieści lat temu starszy mężczyzna, któremu wypłacałem kwartalnie niewielką należność naliczaną od jednej z moich nieruchomości, przyszedł w określonym dniu, żeby ją pobrać. Był wysuszonym, smutnym, cichym człowiekiem, który najlepsze lata miał już za sobą i który zawsze zachowywał się w bardzo dziwny sposób. Trudno było sobie wyobrazić kogoś, kto bardziej przekonująco mógłby opowiedzieć historię o duchach.

Taką też mi opowiedział, chociaż z wyraźną niechęcią. Do opowiedzenia tej historii zmusił go zamiar wyjaśnienia mi czegoś, czego sam bym nie zauważył, a mianowicie, że przyszedł dwa dni wcześniej niż w pełny tydzień po ustalonym terminie płatności, a zazwyczaj pozwalał, aby upłynął. Powodem było jego nagłe postanowienie, aby zmienić mieszkanie, i wynikająca z tego konieczność zapłaty czynszu trochę wcześniej, niż był należny.

Mieszkał na ciemnej ulicy w Westminsterze, w obszernym starym domu, bardzo ciepłym, jako że był wyłożony boazerią od góry do dołu i nie cierpiał bynajmniej na nadmiar okien, a te posiadały szerokie ramy i małe szyby.

Dom ten był, jak potwierdzały ogłoszenia na

oknach, oferowany do sprzedaży lub wynajęcia, nikt jednak najwyraźniej nie miał ochoty go obejrzeć.

Chuda matrona w zniszczonym czarnym jedwabiu, bardzo małomówna, z dużymi, nieustępliwymi, zaniepokojonymi oczami, które zdawały się spoglądać na twoją twarz, aby wyczytać w niej, co mogłeś zobaczyć w ciemnych pokojach i korytarzach, przez które przechodziłeś, zarządzała nim razem z samotną dziewczyną na posyłki. Mój biedny przyjaciel wynajął mieszkanie w tym domu ze względu na wyjątkowo niską cenę. Zajmował je przez nieomal rok bez najmniejszych zakłóceń i był jedynym lokatorem, najemcą, w domu. Miał dwa pokoje: salon i sypialnię z garderobą, w której przechowywał pod kluczem swoje książki i papiery. Położył się do łóżka, zamknąwszy również zewnętrzne drzwi. Nie będąc w stanie zasnąć, zapalił świecę i poczytawszy przez chwilę, odłożył książkę na bok. Usłyszał, jak zegar u szczytu schodów wybija pierwszą, i wkrótce potem, ku swojemu przerażeniu, ujrzał, jak drzwi do garderoby, które, jak mu się zdawało, zamknął, otwierają się ostrożnie i drobny ciemny mężczyzna, o posępnym wyglądzie, około pięćdziesiątki, ubrany na czarno zgodnie z bardzo dawną modą (w stroju, jaki widujemy u Hogartha), wszedł do pokoju na palcach. Tuż za nim szedł starszy mężczyzna, otyły, z ciałem pokrytym czerwonymi plamami, którego rysy, zastygłe jak u trupa, były naznaczone ze straszną mocą cechami zmysłowości i łotrostwa.

Ten starszy mężczyzna miał na sobie jedwabny kwiecisty szlafrok i koronkowe mankiety, a na jego palcu pysznił się złoty pierścień. Na głowie miał aksamitny czepek, jaki w czasach peruk dżentelmeni nosili do stroju nocnego.

Straszny starszy mężczyzna niósł w swojej zdobnej pierścieniem i koronkami dłoni zwój liny. Obie postaci przemierzyły ukośnie podłogę, przechodząc obok nóg jego łóżka, od drzwi garderoby w przeciwległym końcu pokoju, po lewej stronie pod oknem, do drzwi wychodzących na hol, w pobliżu głowy łóżka, po jego prawej stronie.

Mój gość nie usiłował nawet opisać swoich uczuć, gdy te dwie postaci przechodziły tak blisko niego. Powiedział jedynie, że nie dość, iż już nigdy nie położy się spać w tym pokoju, to żadne zaszczyty tego świata nie skłonią go nawet do tego, by wszedł tam ponownie sam, nawet za dnia. Okazało się, że obydwoje drzwi, te do garderoby i te wychodzące na hol, były rano zamknięte na klucz, tak jak zostawił je przed położeniem się do łóżka.

W odpowiedzi na moje pytanie odparł, że żadna z postaci nie wydawała się świadoma jego obecności. Nie sunęli, ale szli jak żywi ludzie, tyle że bez żadnego odgłosu, a on czuł drżenie podłogi, gdy przechodzili. Tak wyraźnie cierpiał, opowiadając o tych zjawach, że nie zadawałem mu więcej pytań.

Jego opis zawierał jednak pewne elementy tak szczególne, że skłoniły mnie, dokładnie z tego powo-

du, do napisania do znajomego, dużo starszego ode mnie, wtedy mieszkającego w odległej części Anglii, z pytaniem o pewne informacje, których, jak wiedziałem, będzie mi mógł udzielić. On sam wiele razy zwracał mi na ten stary dom uwagę i opowiedział, chociaż skrótowo, dziwną historię, o której powtórzenie z większymi szczegółami teraz poprosiłem.

Jego odpowiedź mnie usatysfakcjonowała, a kolejne strony przedstawiają jej treść.

W swoim liście powiadasz, że chciałbyś poznać szczegóły ostatnich lat życia sędziego Harbottle'a, jednego z sędziów Cywilnego Sądu Powszechnego. Interesują Cię oczywiście te wyjątkowe zdarzenia, które uczyniły ten okres jego życia na długie lata tematem „zimowych opowieści" i metafizycznych spekulacji. Tak się składa, że znam — być może lepiej niż jakikolwiek inny śmiertelnik — te tajemnicze szczegóły.

Ostatni raz widziałem ten stary rodzinny dom trzydzieści lat temu, podczas wizyty w Londynie. W czasie lat, które minęły od tamtej pory, słyszałem, że modernizacja, poprzedzona rozbiórką, zdziałała prawdziwe cuda w części Westminsteru, w której stał. Gdybym miał całkowitą pewność, że dom został rozebrany, bez trudu wskazałbym ulicę, na której się znajdował. Ponieważ jednak sądzę, że to, co mam do powiedzenia, raczej nie wpłynie pozytywnie na podniesienie jego atrakcyjności w oczach potencjalnych najemców, i ponieważ nie chciałbym narazić się na kłopoty, wolę przemilczeć tę konkretną kwestię.

Jak stary był to dom, nie jestem w stanie powiedzieć. Ludzie mówili, że został zbudowany przez Rogera Harbottle'a, członka Kompanii Tureckiej, za panowania Jakuba I. Nie jestem najlepszym autorytetem w takich kwestiach, ale jako że miałem okazję go odwiedzić, co prawda w opuszczonym i ponurym stanie, mogę opisać Ci w ogólny sposób, jak wyglądał. Zbudowany z ciemnoczerwonej cegły, a wokół okien i drzwi wykończony został kamieniem, który z czasem zżółkł. Był trochę cofnięty w stosunku do linii pozostałych domów na ulicy, posiadał też ozdobną kutą barierkę z motywami kwiatowymi, biegnącą wzdłuż szerokich schodów wiodących do drzwi wejściowych, na której były umocowane pod szpalerem lamp, pośród serpentyn i powyginanych liści, dwie ogromne „gaśnice", niczym wielkie stożkowate czapki wróżek, do których w dawnych czasach lokaje zwykli byli wrzucać pochodnie, gdy już lektyki i powozy przywiozły ich możnych panów, znajdujące się zazwyczaj w holu lub przy schodach. Ściany w holu są wyłożone drewnem aż po sufit i znajduje się w nim duży kominek. Drzwi po obydwu stronach holu prowadzą do dwóch lub trzech starych, dostojnych komnat. Okna tych komnat są wysokie, a szyby składają się z wielu małych kwater. Przechodząc przez łuk z tyłu holu, staje się przed szeroką i masywną otwartą klatką schodową, prowadzącą na samą górę. Jest też tylna klatka schodowa. Dom jest duży i nie ma tyle światła, żadną miarą, proporcjonalnie do jego rozmiarów, co nowoczesne domy. Gdy widziałem go ostatnio, był już od dłuższego czasu niezamieszkany i cieszył się oprócz tego ponurą reputacją domu, w którym straszy. Pajęczyny zwisały z sufitu albo spowijały kąty w miejscu, gdzie łączyły się gzymsy, a wszystko pokrywała gruba warstwa kurzu. Okna były brudne od pięćdziesięcioletniego pyłu i deszczu, więc ciemność w ten sposób zdawała się jeszcze ciemniejsza.

Pierwszą wizytę składałem tam w towarzystwie ojca, jeszcze jako mały chłopiec, w 1808 roku. Miałem około dwunastu lat i bardzo bogatą wyobraźnię, jak zawsze w tym wieku. Rozglądałem się dookoła z ogromnym podziwem. Oto znajdowałem się w samym sercu miejsca, które stanowiło centrum wydarzeń, o których opowieści słuchałem w domu przy kominku z fascynacją i przerażeniem.

Mój ojciec był starym kawalerem, nieomal sześćdziesięcioletnim, gdy się ożenił. Jako dziecko widział sędziego Harbottle'a na ławie, w todze i peruce, przynajmniej tuzin razy przed jego śmiercią, która miała miejsce w 1748 roku, a jego wygląd wywarł silne i nieprzyjemne wrażenie nie tylko na wyobraźni, lecz również na psychice ojca.

Sędzia liczył sobie w owym czasie około sześćdziesięciu siedmiu lat. Miał ogromną twarz koloru morwy, duży, karbunkułowy nos, złowrogie oczy i zacięte, surowe usta. Mój ojciec, który był wtedy młodym chłopcem, uważał, że to najbardziej onie-

śmielająca twarz, jaką kiedykolwiek widział, ponieważ w jej kształcie i zmarszczkach na czole było widać siłę intelektu. Miał donośny, szorstki głos i skłonność do sarkazmu, który był jego zwyczajową bronią na ławie.

Ten starszy dżentelmen miał opinię najbardziej nikczemnego człowieka w Anglii. Nawet na ławie okazywał od czasu do czasu brak poszanowania dla innych opinii. Prowadził sprawy na swój sposób, mówiono, nie zważając na adwokata, władze, a nawet ławę przysięgłych. Posługując się rodzajem pochlebstw, przemocy i sztuczek, wyprowadzał innych w pole i pokonywał ich opór. W istocie nigdy się nie naraził — był na to zbyt sprytny. Miał opinię niebezpiecznego i pozbawionego skrupułów sędziego, ale ta opinia go nie martwiła. Towarzyszy, których wybierał na czas relaksu, obchodziło to równie niewiele co jego.

2

Pan Peters

Pewnego wieczoru w czasie sesji w 1746 roku stary sędzia pojechał w swojej lektyce, aby wysłuchać w jednym z gabinetów Izby Lordów wyniku głosowania, którym on i jego bracia sędziowie byli zainteresowani.

Po zakończeniu procedury miał wrócić lektyką do swojego domu, który znajdował się w pobliżu, ale wieczór zrobił się tak cichy i ładny, że sędzia zmienił zdanie, wysłał lektykę do domu pustą razem z dwoma lokajami, z których każdy niósł pochodnię i wyruszył dla kaprysu pieszo. Podagra uczyniła z niego raczej wolnego piechura. Pokonanie dwóch czy trzech ulic, które musiał przemierzyć, aby dostać się do domu, zajęło mu trochę czasu.

Na jednej z tych wąskich ulic z wysokimi domami po obydwu stronach, pogrążonej w ciszy o tej porze, wyprzedził, mimo że sam szedł wolno, bardzo szczególnie wyglądającego starszego dżentelmena.

Dżentelmen miał na sobie płaszcz w kolorze butelkowej zieleni, z peleryną i guzikami z kamienia, oraz kapelusz z szerokim rondem i krótkim denkiem, pod którym była widoczna duża upudrowana peruka. Był bardzo zgarbiony, miał zgięte kolana i opie-

rając się na lasce z rączką w kształcie kuli, powłóczył nogami, chwiejnie i niepewnie.

— Przepraszam najmocniej, sir — powiedział ten starszy mężczyzna drżącym głosem, gdy przysadzisty sędzia zbliżył się do niego, i wyciągnął nieznacznie dłoń w stronę jego ramienia.

Sędzia Harbottle zauważył, że mężczyzna nie jest w żadnym wypadku biednie ubrany i zachowuje się jak dżentelmen. Zatrzymał się i zapytał surowym i ostrym tonem:

— Tak, sir, czym mogę panu służyć?

— Czy może mi pan wskazać drogę do domu sędziego Harbottle'a? Mam mu do przekazania pewne informacje pierwszorzędnej wagi.

— Czy może je pan przekazać przy świadkach? — zapytał sędzia.

— Żadną miarą, muszą dotrzeć bezpośrednio do jego uszu — zaprzeczył gorliwie drżącym głosem starszy mężczyzna.

— Jeśli tak, sir, musi pan jedynie zrobić kilka kroków w moim towarzystwie, zanim dotrzemy do mojego domu i będę mógł panu zaproponować prywatną rozmowę. Ponieważ to ja jestem sędzią Harbottle'em.

Słabowity dżentelmen w białej peruce bardzo chętnie przyjął zaproszenie i po niecałej minucie znalazł się w pokoju, zwanym wtedy frontowym salonem, sam na sam z przebiegłym i niebezpiecznym urzędnikiem.

Musiał usiąść, jako że był bardzo wyczerpany i przez chwilę nie był w stanie mówić, potem miał atak kaszlu, a później sapał przez chwilę, tak że minęły dwie lub trzy minuty, w trakcie których sędzia rzucił na fotel swoją pelerynę, a na nią dwurożny kapelusz.

Szacowny pieszy w białej peruce szybko odzyskał głos. Pozostali za zamkniętymi drzwiami przez dłuższy czas.

W salonie oczekiwali goście, więc dźwięki roześmianych męskich głosów, a potem damskiego głosu śpiewającego przy akompaniamencie klawesynu dały się wyraźnie słyszeć w holu nad schodami. Sędzia Harbottle zaplanował bowiem jedną ze swoich podejrzanych rozrywek, które mogły sprawić, że włosy na głowach pobożnych mężów stanęłyby dęba i pozostały tak przez całą noc.

Ten starszy dżentelmen w białej upudrowanej peruce, która spływała na jego przygarbione ramiona, musiał mieć do powiedzenia coś, co bardzo zainteresowało sędziego, ponieważ ten nie zrezygnowałby łatwo z dziesięciu i więcej minut, które ta konferencja zabrała z jego najbardziej ulubionej hulanki, w czasie której był grzmiącym królem i w pewnym sensie również tyranem swojego towarzystwa.

Lokaj, który odprowadzał do drzwi starszego dżentelmena, zauważył, że twarz sędziego dotychczas koloru morwy, pryszcze i cała reszta przybrały przykrą żółtą barwę, a sędzia był jakby nieobecny,

najwyraźniej pochłonięty jakąś myślą, gdy żegnał się z nieznajomym. Służący widział, że rozmowa dotyczyła bardzo poważnej sprawy i że sędzia był przestraszony.

Zamiast ruszyć po schodach do swoich godnych nagany głośnych rozrywek, swojego bluźnierczego towarzystwa i swojej ogromnej czary ponczu — identycznej jak ta, nad którą były biskup Londynu, dobry, łagodny człowiek, ochrzcił dziadka sędziego, ale wokół której brzegu dzwoniły teraz srebrne chochelki i wisiały serpentyny skórki cytrynowej — zamiast, mówię, ruszyć i wdrapać się po ogromnych schodach do jaskini czarów, w której zdawała się królować magia mitycznej Kirke, stał ze swoim dużym nosem rozpłaszczonym na szybie, obserwując kroki słabego, starszego mężczyzny, który trzymał się mocno kutej poręczy, schodząc stopień za stopniem na chodnik.

Drzwi frontowe ledwie zdążyły się zamknąć, gdy stary sędzia znalazł się w holu, wydając pośpieszne rozkazy, okraszone takimi ponaglającymi przekleństwami, do których uciekają się obecnie czasami starzy pułkownicy w gniewie, tupiąc przy tym swoją dużą stopą i wymachując w powietrzu zaciśniętą pięścią. Polecił lokajowi dogonić starszego dżentelmena w białej peruce, zaoferować mu eskortę do domu i pod żadnym pozorem nie pokazywać się z powrotem, dopóki nie ustali, gdzie ten dżentelmen mieszka, kim jest i wszystkich innych interesujących rzeczy.

— Na Boga, człowieku! Jeśli nie zrobisz tego, co mówię, jeszcze dzisiaj przestaniesz być moim sługą!

Wierny sługa ruszył żwawo z ciężką laską pod pachą, zbiegł po schodach i rozejrzał się w górę i w dół ulicy w poszukiwaniu nietypowej postaci, tak łatwej do rozpoznania. Jakie były jego przygody — o tym za chwilę.

Starszy mężczyzna w trakcie konferencji, która miała miejsce w tej dostojnej komnacie wyłożonej drewnem, opowiedział właśnie sędziemu bardzo dziwną historię. On sam mógł być spiskowcem, mógł być szaleńcem, a może cała jego opowieść była najnormalniej w świecie prawdziwa.

Starszy mężczyzna w płaszczu koloru butelkowej zieleni, gdy znalazł się sam na sam z sędzią Harbottle'em, stał się bardzo poruszony. Powiedział:

— W więzieniu w Shrewsbury przebywa, być może wiesz o tym, panie, więzień oskarżony o sfałszowanie weksla na sto dwadzieścia funtów, nazywa się Lewis Pyneweck i jest właścicielem sklepu w tym mieście.

— W istocie? — spytał sędzia, który doskonale wiedział, że tam jest.

— Tak, mój panie — odpowiedział starszy mężczyzna.

— W takim razie lepiej będzie, jak nic pan nie powie, żeby wpłynąć na jego sprawę. Jeśli mnie pan nie posłucha, na Boga, oskarżę pana, bo będę ją prowadził — rzekł sędzia o strasznym wyglądzie i głosie.

— Nie zamierzam nic takiego robić, mój panie,

o nim czy też o jego sprawie nic nie wiem, i nic mnie to nie obchodzi. Ale dotarła do mnie pewna informacja, nad którą lepiej będzie, jak się pan zastanowi.

— A cóż to może być za informacja? — zainteresował się sędzia. — Śpieszę się, sir, i bardzo proszę, żeby mówił pan szybko.

— Dotarła do mnie wiadomość, mój panie, że powstaje właśnie sekretny trybunał, którego zadaniem będzie zbadanie kwestii prowadzenia się sędziów, a w pierwszej kolejności waszego prowadzenia, mój panie. To podła konspiracja.

— Kto do niej należy? — chciał wiedzieć sędzia.

— Na razie nie znam ani jednego nazwiska. Wiem jedynie o samym fakcie, mój panie. To absolutna prawda.

— Każę panu zeznawać przed Tajną Radą Wielkiej Brytanii, sir — zagroził sędzia.

— To jest właśnie moim największym pragnieniem, ale proszę mi dać jeszcze dzień lub dwa, mój panie.

— A niby dlaczego?

— Nie mam na razie ani jednego nazwiska, jak już mówiłem waszej lordowskiej mości, ale mam nadzieję dysponować listą najważniejszych ludzi i jeszcze kilkoma innymi dokumentami związanymi ze spiskiem za dwa lub trzy dni.

— Przed chwilą powiedział pan, że za dzień lub dwa.

— Mniej więcej w tym czasie, mój panie.

— Czy to spisek jakobicki?

— Z grubsza rzecz biorąc, myślę, że tak, mój panie.

— W takim razie jest polityczny. Nie sądziłem więźniów Korony i nie jest prawdopodobne, abym kiedykolwiek sądził. W jaki sposób może zatem dotyczyć mnie?

— Z tego, co udało mi się dowiedzieć, mój panie, są tacy, którzy pragną prywatnej zemsty na pewnych sędziach.

— Jak nazywają swoją klikę?

— Najwyższy Sąd Apelacyjny, mój panie.

— Kim ty jesteś, panie? Jak się nazywasz?

— Hugh Peters, mój panie.

— Czy to nazwisko z obozu wigów?

— Tak, mój panie.

— Gdzie pan mieszka?

— Na Thames Street, mój panie, tuż naprzeciw gospody pod znakiem Trzech Króli.

— Trzech Króli? Proszę uważać, żeby nie okazało się dla pana o jednego króla za dużo! Jak to się stało, że pan, uczciwy wig, jak pan mówi, został wtajemniczony w jakobicki spisek? Proszę mi to wyjaśnić.

— Mój panie, osoba, która mnie interesuje, została wciągnięta w ten spisek, a ponieważ przeraziła ją nieoczekiwana nikczemność ich planów, postanowiła zostać donosicielem dla Korony.

— Podjęła słuszną decyzję, panie. Co mówi o osobach? Kto jest w tym spisku? Czy ich zna?

— Tylko dwóch, mój panie, ale zostanie przedstawiona klubowi za kilka dni i będzie miała wtedy listę oraz bardziej dokładną informację o ich planach, a przede wszystkim ich przysięgi, godziny i miejsca spotkań, z którymi chce się zapoznać, zanim nabiorą jakichkolwiek podejrzeń co do jej zamiarów. A gdy posiądzie już te wszystkie informacje, do kogo, myśli pan, byłoby najlepiej, żeby poszła?

— Prosto do prokuratora generalnego króla. Ale mówi pan, że to dotyczy mnie przede wszystkim? A co z tym więźniem, Lewisem Pyneweckiem? Czy jest on jednym z nich?

— Nie mogę powiedzieć, mój panie, ale z pewnego powodu istnieje przekonanie, że byłoby lepiej, gdyby wasza miłość go nie sądził. Jeśli jednak będzie go pan sądził, istnieje obawa, że pana dni zostaną policzone.

— Z tego, co słyszę, cała ta sprawa trąci rozlewem krwi i zdradą. Prokurator generalny króla będzie wiedział, co z tym zrobić. Kiedy znowu pana zobaczę, sir?

— Jeśli pan pozwoli, mój panie, przed rozpoczęciem albo po zamknięciu sesji sądu jutro. Chciałbym przyjść i opowiedzieć waszej lordowskiej mości, co się wydarzyło.

— Proszę tak uczynić. O dziewiątej jutro rano. Proszę tylko nie próbować żadnych sztuczek w tej sprawie, bo, na Boga, dopadnę pana!

— Proszę nie obawiać się żadnych sztuczek z mojej strony, mój panie. Gdybym nie chciał służyć panu

i postąpić zgodnie z sumieniem, nigdy nie pokonałbym takiej drogi, żeby rozmawiać z waszą lordowską mością.

— Jestem skłonny panu uwierzyć. Jestem skłonny panu uwierzyć, sir.

I tak się rozstali.

Albo pomalował sobie twarz, albo jest przeraźliwie chory, pomyślał stary sędzia.

Światło dokładniej oświetliło twarz gościa, gdy odwrócił się w niskim ukłonie przed wyjściem z komnaty, i wyglądała ona, wydawało mu się, nienaturalnie biało.

— Niech go licho! — zawołał sędzia nieuprzejmie, gdy zaczął pokonywać schody. — Prawie zepsuł mi kolację.

Nawet jeśli tak było, nikt z wyjątkiem samego sędziego tego nie zauważył, a wszelkie dowody wskazywały, jak każdy mógł zobaczyć, na coś wręcz przeciwnego.

3

Lewis Pyneweck

Tymczasem lokaj wysłany w pościg za panem Petersem szybko dogonił tego słabego dżentelmena. Starszy mężczyzna zatrzymał się, gdy usłyszał dźwięk zbliżających się kroków, ale wszelkie obawy, jakie mogły zrodzić się w jego głowie, zdały się zniknąć, gdy rozpoznał liberię. Z ogromną wdzięcznością przyjął zaoferowaną pomoc i wsunął własne drżące ramię pod ramię służącego, by się na nim wesprzeć.

Nie uszli jednak daleko, gdy starszy mężczyzna zatrzymał się nagle, wołając:

— O mój Boże! Jak mi życie miłe, upuściłem ją. Słyszałeś, jak upada. Na moich oczach, obawiam się, nie mogę polegać i nie jestem w stanie pochylić się dość nisko, ale jeśli ty spojrzysz, dostaniesz połowę zguby. To gwinea, trzymałem ją w rękawiczce.

Ulica była cicha i opuszczona. Lokaj zaledwie zdążył przysiąść, jak to ujął, „w kucki" i zaczął przeszukiwać chodnik w miejscu, jakie wskazał starszy mężczyzna, gdy tenże, który wydawał się bardzo wyczerpany i oddychał z trudnością, zadał mu gwałtowny cios z góry w tył głowy, ciężkim narzędziem, a potem jeszcze jeden i zostawiając go krwawiącego i nieprzytomnego w rynsztoku, pobiegł niczym latarnik uliczny alejką na prawo i zniknął.

Gdy godzinę później strażnik przyprowadził człowieka w liberii do domu, nadal oszołomionego i zakrwawionego, sędzia Harbottle przeklinał swego służącego siarczyście, wyrzucał, że jest pijany, groził mu oskarżeniem, że przyjmuje łapówki i zdradza swojego pana, i pocieszał go perspektywą szerokiej ulicy prowadzącej z Old Bailey do Tyburn*, chłostą na uwięzi za wozem i stryczkiem.

Bez względu na całą tę demonstrację sędzia był zadowolony. Okazało się, że to „fałszywy świadek" w przebraniu albo bandyta, bez wątpienia, który został wynajęty, żeby go przestraszyć. Sztuczka się jednak nie udała.

Sąd apelacyjny, o którym wspominał fałszywy Hugh Peters, z wyrokiem śmierci jako ostateczną karą, byłby niewygodną instytucją dla „wieszającego sędziego", jakim był czcigodny Harbottle. Sarkastyczny i nieprzejednany administrator kodeksu karnego Anglii, w owym czasie raczej faryzejskiego, krwawego i haniebnego systemu sprawiedliwości, miał swoje własne powody, by podjąć się prowadzenia procesu tego konkretnego Lewisa Pynewecka, w imieniu którego ta bezczelna sztuczka została zaplanowana. Proces poprowadzi. Żadna żyjąca istota nie pozbawi go tego smakowitego kąska.

---

* Old Bailey — Główny Sąd Kryminalny Anglii i Walii znajdujący się w Londynie, Tyburn — główne miejsce publicznych egzekucji w Londynie od XII do XVIII wieku [przyp. tłum.].

O Lewisie Pynewecku, oczywiście na tyle, na ile mógł to ocenić zewnętrzny świat, on sam nic nie wiedział. Przeprowadzi proces na swój sposób, bez strachu, protekcjonizmu czy litości.

Czyż jednak nie pamiętał on pewnego szczupłego mężczyzny, ubranego na czarno, w którego domu w Shrewsbury sędzia wynajmował pokoje aż do nagłego wybuchu skandalu, po tym jak okazało się, że źle traktuje własną żonę? Sklepikarz o ponurym spojrzeniu, lekkim kroku i szczupłej twarzy, ciemnej jak mahoń, z nosem ostrym i długim, trochę przekrzywionym, i parą ciemnych, nieustępliwych brązowych oczu z cienko zarysowanymi ciemnymi brwiami — mężczyzna, na którego cienkich ustach malował się zawsze słaby, nieprzyjemny uśmiech.

Czy ten drań nie miał rachunku do wyrównania z sędzią? Czyż nie sprawiał ostatnio kłopotów? I czyż nie nazywał się Lewis Pyneweck, swego czasu sklepikarz w Shrewsbury, a obecnie więzień w tym mieście?

Czytelnik, jeśli ma taką wolę, może uznać fakt, że sędzia Harbottle nigdy nie cierpiał z powodu wyrzutów sumienia, za znak tego, iż był dobrym chrześcijaninem. To była bez wątpienia prawda. Niemniej wyrządził on temu sklepikarzowi, fałszerzowi, czy jak go zwać, około pięciu lub sześciu lat wcześniej ogromną krzywdę. To jednak nie ten fakt, ale możliwy skandal i możliwe komplikacje martwiły teraz uczonego sędziego.

Czyż nie wiedział on, jako prawnik, że jeśli już przyprowadza się człowieka z jego sklepu na ławę oskarżonych, to istnieje co najmniej dziewięćdziesiąt dziewięć procent prawdopodobieństwa, że jest on winny?

Słaby mężczyzna, jak jego uczony brat Withershins, nie był sędzią, który mógłby sprawić, że gościńce będą bezpieczne, a przestępcy będą drżeć. Stary sędzia Harbottle był człowiekiem, który mógł sprawić, że ci o złych skłonnościach będą drżeć, i odnowić świat, kąpiąc go w strumieniach złej krwi, i w ten sposób uratować niewinnych, zgodnie z refrenem starożytnego prawa, które uwielbiał cytować:

Głupia litość
Miasto obraca w nicość.

Wysłanie tego człowieka na stryczek nie może być błędem. Oko człowieka przyzwyczajonego do spoglądania na ławę oskarżonych nie może nie zauważyć słowa „przestępca" zapisanego jasno i wyraźnie na jego spiskującej twarzy. Oczywiście, poprowadzi jego sprawę i nikt inny nie powinien tego robić.

Zalotnie wyglądająca kobieta, wciąż przystojna, w czepku przystrojonym niebieskimi wstążkami i w sukni z jedwabiu w kwiaty, z koronką i z pierścionkami na palcach, zdecydowanie zbyt elegancka jak na gospodynię sędziego, którą niemniej jednak była, zajrzała do jego pracowni następnego ranka i widząc, że jest sam, weszła do środka.

— Oto kolejny list od niego, przyszedł z dzisiejszą pocztą. Czy nic nie możesz dla niego zrobić? — zapytała przymilnie, zakładając mu rękę na szyję i chwytając pieszczotliwie swoimi delikatnymi palcami płatek jego ucha.

— Spróbuję — odparł sędzia Harbottle, nie podnosząc wzroku znad gazety, którą czytał.

— Wiedziałam, że zrobisz, o co cię poproszę — ucieszyła się.

Sędzia przyłożył swoją podagryczną dłoń do serca i oddał jej ironiczny pokłon.

— Co zrobisz? — zapytała.

— Wyślę go na stryczek — odparł sędzia, chichocząc.

— Nie zrobisz tego, nie, nie zrobisz, mój mały człowieczku — powiedziała, przeglądając się w lustrze na ścianie.

— Niech mnie licho, jeśli nie wydaje mi się, że zakochujesz się w końcu w swoim mężu! — zawołał sędzia Harbottle.

— Jak mi Bóg miły, wydaje mi się, że robisz się o niego zazdrosny — odparła dama ze śmiechem. — Ale nie, nigdy nie był dla mnie dobry, skończyłam z nim dawno temu.

— A on z tobą, na Jowisza! Gdy zabrał ci twoją fortunę, twoje łyżki i twoje kolczyki, dostał wszystko, czego chciał od ciebie. Wyrzucił cię z domu, a gdy odkrył, że się urządziłaś i że znalazłaś dobrą posadę, chętnie zabrałby twoje gwinee, twoje srebro i twoje kolczyki jeszcze raz, a potem dałby ci kolejne sześć lat, żebyś przygotowała dla niego następne żniwo. Nie życzysz mu dobrze; jeśli mówisz, że tak, to kłamiesz.

Roześmiała się łajdackim, zuchwałym śmiechem i pogłaskała strasznego Radamantysa* po twarzy.

— Chce, żebym wysłała mu pieniądze na opłacenie adwokata — kontynuowała, podczas gdy jej wzrok wędrował po obrazach na ścianie i z powrotem do lustra, a ona z pewnością nie wyglądała, jakby jego fatalna sytuacja bardzo ją martwiła.

— Niech licho weźmie jego bezczelność, łajdak! — zagrzmiał stary sędzia, opierając się gwałtownie na krześle, jak miał zwyczaj czynić to w furii na ławie sędziowskiej, a rysy jego twarzy wyglądały złowrogo i oczy nieomal wyskakiwały mu z orbit. — Jeśli odpowiesz na jego list z mojego domu, żeby zadowolić siebie, to następny napiszesz z cudzego domu, żeby zadowolić mnie. Zrozum, mała wiedźmo, żadnego nagabywania. No już, żadnego wykrzywiania ust, żadne kwilenie nie pomoże. Nie dałabyś za tego złoczyńcę złamanego srebrnika, czy to za duszę, czy ciało. Przyszłaś tutaj tylko po to, żeby się pokłócić. Jesteś jak ten nawałnik burzowy**; gdzie się pojawisz,

---

* Radamantys — w mitologii greckiej król mniejszych wysp Archipelagu Egejskiego, sędzia zmarłych w Hadesie, heros [przyp. tłum.].

** Nawałnik burzowy (*Hydrobates pelagicus*) — gatunek niewielkiego ptaka oceanicznego z rodziny nawałników. Przez marynarzy uważany za zwiastuna burz [przyp. tłum.].

zaraz rozpętuje się burza. Zmykaj stąd, szelmo, już cię tu nie ma! — powtórzył z tupnięciem, albowiem pukanie do drzwi wejściowych uczyniło jej natychmiastowe zniknięcie koniecznym.

Nie muszę mówić, że czcigodny Hugh Peters nie pojawił się znowu. Sędzia nigdy o nim nie wspominał. Ale, co dziwne, zważywszy na to, z jaką pogardą wyśmiewał się z marnego podstępu, który zdemaskował z taką łatwością, jego gość w białej peruce i ich konferencja w ciemnej frontowej komnacie często przychodziły mu na myśl.

Jego przebiegłe oko mówiło mu, że wyjąwszy makijaż i takie sztuczki, jakie w teatrze są na porządku dziennym, rysy i wygląd tego fałszywego starszego mężczyzny, który okazał się zbyt twardy dla jego wysokiego lokaja, były identyczne z rysami i wyglądem Lewisa Pynewecka.

Sędzia Harbottle polecił jednemu ze swoich urzędników złożenie wizyty prokuratorowi i poinformowanie go, że po mieście kręci się pewien mężczyzna, bardzo podobny do więźnia przebywającego w więzieniu w Shrewsbury, o nazwisku Lewis Pyneweck, i aby w związku z tym prokurator zwrócił się do więzienia pisemnie z pytaniem, czy nikt nie podszywa się pod Pynewecka i czy przypadkiem nie udało mu się stamtąd uciec.

Więzień był jednak bezpieczny i nie było żadnych wątpliwości co do jego tożsamości.

4

Zdarzenie w sądzie

W odpowiednim czasie sędzia Harbottle wyruszył na objazd i w odpowiednim czasie sędziowie znaleźli się w Shrewsbury. W tamtych czasach nowiny rozchodziły się wolno, a gazety, tak jak powozy i dyliżanse, nie były zbyt szybkie. Pani Pyneweck w domu sędziego z pomniejszoną służbą pełniła swe obowiązki raczej samotnie, jako że większa jej część pojechała z sędzią, gdyż zrezygnował z wyjeżdżania na objazd konno i podróżował powozem.

Pomimo kłótni, pomimo wzajemnie zadawanych ran — części z nich inicjowanych przez nią, ogromnych — pomimo małżeńskiego życia pełnego zaciekłych utarczek, życia, które zdawało się pozbawione miłości, sympatii czy wyrozumiałości przez lata — teraz, gdy Pyneweckowi groziła śmierć, opanowało ją nagle coś na kształt wyrzutów sumienia. Wiedziała, że w Shrewsbury mają miejsce zdarzenia, które przesądzą o jego losie. Wiedziała, że go nie kocha, ale nie mogła przypuszczać, nawet dwa tygodnie temu, że ta godzina niepewności napełni ją taką trwogą.

Wiedziała, w którym dniu miał się odbyć proces. Nie była w stanie ani na chwilę przestać o nim myśleć, czuła się coraz słabiej, w miarę jak zbliżał się wieczór.

Minęły dwa lub trzy dni i wtedy wiedziała, że proces musiał się już odbyć. Ziemie pomiędzy Londynem i Shrewsbury były zalane i nowiny długo nie nadchodziły. Chciała, żeby powódź nigdy się nie skończyła. Czekanie na wiadomości było straszne; straszna była wiedza, że już po wszystkim i że nic się nie dowie, dopóki nie ustąpią nieposłuszne rzeki; straszna była świadomość, że rzeki muszą opaść i że wiadomość w końcu przyjdzie.

Wierzyła po trosze w dobroć sędziego, a bardziej w szczęście i przypadek. Udało jej się wysłać pieniądze, o które prosił. Nie będzie pozbawiony porady prawnej i wykwalifikowanego, energicznego wsparcia.

Wiadomości w końcu nadeszły — wszystkie zaległości spłynęły wartkim potokiem: list od przyjaciółki ze Shrewsbury, sentencje wyroków, przysłane dla sędziego, i najważniejsza, bo najłatwiejsza do odczytania, uroczyście i krótko obwieszczona, bardzo opóźniona informacja z wyjazdowego posiedzenia sądu w Shrewsbury, zamieszczona w „Morning Advertiser". Niczym niecierpliwy czytelnik powieści, który czyta ostatnią stronę na samym początku, odszukała rozbieganymi oczami listę egzekucji.

Dwóch dostało odroczenie, siedmiu powieszono, a w spisie skazanych na śmierć znajdowała się następująca linijka: „Lewis Pyneweck — fałszerstwo...". Musiała przeczytać te słowa dobrych parę razy, zanim była pewna, iż dobrze je zrozumiała. W tym miejscu następował akapit:

Wyrok śmierci — 7

Wykonany bezzwłocznie w piątek, trzynastego, na następujących:

Thomas Primer, zwany Duckiem — rozbój i kradzież;

Flora Guy — kradzież na kwotę 1 szylinga i 6 pensów;

Arthur Pounden — włamanie;

Matilda Mummery — zamieszki;

Lewis Pyneweck — fałszerstwo, weksel...

I gdy dotarła do tego miejsca, czytała te słowa raz po raz, czując, jak robi się jej bardzo zimno i niedobrze.

Ta ponętna gospodyni znana była w domu jako pani Carwell — jako że Carwell było jej panieńskim nazwiskiem, do którego wróciła. Nikt w domu, z wyjątkiem gospodarza, nie znał jej historii. Wprowadzenie pani Carwell zręcznie zaplanowano. Nikt nie podejrzewał, że zostało ukartowane przez nią i starego potępieńca w purpurze i gronostajach.

Flora Carwell pobiegła teraz po schodach i chwyciła szybko w ramiona swoją małą dziewczynkę, zaledwie siedmioletnią, którą spotkała w holu, i zaniosła ją do swojej sypialni, ledwie zdając sobie sprawę z tego, co robi, i usiadła, sadowiąc ją przed sobą. Nie potrafiła wydobyć z siebie ani słowa. Objęła siedzącą przed nią dziewczynkę, spojrzała w jej zaskoczoną twarz i wybuchnęła płaczem przerażenia.

Myślała, że sędzia będzie mógł go uratować.

Śmiem twierdzić, że mógł. Przez chwilę była wściekła na niego — ściskała i całowała swoją przerażoną małą dziewczynkę, która spoglądała na nią szerokimi ze zdziwienia oczami.

Ta mała dziewczynka straciła swojego ojca i nic o tym nie wiedziała. Zawsze mówiono jej, że ojciec już od dawna nie żyje.

Kobieta prosta, niewykształcona, próżna i gwałtowna nie rozumuje ani nawet nie czuje zbyt jasno, ale z tymi łzami osłupienia mieszała się nagana dla niej samej. Bała się tego małego dziecka.

Pani Carwell nie była jednak osobą sentymentalną, ale miłośniczką strawy i przyjemności — pocieszyła się ponczem. Nie zamęczała się zbyt długo żalami — była pospolitą i materialną osobą — i nie opłakiwała spraw nieodwracalnych dłużej niż kilka godzin.

Nie minęło wiele czasu i sędzia Harbottle znów był w Londynie. Z wyjątkiem podagry ten stary, dziki epikurejczyk nie zaznał w życiu ani dnia choroby. Śmiał się, naigrawał i lekceważył wątłe wyrzuty sumienia młodej kobiety; w niedługim czasie Lewis Pyneweck już nie przysparzał jej zmartwienia, a sędzia sekretnie cieszył się z doskonale czystego sposobu na pozbycie się nudziarza, który z czasem mógł zamienić się w coś na kształt tyrana.

Zdarzyło się, że sędzia, którego przygody właśnie opisuję, prowadził sprawy sądowe w Old Bailey, tuż po swoim powrocie. Rozpoczął on prezentowanie

zarzutów przed ławą przysięgłych w sprawie o oszustwo i wygłaszał właśnie ostrą tyradę przeciwko oskarżonemu, jak to miał w zwyczaju, nie szczędząc przykrości i cynicznych drwin, gdy nagle wszystko zamarło i zapadła cisza, a elokwentny sędzia, zamiast patrzyć na ławę przysięgłych, gapił się na kogoś na sali sądowej.

Pośród osób o niewielkim znaczeniu, które stoją i przysłuchują się po obu stronach, jedna była na tyle wysoka, że górowała odrobinę nad innymi — drobna, nieznaczna postać, ubrana w czarne, podniszczone ubranie, szczupła i o ciemnej twarzy. Właśnie podała ona list sekretarzowi i wtedy napotkała wzrok sędziego.

Sędzia rozpoznał, ku swojemu zdziwieniu, rysy Lewisa Pynewecka. Na jego wąskich ustach malował się zwyczajowy słaby uśmiech, siny podbródek miał uniesiony w górę i, jak się wydawało, zupełnie nieświadomy wyjątkowego zainteresowania, jakie wywołał, mężczyzna poprawiał chudymi i zakrzywionymi palcami swój krawat, jednocześnie obracając wolno z boku na bok głowę. Czynność ta sprawiła, że sędzia zobaczył wyraźnie spuchniętą siną kreskę wokół jego szyi, która była śladem, jak uważał, po sznurze.

Ten człowiek, z jeszcze kilkoma osobami, wspiął się na stopień, z którego mógł lepiej obserwować sąd. Teraz zszedł na dół i sędzia stracił go z oczu.

Czcigodny sędzia wskazał energicznie ręką w kie-

runku, w jakim ruszył, a potem zniknął mężczyzna. Zwrócił się do pomocnika. Jego pierwsza próba odezwania się została zakończona sapnięciem. Odchrząknął i polecił zaskoczonemu urzędnikowi, aby aresztował człowieka, który zakłócił pracę sądu.

— Właśnie ruszył w tamtym kierunku. Przyprowadźcie go pod strażą za dziesięć minut albo zerwę z was togę i nałożę grzywnę na szeryfa! — grzmiał sędzia, omiatając wzrokiem salę sądową w poszukiwaniu urzędnika.

Adwokaci, doradcy, przygodni świadkowie, wszyscy patrzyli w stronę, którą wskazywał sękatą, starą ręką sędzia Harbottle. Porównywali swoje obserwacje. Nikt nie widział, żeby ktokolwiek zakłócał pracę sądu. Zaczęli pytać się wzajemnie, czy sędzia nie traci przypadkiem zmysłów.

Poszukiwanie okazało się bezowocne. Czcigodny sędzia zakończył stawianie zarzutów zdecydowanie bardziej spokojnie, a gdy sąd zamknął posiedzenie, rozglądał się po sali zamyślony i sprawiał wrażenie, jakby wcale nie chciał, żeby więzień został powieszony.

5

Caleb Searcher

Sędzia otrzymał list. Gdyby wiedział, od kogo przyszedł, bez wątpienia przeczytałby go natychmiast. Sprawy jednak potoczyły się tak, że odczytał jedynie adres:

Czcigodny Sędzia Elijah Harbottle
Jeden z Sędziów Jego Królewskiej Mości
Czcigodnego Cywilnego Sądu Powszechnego

Pozostał on zapomniany w jego kieszeni aż do powrotu do domu.

Wyciągnął ów list, razem z innymi, z przepastnej kieszeni płaszcza, i przyszła na niego kolej, gdy usiadł w bibliotece, ubrany w gruby jedwabny szlafrok. Okazało się, że przesyłka zawiera list napisany drobnym pismem, ręką urzędnika, i załącznik, napisany ręką „sekretarza", jak — wydaje mi się — określano w tamtych dniach charakterystyczny kanciasty charakter pisma spotykany w pismach prawniczych. Obydwie wiadomości były zamieszczone na pergaminie wielkości mniej więcej tej strony. List informował:

*

Panie Sędzio Harbottle, Mój Panie

Zostałem upoważniony przez Najwyższy Sąd Apelacyjny do poinformowania Waszej Lordowskiej Mości, aby mógł się Pan lepiej przygotować do swojego procesu, że wpłynął do nas pozew i że została Wasza Lordowska Mość oskarżona o morderstwo niejakiego Lewisa Pynewecka ze Shrewsbury, obywatela niesłusznie poddanego egzekucji za fałszerstwo weksla w dniu 13 stycznia tego roku, w wyniku celowego sfałszowania dowodów i niewłaściwej presji, jaka została wywarta na ławę przysięgłych, włącznie z prawnym przyjęciem dowodów przez Waszą Lordowską Mość, o których to wiedział Pan, że są nieprawne, z których to wszystkich powodów promotor postępowania w sprawie tego oskarżenia przed Najwyższym Sądem Apelacyjnym stracił życie.

Jestem również zobowiązany poinformować Waszą Lordowską Mość, że proces w sprawie tego oskarżenia został zaplanowany na dziesiąty dzień lutego bieżącego roku i zostanie przeprowadzony przez Przewodniczącego Sądu Najwyższego Sędziego Twofolda z tegoż sądu, a mianowicie Najwyższego Sądu Apelacyjnego, w którym to dniu z całą pewnością się odbędzie. Mam również poinformować Waszą Lordowską Mość, aby zapobiec jakiemukolwiek zaskoczeniu czy też pomyłce, że Wasza sprawa będzie pierwszą rzeczonego dnia i że wyżej wymieniony Najwyższy Sąd Apelacyjny

pracuje dzień i noc i nigdy nie zawiesza obrad. Niniejszym z rozkazu tegoż sądu przekazuję Waszej Lordowskiej Mości kopię (wyciąg) protokołu w tej sprawie, z wyjątkiem oskarżenia, którego jednak treść i rezultat, bez względu na powyższe, zostają dostarczone Waszej Lordowskiej Mości w tym zawiadomieniu. Ponadto mam Was poinformować, że w przypadku gdyby sąd przysięgłych, który ma prowadzić proces przeciwko Waszej Lordowskiej Mości, uznał Was za winnego, wielce szanowny Przewodniczący Sądu Najwyższego, ogłaszając wyrok śmierci, ustali datę egzekucji na dziesiąty dzień marca, co stanowi jeden miesiąc kalendarzowy od dnia Waszego procesu.

CALEB SEARCHER
Sekretarz Biura Prokuratora Generalnego
w Królestwie Życia i Śmierci

Sędzia przyjrzał się pergaminowi.

— Do licha! Czy im się wydaje, że człowiek taki jak ja da się nabrać na ich błazenadę?

Grube rysy sędziego wykrzywiły się w jednym z jego grymasów, ale zbladł. Być może, mimo wszystko, był na rzeczy jakiś spisek. To dziwne. Czy chcieli zastrzelić go w powozie? Czy chcieli go jedynie przestraszyć?

Sędzia Harbottle miał mnóstwo desperackiej odwagi. Nie bał się rabusiów i wziął udział w niezliczonych pojedynkach, był bluźnierczym adwokatem, gdy prowadził sprawy w sądzie. Nikt nie kwestionował jego umiejętności w walce. Ale w przypadku tej konkretnej sprawy Pynewecka był całkiem zdezorientowany. Czyż nie było jego ładnej, ciemnookiej, wystrojonej gospodyni, pani Flory Carwell? Bardzo łatwo ludziom, którzy znają Shrewsbury, rozpoznać panią Pyneweck, jeśli już znajdą trop, a czyż nie grzmiał i nie pracował z oddaniem nad tym przypadkiem? Czyż nie potraktował więźnia szczególnie okrutnie? Czyż nie wiedział bardzo dobrze, co myśli o takich przypadkach adwokatura? To byłby najgorszy skandal, jaki kiedykolwiek zrujnował sędziego.

Tyle było niepokojących spraw w tej kwestii, ale nic więcej. Sędzia zrobił się trochę posępny przez dzień lub dwa i trochę bardziej uszczypliwy dla wszystkich niż zazwyczaj.

Zamknął dokumenty i jakiś tydzień później zapytał swoją gospodynię pewnego dnia w bibliotece:

— Czy twój mąż miał kiedyś brata?

Pani Carwell pisnęła w odpowiedzi na to nagłe wprowadzenie pogrzebowego tematu i wypłakała modelowe „morze łez", jak sędzia zwykł był uprzejmie to określać. Nie był jednak w nastroju do zabawy i rzucił surowo:

— Proszę pani! To mnie nuży. Zarezerwuj to na inną okazję, a teraz odpowiedz na moje pytanie.

Co niniejszym uczyniła.

Pyneweck nie miał brata wśród żyjących. Kiedyś, owszem, ale zmarł on na Jamajce.

— Skąd wiesz, że nie żyje? — zapytał sędzia.

— Bo tak mi powiedział.

— Nie ten, który nie żyje.

— Pyneweck mi powiedział.

— Czy to wszystko? — warknął sędzia.

Rozmyślał nad tą sprawą, a czas płynął. Sędzia robił się ponury, a życie sprawiało mu mniej przyjemności. Cała kwestia zajmowała mu głowę bardziej, niż mógłby przypuszczać. Ale tak bywa z najbardziej sekretnymi troskami, tyle że nie było nikogo, komu mógłby się zwierzyć z tego konkretnego problemu.

Zrobił się już dziesiąty i sędzia Harbottle był zadowolony. Wiedział, że nic z tego nie będzie. Jednak martwiło go to, choć jutro już będzie po wszystkim.

(A co się stało z pismem, które zacytowałem? Nikt nie widział go za życia sędziego i po jego śmierci. Sędzia mówił o nim doktorowi Hedstone'owi i to, co uznano za „kopię" sporządzoną ręką sędziego, zostało znalezione. Oryginału jednak nigdzie nie było. Czy była to kopia iluzji wynikła z choroby umysłu? Takie jest moje przekonanie).

6

Aresztowany

Sędzia Harbottle wybrał się tej nocy na sztukę na Drury Lane. Był jednym z tych starszych dżentelmenów, którym w pogoni za przyjemnością nie przeszkadzają późne godziny ani odrobina niewygody. Umówił się z dwoma koleżkami z Lincoln's Inn, że po sztuce pojadą z nim na kolację do jego domu.

Nie byli razem w jego loży, ale mieli go spotkać przy wejściu i wsiąść tam do jego karety, więc Harbottle, który nie cierpiał czekać, spoglądał niecierpliwie przez okno.

Ziewnął.

Powiedział lokajowi, aby wyglądał mecenasa Thaviesa i mecenasa Bellera, na których czekał, i ziewając ponownie, położył swój dwurożny kapelusz na kolanach, a opierając się wygodnie w rogu, otulił dokładniej peleryną i zaczął myśleć o ładnej pani Abington.

I jako człowiek, który mógł zasnąć jak kamień w jednej chwili, pomyślał, żeby się zdrzemnąć. Ci panowie nie mieli prawa kazać mu czekać.

Słyszał teraz ich głosy. Rozpustni adwokaci śmiali się, przekomarzali i przepychali do woli. Powóz przechylił się i podskoczył, gdy jeden z nich wsiadł, a po nim drugi. Drzwi się zatrzasnęły, a powóz pod-

skakiwał i kołatał po bruku. Sędzia był trochę niezadowolony. Nie miał ochoty otwierać oczu. Niech myślą, że śpi. Usłyszał, jak się śmieją, raczej złośliwie niż dobrotliwie, wydawało mu się, gdy to zauważyli. Da im popalić, kiedy już znajdą się u niego w domu, a do tej chwili będzie udawał drzemkę.

Zegary wybiły dwunastą. Beller i Thavies milczeli jak grób, choć zazwyczaj byli gadatliwi i weseli.

Sędzia poczuł nagle, jak ktoś chwyta go gwałtownie i porywa z jego rogu, rzucając na środek siedzenia pomiędzy dwóch towarzyszy.

Zanim zdążył wykrzyknąć przekleństwo, które cisnęło mu się na usta, zobaczył, że to byli nieznajomi — o wrogim wyglądzie — z których każdy miał w ręce pistolet. Ubrani byli jak policjanci z Bow Street*.

Sędzia pociągnął za dzwonek. Powóz stanął. Popatrzył dookoła. Nie znajdowali się pomiędzy domami — przez okna, w jasnym świetle księżyca, ujrzał czarne bagna rozciągające się martwo na prawo i lewo, ze spróchniałymi drzewami, ze sterczącymi do góry bezładnie konarami stojącymi tu i tam w kępach, jakby unosiły gałęzie niczym palce, w geście szyderstwa z powodu nadejścia sędziego.

Do okna podszedł lokaj. Rozpoznał jego pociągłą twarz i zapadłe oczy. Wiedział, że to Dingly Chuff, jego lokaj sprzed piętnastu lat, którego wyrzucił

---

* Bow Street — ulica, na której w XVIII wieku powstał pierwszy posterunek policji w Londynie [przyp. tłum.].

na bruk bez wypowiedzenia, w napadzie zazdrości, i oskarżył o kradzież łyżki. Człowiek ten zmarł w więzieniu na gorączkę.

Sędzia cofnął się absolutnie zaskoczony. Jego uzbrojeni towarzysze dali w milczeniu znak i znowu sunęli po tych nieznanych bagnach.

Usiany czerwonymi plamami i powykrzywiany podagrą starszy mężczyzna w akcie rozpaczy rozważył kwestię stawienia oporu. Swoje atletyczne dni miał jednak już dawno za sobą. Te bagna to było pustkowie. Znikąd nie mogła nadejść pomoc. Był w rękach dziwnych sług, nawet gdyby jego rozpoznanie miało okazać się iluzją, pod rozkazami porywaczy. Nie pozostawało mu nic innego jak uległość, przynajmniej w tej chwili.

Nagle powóz nieomal się zatrzymał i więzień ujrzał z okna złowieszczy widok.

Była to gigantyczna szubienica przy drodze. Miała trzy ramiona, a na każdej z jej trzech szerokich belek na górze zwisało w łańcuchach jakieś osiem czy dziesięć ciał. Z niektórych opadły całuny, odsłaniając szkielety, które kołysały się lekko na łańcuchach. Na szczyt tej konstrukcji prowadziła długa drabina, a na torfie na dole leżały kości.

Na ciemnej poprzecznej belce wychodzącej na drogę, na której, tak jak na pozostałych dwóch dopełniających trójkąt śmierci, wisiał rząd nieszczęśników w łańcuchach, znajdował się kat z fajką w zębach, który wyglądał zupełnie jak bohater słynnego mie-

dziorytu *Leniwy czeladnik**, chociaż tu jego siedzisko znajdowało się dużo wyżej. Leżał on sobie wygodnie rozciągnięty i rzucał od niechcenia kośćmi, biorąc je z małej sterty obok jego łokcia, w szkielety, które wisiały dookoła, strącając to żebro lub dwa, to dłoń, to połowę nogi. Ktoś z dobrym wzrokiem zauważyłby, że to człowiek o ciemnej cerze, szczupły i że od ciągłego spoglądania w dół na ziemię, ze wzniesienia, na którym, w pewnym sensie, zawsze wisiał, jego nos, usta i podbródek wyciągnęły się i zwisały, przyjmując monstrualne i groteskowe kształty.

Ten mężczyzna widząc powóz, wyjął fajkę z ust, wstał i wywinął kilka solennych fikołków wysoko na swej belce, potrząsnął w powietrzu nową liną, krzycząc głosem wysokim, odległym niczym krakanie kruka krążącego nad szubienicą:

— Lina dla sędziego Harbottle'a!

Powóz jechał teraz swoim dawnym spokojnym tempem.

O tak wysokiej szubienicy sędzia nigdy, nawet w najbardziej karkołomnych chwilach, nie śnił. Wydawało mu się, że musi majaczyć. Potrząsnął głową

---

* *Leniwy czeladnik* (ang. *Idle Apprentice*) — tytuł jednego z cyklu dwunastu miedziorytów autorstwa Williama Hogartha, pod wspólnym tytułem *Pracowitość i lenistwo* (1747), przedstawiający losy pracowitego i leniwego czeladnika [przyp. tłum.].

i wytężył wzrok, ale jeśli śnił, to nie był w stanie się obudzić.

Straszenie tych oprawców nie miało sensu. Ci *brutum fulmen** napastnicy mogli po prostu dać mu po głowie.

Całkowita uległość, żeby tylko wydostać się z ich rąk, a potem poruszy niebo i ziemię, żeby ich zdemaskować i wytropić.

Nagle minęli róg dużego białego budynku i wjechali pod *porte-cochère***.

---

* *Brutum fulmen* — łacińska fraza używana do określenia czczych pogróżek bądź bezskutecznego wyroku sądu [przyp. tłum.].

** *Porte-cochère* (franc.) — rodzaj przylegającego do budynku ganku dla powozów, umożliwiającego bezpieczne opuszczenie pojazdu podróżnym.

7

Sędzia Twofold

Sędzia znalazł się w korytarzu oświetlonym słabo przez lampy naftowe, o ścianach wyłożonych kamieniami. Wyglądał on jak korytarz więzienny. Strażnicy oddali go w ręce innych ludzi. Tu i tam widział kościstych i ogromnych żołnierzy wędrujących w różne strony z muszkietami przewieszonymi przez ramię. Patrzyli prosto przed siebie, zgrzytając zębami, wściekli, nie wydając z siebie głosu, stukając jedynie obcasami. Widział ich tylko z daleka, w rogach i na końcach korytarzy, ale nie przechodził obok nich.

A teraz, przechodząc przez niskie wejście, znalazł się na ławie oskarżonych, przed sędzią w purpurowej todze, w dużym sądzie. Nie było nic, co wynosiłoby tę świątynię Temidy ponad tego typu marne przybytki w innych miejscach. Poprzednia sprawa właśnie się skończyła i było widać plecy ostatniego sędziego, gdy znikał w drzwiach w ścianie za ławą sędziowską. Było tam ponad dziesięciu prawników, niektórzy zajmowali się swoimi piórami i atramentem, inni zagłębieni byli w aktach, niektórzy przywoływali, sygnalizując piórem, swoich pełnomocników, których nie brak było wkoło. Byli też urzędnicy, biegający tu i tam, władze sądu i sekretarz, który wręczał dokument sędziemu, i pomocnik, który ponad głowami tłumu, jaki ich rozdzielał, podawał doradcy króla zatknięty na trzcinie dokument. Jeśli to był Najwyższy Sąd Apelacyjny, który pracuje dzień i noc i nigdy nie zawiesza obrad, mogło to wyjaśniać bladość i zielonkawy wygląd wszystkich jego pracowników. Atmosfera nieopisanego smutku spowijała blade rysy wszystkich ludzi, którzy się tu znajdowali, nikt się nie uśmiechał, wszyscy wyglądali na mniej lub bardziej sekretnie cierpiących.

— Król przeciwko Elijahowi Harbottle'owi! — wykrzyknął urzędnik.

— Czy apelant Lewis Pyneweck jest w sądzie? — zapytał sędzia Twofold gromkim głosem, od którego zadrżały drewniane ściany i ławy i który rozniósł się echem po korytarzach.

Ze swojego miejsca przy stole podniósł się Pyneweck.

— Wprowadzić więźnia! — zagrzmiał sędzia Twofold i sędzia Harbottle poczuł, jak drewniana ława oskarżonych, podłoga i barierki drżą od wibracji wywołanych przez ten potężny głos.

Więzień wyraził *in limine** sprzeciw wobec tego udawanego sądu, twierdząc, że jest maskaradą i że z punktu widzenia prawa nie istnieje, i że nawet gdyby był sądem ustanowionym przez prawo (sędzia

* *In limine* (łac.) — na wstępie. W sądownictwie wniosek wystosowany do sędziego w trakcie lub przed rozpoczęciem procesu, często o dopuszczeniu dowodów uznanych za fałszywe.

wyglądał na coraz bardziej osłupiałego), nie ma i nie mógłby mieć żadnej mocy prawnej, aby prowadzić przeciwko niemu proces o to, jak postępuje w sądzie.

Słysząc te słowa, sędzia roześmiał się nagle i wszyscy w sądzie, odwracając się i spoglądając na więźnia, też się roześmiali, aż śmiech zaczął narastać i grzmiał wokół jak ogłuszająca owacja. Dookoła widział jedynie błyszczące oczy i zęby, wpatrzony w niego wzrok i grymasy, ale mimo że wszyscy się śmiali, ani jedna twarz z tych, które koncentrowały na nim wzrok, nie wyglądała na roześmianą. Radość ustąpiła tak nagle, jak się pojawiła.

Akt oskarżenia został odczytany. Oddano głos sędziemu Harbottle'owi. Powiedział, że nie przyznaje się do winy. Ława przysięgłych złożyła ślubowanie. Rozpoczął się proces. Sędzia Harbottle nie posiadał się ze zdziwienia. To nie mogło dziać się naprawdę. Myślał, że oszalał albo zaraz oszaleje.

Nawet on nie mógł jednak nie zauważyć jednej rzeczy. Ten sędzia Twofold, który atakował go przy każdej sposobności szyderstwem i kpiną i wyśmiewał się z niego swoim potężnym głosem, był powiększoną podobizną jego samego — odbiciem sędziego Harbottle'a, przynajmniej dwa razy większym, wściekle czerwonym, z dzikim spojrzeniem i wyglądem szkaradnie uwypuklonym.

Nic, co więzień mógłby przedłożyć, zacytować albo stwierdzić, nie było w stanie zatrzymać ani na

chwilę postępu sprawy, zmierzającej do nieuchronnej katastrofy.

Sędzia zdawał się czuć swoją władzę nad ławą przysięgłych, rozkoszować się i demonstrować to głośno. Spoglądał na nich dziko, kiwał głową, zdawał się nawiązywać z nimi nić porozumienia. W tej części sądu światło było słabe. Przysięgli — jedynie cieniami, siedzącymi w rzędach. Więzień widział tylko dwanaście par białych oczu błyszczących zimno w ciemności i za każdym razem, gdy sędzia w trakcie swojej mowy, która była żałośnie krótka, kiwał głową, śmiał się złowrogo i kpił, więzień dostrzegał w ciemności, poprzez skinienie tych wszystkich rzędów oczu, że przysięgli kiwali głowami w geście zgody.

A teraz, gdy mowa dobiegła końca, ogromny sędzia oparł się, sapiąc i wpatrując w więźnia. Wszyscy w sądzie odwrócili się i spoglądali z zagorzałą nienawiścią w stronę człowieka na ławie oskarżonych. Z ławy przysięgłych, gdzie dwunastu zaprzysiężonych braci szeptało razem, w ogólnej ciszy dał się słyszeć wydłużony dźwięk przypominający syczenie, a potem w odpowiedzi na pytanie sędziego: „Jaki jest wasz wyrok, panowie przysięgli, winny czy niewinny?" nadeszła wypowiedziana melancholijnym głosem odpowiedź: „Winny".

Pomieszczenie wydawało się oczom więźnia coraz ciemniejsze, aż nie widział już nic wyraźnie z wyjątkiem światła oczu, które były zwrócone na

niego z każdej ławki, z każdego rogu i balkonu budynku. Więzień bez wątpienia myślał, że ma dość dużo do powiedzenia i że w konsekwencji przedłoży, dlaczego nie powinien w jego sprawie zapaść wyrok śmierci, ale przewodniczący Sądu Najwyższego z pogardą oddalił jego wystąpienie, traktując go jak jakąś natrętną muchę, i przeszedł do odczytania wyroku śmierci, wyznaczywszy dziesiąty dzień nadchodzącego miesiąca na datę egzekucji.

Zanim sędzia zdołał dojść do siebie po zaskoczeniu, jakim była ta złowieszcza farsa, w odpowiedzi na rozkaz: „Wyprowadzić więźnia" został zabrany z ławy oskarżonych. Lampy zdawały się niknąć — tu i tam znajdowały się jedynie paleniska i piece na węgiel, które rzucały purpurowe światło na ściany korytarzy, przez które przechodził. Kamienie, jakie je tworzyły, wydawały się ogromne, popękane i ostre.

Wszedł teraz do kuźni o wysokim sklepieniu, gdzie dwóch mężczyzn, nagich do pasa, z głowami jak byki, okrągłymi barkami i gigantycznymi ramionami, kuło rozgrzane do czerwoności łańcuchy, używając młotów, które grzmiały jak pioruny.

Spojrzeli na więźnia dzikimi czerwonymi oczami i oparli się przez chwilę na swych młotach, potem starszy z nich powiedział do swojego towarzysza:

— Wyjmij kajdany dla Elijaha Harbottle'a.

Szczypcami chwycił koniec, który leżał, płonąc w ogniu pieca.

— Jeden koniec się zapina — wyjaśnił, ujmując

zimny koniec żelaza dłonią, a jednocześnie objął imadłem nogę sędziego i zamknął pierścień wokół jego kostki. — Drugi — poinformował z uśmiechem — jest kuty.

Żelazna opaska, która miała utworzyć pierścień wokół drugiej nogi sędziego, leżała nadal rozgrzana do czerwoności na kamiennej podłodze, a iskry pryskały z niej w górę i na boki.

Jego towarzysz pochwycił w swoje gigantyczne dłonie drugą nogę sędziego i unieruchomił jego stopę, przyciskając ją do kamiennej podłogi. Jego starszy kolega w mgnieniu oka, mistrzowsko posługując się szczypcami i młotem, owinął żarzącą się obręcz wokół kostki sędziego tak mocno, że skóra i ścięgna zaczęły się palić i skwierczeć, a stary sędzia Harbottle wydał z siebie krzyk, który zdawał się mrozić same kamienie i sprawił, iż żelazne łańcuchy zadrżały na ścianie.

Łańcuchy, podziemie, kowale — wszystko to zniknęło w jednej chwili, ale cierpienie trwało nadal. Sędzia Harbottle czuł przemożny ból wokół kostki, którą przed chwilą zakuwali piekielni kowale.

Jego przyjaciele, Thavies i Beller, byli zaskoczeni jękiem sędziego w samym środku ich eleganckich żartów na temat przypadku małżeństwa *à-la-mode*, którego byli świadkami. Sędzia był przerażony, jak również cierpiący. Uliczne lampy i światło nad drzwiami wejściowymi do jego domu przyniosło mu ulgę.

— Bardzo źle się czuję — warknął przez zaciśnięte zęby. — Całą stopę mam w ogniu. Kto mnie zranił? To podagra, to podagra! — zawołał, budząc się całkowicie. — Przez ile godzin wracaliśmy z teatru? Do licha, co się działo po drodze? Przespałem połowę nocy!

Nie było żadnego porwania ani opóźnienia, jechali do domu w dobrym tempie.

Sędzia jednak miał atak podagry, miał również gorączkę, atak zaś, mimo że bardzo krótki, był ostry, a gdy po około dwóch tygodniach ustąpił, dzika jowialność sędziego już nie powróciła. Nie potrafił przestać myśleć o, jak postanowił go nazwać, swoim śnie.

8

Ktoś dostał się do domu

Ludzie mówili, że sędzia ma wapory*. Lekarz mu zalecił, aby wyjechał na dwa tygodnie do Buxton.

Gdy tylko sędziego dopadały posępne myśli, zaczynał rozważać warunki wyroku, który został mu odczytany w jego wizji — „za jeden kalendarzowy miesiąc, poczynając od dzisiaj", a potem zwyczajowa formuła: „i zostaniesz stracony przez powieszenie" itd. „To będzie dziesiąty — nie zanosi się na to, żebym miał zostać powieszony. Wiem, co to są sny, i śmieję się z nich, ale o tym śnie cały czas myślę, jakby przepowiadał jakieś nieszczęście. Chciałbym, żeby dzień, o którym dowiedziałem się w moim śnie, już minął i żeby było po nim. Chciałbym zostać wyleczony z mojej podagry. Chciałbym być taki jak kiedyś. To tylko wapory, zwykłe mrzonki". Raz po raz, szydząc i złorzecząc, czytał kopie pergaminu i listu, które zapowiadały jego proces, a sceneria i ludzie z jego snu stawali przed nim w najbardziej niespodziewanych miejscach i porywali go w jednej chwili z tego, co go otaczało, do świata cieni.

Sędzia stracił swoją żelazną energię i dowcip. Robił się drażliwy i ponury. Sąd też zauważył zmianę,

* Wapory — kiedyś tak nazywano histerię [przyp. tłum.].

co jednak nie miało dla niego znaczenia. Jego przyjaciele uważali, iż jest chory. Lekarz powiedział, że cierpi na hipochondrię i że podagra nadal męczy jego organizm — zalecił mu wyjazd do Buxton, tej starożytnej mekki chorych na stawy rąk i nóg.

Sędzia był bardzo przygnębiony i bardzo się o siebie bał; opisał swojej gospodyni — posławszy po nią, aby dotrzymała mu towarzystwa przy podwieczorku w jego pracowni — swój dziwny sen, jaki miał w drodze do domu z teatru na Drury Lane. Popadał w stan nerwowej negacji, w którym ludzie tracą wiarę w ortodoksyjne rady i z rozpaczy zasięgają opinii szarlatanów, astrologów i wróżbitów. Czy taki sen może znaczyć, że będzie miał atak i że tym sposobem umrze dziesiątego? Uważała, że nie. Wręcz przeciwnie, było pewne, że spotka go w tym dniu jakieś szczęście.

Sędzia się rozpromienił i po raz pierwszy od wielu dni wyglądał przez minutę czy dwie tak jak kiedyś. Pogładził ją po policzku dłonią, która nie była owinięta we flanelę.

— Przewrotna! Rozkoszna! Ty droga szelmo! Zapomniałem. Jest przecież młody Tom, tchórzliwy Tom, mój siostrzeniec, no wiesz, leży chory w Harrogate. Dlaczego on nie miałby odejść tego dnia równie dobrze jak każdego innego, a jeśli tak się stanie, mnie przypadnie majątek? Pytałem przecież doktora Hedstone'a wczoraj, czy mógłbym dostać nagle ataku, a on śmiał się i przysięgał, że jestem ostatnią osobą w mieście, która mogłaby umrzeć w ten sposób.

Sędzia wysłał większość swoich służących do Buxton, żeby przygotowali dla niego kwaterę i zadbali o jego wygody. Miał wyruszyć za dzień lub dwa.

Był już dziewiąty i gdy minie kolejny dzień, będzie mógł się śmiać ze swoich wizji i przeczuć.

Wieczorem dziewiątego lokaj doktora Hedstone'a zapukał do drzwi sędziego. Doktor pobiegł po mrocznych schodach do salonu. Był marcowy wieczór, słońce już chyliło się ku zachodowi, a wschodni wiatr wył ostro w kominach. Ogień buzował wesoło na palenisku, a sędzia Harbottle w — jak wtedy mówiono — peruce brygadiera i swojej czerwonej pelerynie potęgował ognisty efekt mrocznej komnaty, która była cała czerwona, jakby płonęła.

Stopy sędziego były oparte na niskim krzesełku, a jego ogromna, ponura, purpurowa twarz skierowana w stronę ognia, zdając się dyszeć i nabrzmiewać, w miarę jak płomień to unosił się w górę, to opadał. Znowu ogarnęło go przygnębienie i rozważał wycofanie się z sądu i pięćdziesiąt innych nieprzyjemnych rzeczy.

Lekarz jednak, który był energicznym wyznawcą sztuki Eskulapa, nie chciał słuchać tego narzekania. Wyjaśnił sędziemu, że jego organizm trawi podagra i że w obecnej chwili nawet on sam nie umie jasno ocenić swojej sytuacji, ale obiecał mu, że jeśli pozwoli, to odpowie na wszystkie smutne pytania za

dwa tygodnie. Do tego czasu sędzia musi być bardzo ostrożny. Podagra nim zawładnęła i nie wolno mu prowokować ataku, dopóki wody Buxton nie zadziałają w swój własny zbawienny sposób.

Lekarz jednak chyba nie uważał, że pacjent ma się tak dobrze, jak sugerował, gdyż powiedział mu, że musi odpoczywać i że byłoby lepiej, gdyby od razu położył się do łóżka.

Pan Gerningham, jego garderobiany, pomógł mu i podał krople. Sędzia polecił, żeby poczekał w jego sypialni, aż zaśnie.

Trzy osoby tej nocy miały wyjątkowo dziwne historie do opowiedzenia.

Gospodyni pozbyła się kłopotu zabawiania swojej małej dziewczynki w tym niespokojnym czasie, pozwalając jej biegać po salonach i przyglądać się obrazom i porcelanie z zastrzeżeniem, że niczego nie wolno jej dotykać. Dopiero gdy na dobre zgasł ostatni promień zachodzącego słońca, a zmierzch był tak gęsty, że dziewczynka nie była już w stanie dostrzec kolorów porcelanowych figurek na kominku czy w witrynach, powróciła do pokoju gospodyni w poszukiwaniu matki.

Po krótkiej paplaninie o porcelanie i obrazach, i dwóch wspaniałych perukach sędziego, które widziała w garderobie obok biblioteki, dziewczynka opowiedziała matce wyjątkowo dziwną przygodę.

W holu znajdowała się, jak zazwyczaj w tamtych czasach, lektyka, której pan domu od czasu do czasu

używał, pokryta tłoczoną skórą i ozdobiona pozłacanymi ćwiekami, z żaluzjami z czerwonego jedwabiu, zasłaniającymi okna. Drzwi tego staromodnego środka transportu były zamknięte, okna podniesione i — jak już mówiłem — żaluzje opuszczone, ale nie tak szczelnie, żeby ciekawe dziecko nie mogło zajrzeć pod jedną z nich do wnętrza.

Pojedynczy promień zachodzącego słońca, wpadający przez okno tylnej komnaty, wędrował ukośnie przez otwarte drzwi i padając na lektykę, oświetlał matowo purpurową żaluzję.

Ku swojemu zdziwieniu dziewczynka ujrzała w cieniu szczupłego mężczyznę, ubranego na czarno, który siedział w środku. Miał ciemną cerę, ostre rysy i nos — jak się jej wydawało — trochę krzywy. Spojrzenie brązowych oczu skierował przed siebie, dłoń miał opartą na udzie i siedział nieruchomo jak woskowa figura, którą widziała na jarmarku w Southwark.

Dziecku tak często zwraca się uwagę, że zadaje za dużo pytań, a właściwe jest milczenie i dorośli mają zawsze rację, aż przyjmuje ono większość rzeczy przynajmniej w dobrej wierze. Co za tym idzie, mała dziewczynka z szacunkiem zaakceptowała, jako poprawne i właściwe, że lektykę zajmuje osoba o mahoniowej twarzy.

Dopiero gdy zapytała mamę, kim był ten człowiek, i zauważyła jej przestraszoną twarz, kiedy ta zadawała jej bardziej szczegółowe pytania na temat

pojawienia się nieznajomego, dziewczynka zaczęła rozumieć, że zobaczyła coś niezwykłego.

Pani Carwell zdjęła klucz do lektyki z gwoździa nad półką lokaja i zaprowadziła dziewczynkę do holu, trzymając w drugiej ręce zapaloną świecę. Zatrzymała się w pewnej odległości od lektyki i umieściła świecznik w ręku dziecka.

— Zajrzyj do środka, Margery, jeszcze raz i zobacz, czy coś tam jest — szepnęła. — Przysuń świecę do żaluzji, żeby światło wpadało do środka przez zasłonę.

Dziecko zajrzało do środka, tym razem z poważną miną, i obwieściło natychmiast, że nieznajomy zniknął.

— Zajrzyj jeszcze raz i upewnij się — nalegała matka.

Dziewczynka była pewna, więc pani Carwell, w czepku z koronką i wiśniowymi wstążkami, z ciemnymi włosami, jeszcze nieprzyprószonymi siwizną, okalającymi bardzo bladą twarz, otworzyła zamknięte na klucz drzwi, zajrzała do środka i ujrzała pustkę.

— Widzisz, dziecko, pomyliłaś się.

— O tam! Mamo! Spójrz tam! Schował się za rogiem! — zawołało dziecko.

— Gdzie? — zapytała pani Carwell, cofając się.

— W tym pokoju.

— Cicho, dziecko, to był cień! — krzyknęła pani Carwell ze złością, ponieważ się bała. — Poruszyłam świecę.

Chwyciła jedną z tyczek lektyki, która stała oparta o ścianę w rogu, i zaczęła stukać jej końcem gwałtownie w podłogę, ponieważ bała się wejść przez drzwi, które wskazało jej dziecko.

Kucharz i dwie dziewczyny z kuchni przybiegli na górę, nie wiedząc, co to za niezwykły alarm.

Wszyscy przeszukali pokój, ale był on nadal pusty i nic nie wskazywało na to, żeby ktoś tam przebywał.

Niektórzy ludzie mogą przypuszczać, że tor, na jaki zostały skierowane jej myśli przez to dziwne zdarzenie, może tłumaczyć bardzo dziwne złudzenie, którego doświadczyła pani Carwell około dwu godzin później.

9

Sędzia opuszcza dom

Pani Flora Carwell wchodziła po schodach z leczniczym puddingiem dla sędziego w chińskiej miseczce na małej srebrnej tacy.

Na samej górze, w poprzek otwartej klatki schodowej, biegła solidna dębowa poręcz; podnosząc wzrok, przypadkiem zauważyła wyjątkowo dziwnie wyglądającego nieznajomego, szczupłego i wysokiego, opierającego się beztrosko o poręcz, trzymającego w ręku fajkę. Jego nos, usta i podbródek wydawały się opadać na wyjątkową długość, gdy tak wychylał przez poręcz swoją dziwną, wypatrującą czegoś twarz. W drugiej dłoni trzymał zwój liny, a jeden jej koniec wystawał spod łokcia i zwisał z poręczy.

Pani Carwell, która nie podejrzewała w tej chwili, że nie jest on realną osobą, i pomyślała, że został zatrudniony do powiązania linami bagażu sędziego, zawołała do niego z pytaniem, co tutaj robi.

Zamiast udzielić odpowiedzi, nieznajomy obrócił się i przeszedł przez korytarz, mniej więcej w tym samym wolnym tempie, w jakim ona wchodziła po schodach, i wszedł do pokoju, do którego ona weszła za nim. Był to pokój bez dywanu i mebli. Na podłodze leżał otwarty kufer, pusty, a obok zwój liny, lecz oprócz niej w pokoju nie było nikogo.

Pani Carwell bardzo się przestraszyła i doszła teraz do wniosku, że dziecko musiało widzieć tego samego ducha, który właśnie ukazał się jej. Być może, gdy miała już czas, żeby to przemyśleć, przekonanie o tym przynosiło ulgę, ponieważ twarz, postura i ubiór opisane przez dziecko boleśnie przypominały Pynewecka, a to z pewnością nie był on.

Bardzo przestraszona i bardzo rozhisteryzowana pani Carwell zbiegła na dół do swego pokoju, bojąc się obejrzeć za siebie. Zawołała kilka osób, a potem płakała, mówiła i wypiła więcej niż jeden kordiał, i znowu mówiła i płakała, i tak dalej, aż zrobiła się godzina dziesiąta i w tamtych dawnych czasach była już pora, żeby kłaść się spać.

Pomywaczka została trochę dłużej, bo musiała dokończyć szorowanie i „wyparzanie", podczas gdy reszta służby — która, jak już mówiłem, nie była liczna — położyła się tej nocy do łóżek. Była to nieustraszona dziewka z czarnymi włosami, o niskim czole i szerokiej twarzy, która „nie bała się ducha ani jotę", potraktowała więc histerię gospodyni z ogromną pogardą.

W starym domu panowała teraz cisza. Dochodziła już prawie północ i nie było słychać żadnych dźwięków z wyjątkiem stłumionego zawodzenia zimowego wiatru, który wiał wysoko pośród dachów i kominów albo grzmiał w przerwach, niskimi porywami, pośród wąskich kanałów ulic.

Na obszernym i wyludnionym piętrze mieszczą-

cym kuchnię zrobiło się teraz przerażająco ciemno, a sceptyczna dziewka kuchenna była jedyną osobą, która jeszcze nie spała i krzątała się po domu. Przez jakiś czas śpiewała sobie różne melodie, następnie przestała i zaczęła nasłuchiwać, a potem znowu wróciła do pracy. W końcu przypadło jej w udziale być jeszcze bardziej przerażoną niż gospodyni.

W domu tym była tylna kuchnia, i z niej usłyszała, dochodzące jakby spod jej fundamentów, odgłosy ciężkich uderzeń, które zdawały się wprawiać w drżenie ziemię pod jej stopami. Czasami dwanaście w jednej serii, w regularnych odstępach, czasami mniej. Wyszła cicho na korytarz i zauważyła ze zdziwieniem, że z pomieszczenia tego wydobywa się przytłumiona czerwona poświata, jak z pieca węglowego.

Pomieszczenie wydawało się wypełnione dymem.

Zaglądając do środka, bardzo niewyraźnie ujrzała monstrualną postać nad paleniskiem, wykuwającą wielkim młotem pierścienie ogromnego łańcucha.

Uderzenia, mimo że wyglądały na szybkie i mocne, brzmiały pusto i jakby z daleka. Mężczyzna przerwał i pokazał coś na ziemi, co — przez mgłę dymu — wydawało się jej martwym ciałem. Nic więcej nie zauważyła, ale służący w pobliskim pokoju, obudzeni ze snu przerażającym krzykiem, znaleźli ją zemdloną na kamiennej podłodze w miejscu, z którego właśnie oglądała tę straszną scenę.

Dwóch służących, przerażonych bezładnymi

deklaracjami dziewczyny, że na podłodze widziała ciało sędziego, przeszukawszy najpierw dolną część domu, nie bez strachu weszło na górę, żeby upewnić się, czy ich pan dobrze się czuje. Zastali go nie w łóżku, ale w jego pokoju. Na stole przy łóżku paliły się świece, a on na powrót wkładał ubranie. Zaczął przeklinać i wyzywać ich siarczyście, w swoim dawnym stylu, mówiąc, że ma sprawę do załatwienia i że zwolni natychmiast każdego łotra, który odważy się znów mu przeszkodzić.

Tak więc chorego pozostawiono w spokoju.

Rano tu i tam dało się słyszeć na ulicy, że sędzia nie żyje. Z domu oddalonego o trzy numery został przysłany sługa z pytaniem od mecenasa Traverse'a.

Służący, który otworzył drzwi, był blady i nie chciał wiele mówić, przyznał tylko, że sędzia jest chory. Miał niebezpieczny wypadek. Doktor Hedstone przyjechał do niego o siódmej rano.

Były ukradkowe spojrzenia, krótkie odpowiedzi, blade i zasępione twarze i wszystkie zwykłe sygnały, że domowników dręczy jakiś sekret, który na razie nie może zostać wyjawiony. Ten czas przyszedł, gdy zakończyła się wizyta koronera i śmiertelny skandal, który dotknął ten dom, nie mógł już dłużej pozostać tajemnicą. Ponieważ tego ranka służba znalazła sędziego Harbottle'a powieszonego za szyję, na poręczy, u szczytu klatki schodowej. Sędzia nie żył.

Nie było najmniejszych śladów walki czy stawiania oporu. Nikt nie słyszał krzyku albo innego hała-

su, który chociaż w najmniejszym stopniu mógłby wskazywać na przemoc. Istniały medyczne dowody, że zważywszy na depresyjny stan sędziego, było całkiem prawdopodobne, iż mógł się pozbawić życia. Sąd ustalił zatem, że był to przypadek samobójstwa. Ale tym, którzy znali dziwną historię, którą sędzia Harbottle opowiedział przynajmniej dwóm osobom, fakt, że zdarzenie miało miejsce rano, dziesiątego dnia marca, wydawał się zadziwiającym zbiegiem okoliczności.

Kilka dni później pompa wspaniałego pogrzebu towarzyszyła sędziemu do grobu i stało się tak, jak mówi Pismo Święte: „Umarł także bogacz i został pogrzebany"*.

---

* Ewangelia wg św. Łukasza (16,20).

POKÓJ W GOSPODZIE LE DRAGON VOLANT

PROLOG

Wzmianka o intrygującym przypadku, który za chwilę wam przedstawię, przyciągająca uwagę i poczyniona w kilku miejscach, znajduje się w wyjątkowym eseju o magicznych miksturach wieków średnich pióra doktora Hesseliusa.

Tytułuje on ten esej *Mortis Imago* i tam też omawia: *Vinum Letiferum, Beatifica, Somnus Angelorum, Hypnus Segarum, Aqua Thessalliae* i około dwudziestu innych naparów i destylatów dobrze znanych mędrcom sprzed ośmiuset lat. Dwa z nich są nadal, jak twierdzi, znane bractwu złodziei i pośród nich, jak dochodzenie policji czasami ujawnia, są po dziś dzień stosowane.

Esej *Mortis Imago* zajmuje, na ile jestem to teraz w stanie precyzyjnie obliczyć, dwa tomy, dziewiąty i dziesiąty, dzieł zebranych doktora Martina Hesseliusa.

Konkludując, esej ten, niech mi będzie wolno zauważyć, jest bardzo ciekawie wzbogacony o cytaty, w ogromnej obfitości, ze średniowiecznego romansu, poezją i prozą, z których te najbardziej wartościowe są, co dziwne, egipskie.

Wybrałem ten konkretny opis spośród wielu równie niezwykłych przypadków, ale nie tak efektywnych, wydaje mi się, jak zwykłe utwory narracyjne. Przedstawiam go po prostu jako opowiadanie.

1

W drodze

W bogatym w wydarzenia roku 1815 miałem dokładnie dwadzieścia trzy lata i właśnie odziedziczyłem bardzo pokaźną kwotę w konsolach* i innych papierach wartościowych. Pierwszy upadek Napoleona otworzył kontynent dla angielskich podróżników, chętnych, załóżmy, by poszerzyć swe horyzonty dzięki zagranicznym podróżom. I tak oto ja — poprzez drobny czek za „sto dni Napoleona", odebrany dzięki geniuszowi Wellingtona na polach Waterloo — właśnie powiększyłem szeregi spragnionego wiedzy tłumu.

Jechałem rozstawnymi końmi z Brukseli do Paryża, przemierzając, zakładam, tę samą trasę, którą zjednoczone siły pokonały zaledwie kilka tygodni wcześniej — niewyobrażalna liczba karet jechała razem ze mną. Nie można było spojrzeć w tył lub w przód, żeby nie zobaczyć, jak okiem sięgnąć, tumanu kurzu, który znaczył linię długiego sznura pojazdów. Nieustannie mijaliśmy zmiany powrotnych koni, znużonych i zakurzonych, w drodze do gospód, z których zostały wypożyczone. Były to ciężkie czasy dla tych cierpliwych publicznych sług. Cały świat zdawał się jechać rozstawnymi końmi do Paryża.

---

* Konsole — bezterminowe obligacje [przyp. tłum.].

Powinienem był zwracać na nią większą uwagę, ale moja głowa tak była pełna Paryża i przyszłości, że mijałem ukazującą się scenerię ze zniecierpliwieniem i bez większego zainteresowania. Wydaje mi się jednak, że to około siedmiu kilometrów od strony granicy, przed całkiem malowniczym miasteczkiem, którego nazwy, jak wielu innych ważnych miejsc, przez jakie przejeżdżałem w trakcie swojej pośpiesznej podróży, nie pamiętam, i około dwu godzin przed zachodem słońca zrównaliśmy się z karetą w opałach.

To nie do końca była wywrotka. Dwaj powożący leżeli jednak jak długzy. Stojący z tyłu karety lokaje spadli na ziemię, a dwóch służących, który wyglądali, jakby zupełnie nie znali się na tych sprawach, im pomagało. Z okna karety w opałach wystawała twarz w ślicznym małym kapelusiku. Jego turniura, jak również ramiona, które pojawiły się na chwilę, przykuwały wzrok. Postanawiając odegrać rolę dobrego samarytanina, zatrzymałem swój powóz, wyskoczyłem z niego i wraz z moim służącym pospieszyliśmy bardzo chętnie z pomocą w kryzysowej sytuacji. Niestety! Dama w ślicznym kapelusiku miała na twarzy bardzo gęstą czarną woalkę. Zobaczyłem jedynie wzór brukselskiej koronki, gdy chowała głowę.

Nieomal jednocześnie szczupły starszy dżentelmen wysunął głowę przez okno. Wyglądał na chorego, ponieważ, mimo że dzień był gorący, otulił się czarnym szalem, który sięgał mu aż po nos i uszy,

całkowicie zakrywając dolną cześć twarzy. Odsunął go jednak na chwilę, żeby wyrzucić z siebie potok podziękowań po francusku, i odsłonił czarną perukę, gestykulując z ożywieniem i wdzięcznością.

Jedną z moich nielicznych umiejętności, oprócz boksu, który był kultywowany przez wszystkich Anglików w tamtym czasie, była znajomość francuskiego, więc udzieliłem odpowiedzi, mam nadzieję, gramatycznie. Gdy już wymieniliśmy wiele ukłonów, głowa starszego dżentelmena zniknęła i elegancki, śliczny kapelusik znów się pojawił.

Dama musiała usłyszeć, jak zwracam się do służącego, ponieważ swoją krótką mowę wyraziła takim uroczym łamanym angielskim i głosem tak słodkim, że bardziej niż kiedykolwiek przeklinałem tę czarną woalkę, która stała na drodze mojej romantycznej ciekawości.

Godło widniejące na drzwiach było wyjątkowe. Pamiętam szczególnie jeden element: była to postać bociana w karminowym kolorze, w — jak określają to znawcy heraldyki — złotym polu. Ptak stał na jednej nodze, a w pazurach drugiej trzymał kamień. Jest to, jak mi się wydaje, symbol czujności. Wydał mi się bardzo dziwny i zapadł mi w pamięć. Byli też trzymacze po obydwu stronach, ale nie pamiętam, co to dokładnie było. Dworski sposób bycia tych ludzi, styl ich sług, elegancja podróżnej karety i trzymacze herbu utwierdziły mnie w przekonaniu, że to szlachetna rodzina.

Dama, możecie być pewni, nie była z tego powodu mniej interesująca. Jaką fascynacją może być dla umysłu tytuł! Nie chodzi mi o umysły snobów albo pochlebców. Wyższość urodzenia pozostaje potężnym i niekwestionowanym afrodyzjakiem w miłości. Towarzyszy jej przekonanie o wyjątkowym wyrafinowaniu. Zdawkowa uwaga dziedzica wywrze większe wrażenie na sercu dojarki niż lata męskiego poświęcenia uczciwego Dobbina, i tak dalej, i tak dalej. Nie ma sprawiedliwości na tym świecie!

Ale w tym przypadku było to coś więcej. Byłem świadom tego, że jestem przystojny. W istocie jestem przekonany, że tak było, i nie ma wątpliwości, że miałem blisko metr osiemdziesiąt wzrostu. Ta dama przecież nie musiała mi dziękować. Czyż jej mąż, bo zakładałem, że nim był, nie podziękował mi wystarczająco za obydwoje? Instynktownie wyczuwałem, że ta dama spoglądała na mnie życzliwym okiem i przez woalkę wyczuwałem siłę jej spojrzenia.

Odjeżdżała teraz powozem pozostawiającym za sobą smugę kurzu w złotych promieniach słońca, a mądry młody dżentelmen jechał za nią z gorliwym spojrzeniem i wzdychał głęboko, w miarę jak odległość pomiędzy nimi rosła.

Przykazałem lokajom, aby pod żadnym pozorem nie wyprzedzali karety, lecz by nie tracili jej z oczu i zajechali dokładnie do tej gospody, w której ona się zatrzyma. W niedługim czasie znaleźliśmy się w małym miasteczku i kareta, za którą podążaliśmy, zajechała do Belle Etoile*, wygodnej, starej gospody. Wszyscy wysiedli i weszli do domu.

Podążyliśmy za nimi w wolnym tempie. Wysiadłem z powozu i wszedłem nieśpiesznie po schodach, jak człowiek całkiem obojętny i niezainteresowany.

Mimo że postępowałem dość śmiało, nie chciałem jednak pytać, w którym pokoju ich znajdę. Zajrzałem do apartamentu po prawej stronie, a potem po lewej. Moich ludzi tam nie było.

Wspiąłem się po schodach. Drzwi do salonu były otwarte. Wszedłem do środka z najbardziej niewinną miną. Był to obszerny pokój, a oprócz mnie znajdowała się w nim tylko jedna żywa istota — bardzo ładna i będąca niezwykle dystyngowaną damą. Oto był i kapelusik, w którym się zakochałem. Dama stała odwrócona do mnie plecami. Nie widziałem, czy zazdrosna woalka była podniesiona — dama czytała list.

Stałem przez minutę, niezwykle skupiony, wpatrując się w nią ze słabą nadzieją, że może dama się odwróci i da mi szansę, abym zobaczył, jak wygląda. Nie odwróciła się. Zrobiła jednak krok czy dwa i usiadła przy małym podłużnym stoliku pod ścianą, z którego wyrastało wysokie lustro w zniszczonej ramie.

Mógłbym w istocie wziąć je za obraz, ponieważ w swoim odbiciu ukazywało portret — popiersie wyjątkowo pięknej kobiety.

Spoglądała w dół na list, który trzymała w szczu-

* Belle Etoile (franc.) — piękna gwiazda.

płych palcach i wydawała się nim całkowicie pochłonięta.

Jej twarz była owalna, melancholijna i słodka. Malowało się jednak na niej również coś subtelnie i ulotnie zmysłowego. Nic nie mogło się równać z delikatnością jej rysów i blaskiem cery. Oczy miała opuszczone, tak że nie widziałem ich koloru, nic prócz długich rzęs i delikatnych brwi. Kontynuowała czytanie. Musiała być bardzo zainteresowana, nigdy nie widziałem żywej istoty tak nieruchomej — patrzyłem na barwny posąg.

Będąc obdarzony w owym czasie ostrym i dobrym wzrokiem, widziałem tę piękną twarz wyraźnie i w każdym szczególe. Widziałem nawet błękitne żyły, które biegły pod białą skórą jej szyi.

Powinienem był wycofać się tak bezszelestnie, jak wszedłem, zanim moja obecność zostanie zauważona. Byłem jednak zbyt zainteresowany, żeby ruszyć się z mojego miejsca jeszcze przez kilka chwil, a gdy one mijały, ona uniosła wzrok. Jej oczy były duże i miały tę barwę, którą współcześni poeci nazywają „fiołkową".

Te wspaniałe melancholijne oczy spoglądały na mnie z lustra z wyniosłym wyrazem; dama pośpiesznie opuściła swoją czarną woalkę i się odwróciła.

Wydawało mi się, że miała nadzieję, iż jej nie widziałem. Obserwowałem każde spojrzenie i ruch, najdrobniejsze, z uwagą tak wytężoną, jakby zależała od nich pomyślność zadania, które musiałem wykonać, aby ocalić życie.

2

Dziedziniec gospody Belle Etoile

Twarz w istocie była taka, że można się było w niej zakochać od pierwszego wejrzenia. Te uczucia, które tak gwałtownie potrafią zawładnąć młodym mężczyzną, zdominowały teraz ciekawość. Moja zuchwałość osłabła w jej obecności i poczułem, że obecność w tym pokoju jest prawdopodobnie impertynencją. Tę kwestię dama szybko rozwiązała, ponieważ ten sam bardzo słodki głos, który słyszałem przedtem, zabrzmiał teraz chłodno i tym razem po francusku:

— Monsieur z pewnością nie zdaje sobie sprawy, że ten apartament nie jest publiczny.

Skłoniłem się bardzo nisko, wykrztusiłem z siebie jakieś przeprosiny i wycofałem się do drzwi. Przypuszczam, że wyglądałem na bardzo skruszonego i zawstydzonego — z pewnością tak się czułem — ponieważ dama odparła, jakby starając się załagodzić sprawę:

— Jestem jednak szczęśliwa, że mam okazję ponownie podziękować panu za pomoc, taką szybką i skuteczną, której był pan tak dobry nam dzisiaj udzielić.

To bardziej zmieniony ton, jakim zostały wypowiedziane te słowa, niż sama wypowiedź mnie zachęciły. Było również prawdą, że nie musiała mnie

rozpoznać, a nawet jeśli tak było, z pewnością nie musiała mi ponownie dziękować.

Wszystko to niewypowiedzianie mi pochlebiało, tym bardziej że nastąpiło tak szybko po łagodnej naganie.

Ton jej głosu stał się niski i nieśmiały; zauważyłem, że odwróciła szybko głowę w kierunku drugich drzwi w pokoju. Pomyślałem, że dżentelmen w czarnej peruce, zazdrosny mąż, może się w nich pojawić. Nieomal w tej samej chwili głos, jednocześnie piskliwy i nosowy, dał się słyszeć w ostrych słowach polecenia wydawanego służącemu i ewidentnej nagany. Był to głos, który dziękował mi tak wylewnie z okna powozu jakąś godzinę wcześniej.

— Monsieur będzie tak dobry i odejdzie — powiedziała dama głosem, który przypominał prośbę, jednocześnie delikatnie wskazując dłonią drzwi, przez które wszedłem.

Kłaniając się ponownie bardzo nisko, wycofałem się i zamknąłem drzwi.

Zbiegłem po schodach, bardzo podekscytowany. Ujrzałem gospodarza Belle Etoile, co znaczy „piękna gwiazda", która, jak mówiłem, była znakiem i nazwą mojej gospody.

Opisałem apartament, który właśnie opuściłem, powiedziałem, że mi się podoba, i zapytałem, czy mógłbym go dostać.

Gospodarz był ogromnie zakłopotany, gdyż ten apartament i dwa sąsiadujące pokoje były zajęte.

— Przez kogo?

— Przez niezwykle dystyngowanych ludzi.

— Ale kim oni są? Muszą mieć nazwisko albo tytuł.

— Bez wątpienia, monsieur, ale do Paryża płynie taki strumień podróżnych, że przestaliśmy pytać o nazwiska czy tytuły naszych gości. Określamy ich po prostu za pomocą nazw pokojów, które zajmują.

— Jak długo zostają?

— Nawet na to pytanie, monsieur, nie mogę odpowiedzieć. To nas nie interesuje. Nasze pokoje, podczas gdy to trwa, nigdy nie będą nawet na chwilę puste.

— Tak bardzo chciałbym mieć te pokoje! Czy jeden z nich to sypialnia?

— Tak, sir, i będzie monsieur łaskaw zauważyć, że ludzie zazwyczaj nie wynajmują sypialni, jeśli nie zamierzają zostać na noc.

— No cóż, mógłbym, przypuszczam, dostać jakieś pokoje, jakiekolwiek, wszystko jedno w jakiej części domu?

— Oczywiście, może monsieur dostać dwa apartamenty. To dwa ostatnie na chwilę obecną niezajęte.

Wziąłem je natychmiast.

Było oczywiste, że ci ludzie zamierzali tu zostać, przynajmniej nie wyjadą do rana. Zaczynałem czuć, że oto najwyraźniej zaczyna się wspaniała przygoda.

Zająłem swoje pokoje i wyjrzałem przez okno, które, jak odkryłem, wychodziło na dziedziniec przed gospodą. Wiele koni, rozgrzanych i zmęczonych, było

uwalnianych z uprzęży, a inne, wypoczęte, ze stajni, zaprzęgano. Wiele pojazdów — prywatne karety i inne, takie jak mój, z gatunku publicznych, odpowiadających naszemu staremu angielskiemu dyliżansowi — stało na bruku, czekając na swoją kolej do zmiany. Zaaferowani służący biegali tam i z powrotem, a bezczynni leniuchowali i śmiali się; cała scenka, razem rzecz ujmując, była ożywiona i zabawna.

Pośród tych przedmiotów zdawało mi się, że rozpoznałem podróżną karetę i jednego ze służących „niezwykle dystyngowanych ludzi", którymi, właśnie wtedy, byłem tak głęboko zainteresowany.

Zbiegłem zatem po schodach, skierowałem się do tylnych drzwi i za chwilę mogliście mnie zobaczyć na nierównym bruku, pośród wszystkich tych widoków i dźwięków, które w takim miejscu towarzyszą okresowi wyjątkowego tłoku i ruchu.

O tej porze słońce już niemal zachodziło i rzucało swoje złote promienie na kominy z czerwonej cegły na domach, i sprawiało, że dwie beczki na szczycie słupków, które pełniły rolę domków dla gołębi, wyglądały, jakby płonęły. Wszystko w takim świetle robi się malownicze i zaczynają nas interesować rzeczy, które w surowej szarości ranka wydają się pospolite.

Po krótkich poszukiwaniach znalazłem powóz, który był moim celem. Służący zamykał na klucz jedne z drzwi, jako że posiadały zamek. Przystanąłem w pobliżu, spoglądając na płytę drzwi.

— Bardzo ładna figura, ten czerwony bocian —

zauważyłem, wskazując na tarczę na drzwiach — i bez wątpienia oznacza dystyngowaną rodzinę.

Służący przyglądał mi się przez chwilę, wkładając mały kluczyk do kieszeni, i odpowiedział z lekko sarkastycznym ukłonem i uśmiechem:

— Monsieur może zgadywać do woli.

Niezniechęcony, niniejszym zaaplikowałem ten środek relaksujący, który od czasu do czasu wywiera taki szczęśliwy wpływ na język — mam na myśli napiwek.

Służący spojrzał na napoleona w swojej dłoni, a potem na moją twarz ze szczerym zdziwieniem.

— Monsieur jest bardzo hojny!

— Nie ma sprawy. Kim są ta dama i dżentelmen, którzy przyjechali tutaj tą karetą i którym, jak może pamiętasz, ja i mój służący pomogliśmy dzisiaj w kryzysowej sytuacji, gdy ich konie się przewróciły?

— Mówimy do niego „hrabio", a do młodej damy „hrabino", ale nie wiem, ona może być jego córką.

— Czy możesz mi powiedzieć, gdzie mieszkają?

— Na mój honor, monsieur, nie jestem w stanie... nie wiem.

— Nie wiesz, gdzie mieszka twój pan? Musisz coś o nim wiedzieć!

— Nic, co warto byłoby opowiedzieć, monsieur. W rzeczywistości zostałem zatrudniony w Brukseli, w dniu, w którym wyruszyliśmy w drogę. Monsieur Pickard, mój kolega, człowiek hrabiego, on służy u niego od lat i wie wszystko, ale nigdy się nie odzywa, chyba żeby wydać polecenie. Od niego nic się nie dowiedziałem. Jedziemy jednak do Paryża, a tam szybko dowiem się o nich wszystkiego. Obecnie nie wiem jednak nic, zupełnie jak monsieur.

— A gdzie jest monsieur Pickard?

— Poszedł do rzemieślnika, żeby naostrzyć brzytwy. Nie sądzę jednak, żeby coś powiedział.

To było marne żniwo, jak na mój złoty siew. Mężczyzna, myślę, mówił prawdę i szczerze wyjawiłby sekrety rodziny, gdyby jakiekolwiek posiadał. Pożegnałem się z nim uprzejmie i wchodząc po schodach, znalazłem się znowu w moim pokoju.

Wezwałem następnie służącego. Chociaż przywiozłem go ze sobą z Anglii, był Francuzem — pożytecznym człowiekiem, bystrym, żywiołowym i oczywiście dobrze zaznajomionym ze sposobami i sztuczkami swoich współbraci.

— Saint Clair, zamknij drzwi, podejdź tutaj. Nie spocznę, dopóki nie dowiem się czegoś o tych dystyngowanych ludziach, którzy mają pokoje pod moim. Oto piętnaście franków. Znajdź służących, którym dzisiaj pomogliśmy. Zaproś ich na *petit souper**, a potem wróć i opowiedz mi całą ich historię. Widziałem przed chwilą jednego z nich, który nic nie wie i który mi to powiedział. Ten drugi, którego nazwiska nie pamiętam, jest lokajem tego nieznanego arystokraty i powinien coś wiedzieć. To z niego musisz wszystko

* *Petit souper* (franc.) — mała kolacja.

wyciągnąć. To oczywiście ten szacowny jegomość, a nie młoda dama, która mu towarzyszy, mnie interesuje — rozumiesz? Zmykaj! Pędź! I wracaj ze wszystkimi szczegółami, których pragnę, i każdą okolicznością, która mogłaby mnie interesować.

Było to zadanie, które idealnie odpowiadało gustom i osobowości mojego drogiego Saint Claira, do którego, jak zauważyliście, zwykłem zwracać się ze szczególną bezpośredniością, którą stara francuska komedia narzuca w relacjach pana i lokaja.

Jestem pewien, że śmiał się po cichu, ale w stosunku do mnie nikt nie mógł być bardziej uprzejmy i pełen szacunku.

Po kilku mądrych spojrzeniach, kiwnięciach głową i wzruszeniach ramion wycofał się; spoglądając z okna, ujrzałem go, jak z niesamowitą szybkością wychodzi na dziedziniec, gdzie wkrótce zgubiłem go z oczu w tłumie karet.

3

Śmierć i miłość połączone

Gdy dzień się ciągnie, gdy człowiek jest samotny, w gorączce niecierpliwości i zawieszenia, gdy wskazówka minutowa jego zegarka przesuwa się tak wolno, jak zwykła przesuwać się wskazówka godzinowa, a wskazówka godzinowa zdaje się pozbawiona zauważalnego ruchu, gdy ten człowiek ziewa i bębni palcami w stół i rozpłaszcza swój przystojny nos na szybie i wygwizduje melodie, których nie cierpi, i krótko mówiąc, nie wie, co ze sobą zrobić, należy głęboko żałować, że nie może zasiąść do uroczystego trzydaniowego obiadu częściej niż raz dziennie. Prawa materii, których jesteśmy niewolnikami, odmawiają nam tej przyjemności.

W czasach jednak, o których mówię, kolacja była nadal bogatym posiłkiem i jej godzina się zbliżała. To było pocieszające. Ale mimo wszystko trzy kwadranse mnie od niej dzieliły. Co zrobić z tym czasem?

Miałem dwie lub trzy beztroskie książki, to prawda, jako towarzyszy podróży, ale jest wiele nastrojów, kiedy nie jesteśmy w stanie nic czytać. Moja powieść leżała wraz z pledem i laską na sofie i byłoby mi zupełnie obojętne, gdyby moja bohaterka i bohater mieli utonąć razem w beczce z wodą, którą widziałem na dziedzińcu pod moim oknem.

Przeszedłem tam i z powrotem po pokoju i westchnąłem, przyglądając się swojemu odbiciu w lustrze; poprawiłem mój wspaniały biały wysoki kołnierz, złożony i przewiązany à la Brummel*, nieśmiertelny „Beau", nałożyłem skórzaną kamizelkę i błękitny frak z pozłacanymi guzikami. Skropiłem sowicie chusteczkę wodą kolońską (nie mieliśmy wtedy tej różnorodności bukietów, którymi pobłogosławił nas od tej pory geniusz perfumerii). Poprawiłem włosy, na punkcie których byłem bardzo wrażliwy i które uwielbiałem pielęgnować w tamtych czasach. Tę ciemnobrązową *chevelure***, z jej naturalnym skrętem, reprezentuje teraz kilkadziesiąt idealnie siwych włosów, porastających gładką, łysą i różową głowę, która już dawno zapomniała o tamtych czasach obfitości. Zapomnijmy więc i my o tych przykrych sprawach. Była wtedy bujna, gęsta i ciemnobrązowa. Robiłem wówczas bardzo staranną toaletę. Wyjąłem nienaganny kapelusz z pudełka i umieściłem go lekko na swej mądrej głowie, na tyle dokładnie, na ile pozwalała mi pamięć i praktyka, po

---

* George Bryan Brummell, „Beau" Brummell (1778-1840) — arbiter męskiej elegancji w Wielkiej Brytanii oraz bliski przyjaciel księcia regenta, przyszłego króla Jerzego IV. Wprowadził do mody męskiej skromniejszy ubiór, dopasowany i skrojony do ciała; były to m.in. ciemne garnitury ze spodniami o pełnej długości, przyozdobione ascotem, fularem lub apaszką, wiązanymi podobnie jak krawat [przyp. tłum.].

** *Chevelure* (franc.) — czupryna.

bardzo delikatnym skosie, po jakim nieśmiertelna osoba, o której wspominałem, miała kaprys umieszczać swój. Para jasnych francuskich rękawiczek i sękata, à la golfowa laska, która właśnie weszła wtedy znowu w Anglii w modę na rok czy dwa, posługując się frazeologią romansów sir Waltera Scotta, „dopełniała mego stroju".

Całe to staranie obliczone na efekt, wstęp do zaledwie leniwej przechadzki po dziedzińcu lub kilku chwil spędzonych na schodach Belle Etoile, było prostym aktem uwielbienia dla cudownych oczu, które tego wieczoru ujrzałem po raz pierwszy i których nigdy, nigdy nie mógłbym zapomnieć. Mówiąc wprost, wszystko to zostało uczynione z nikłą, bardzo nikłą nadzieją, że te oczy będą mogły dostrzec nienaganny strój melancholijnego niewolnika i zachować ten obraz, nie do końca bez pewnej sekretnej aprobaty, w pamięci.

Gdy kończyłem przygotowania, światło dnia zgasło — ostatnia pozioma smuga słońca zniknęła i pozostał jedynie przygasający zmierzch. Westchnąłem zgodnie z melancholijną godziną i otworzyłem z rozmachem okno, zamierzając wyjrzeć przez chwilę, przed zejściem po schodach. Zauważyłem natychmiast, że okno bezpośrednio pod moim też jest otwarte, ponieważ usłyszałem dwa głosy i rozmowę, chociaż nie byłem w stanie poznać jej tematu.

Męski głos brzmiał szczególnie, był, jak już mówiłem, piskliwy i nosowy. Rozpoznałem go, oczywiście, natychmiast. Odpowiadający głos przemawiał tym słodkim tonem, który rozpoznałem aż nazbyt łatwo. Dialog trwał tylko przez minutę — odrażający męski głos roześmiał się, jak mi się wydawało, z rodzajem diabelskiego sarkazmu i oddalił od okna, tak że niemal zupełnie przestałem go słyszeć.

Drugi głos pozostał bliżej okna, ale nie tak blisko jak na początku.

To nie była sprzeczka, ewidentnie nie było nic nawet najmniej interesującego w tej konwersacji. Cegóż bym nie dał, żeby to była kłótnia — gwałtowna — a ja wystąpiłbym w roli wyrównującego krzywdę i obrońcy pokrzywdzonego piękna! Niestety, na tyle, na ile byłem w stanie ocenić ton, który słyszałem, mogli być tak spokojną parą, jak to tylko możliwe. Po chwili dama zaczęła śpiewać starą piosenkę. Nie muszę wam przypominać, jak wiele dalej niesie się śpiew niż mowa. Byłem w stanie rozróżnić słowa. Głos był tego przepięknie słodkiego rodzaju, który jest zwany, jak myślę, kontraltem. Miał w sobie coś majestatycznego i coś, wydawało mi się, kpiącego. Oto efekt mojego niezręcznego, lecz adekwatnego tłumaczenia jej słów:

Śmierć i Miłość, połączone,
Wciąż w zasadzkę łapać chcą;
Wczesnym rankiem lub spóźnione
Znaczą piętnem wszystkich w krąg.
Żar, co pali, chłód, co ścina,

W szał lub niemoc wtrąca nas;
Śmierć lub Miłość nas porywa.
Gdy z zasadzki tchnąwszy gra.

— Dość, pani! — zawołał stary głos z nagłą surowością. — Nie pragniemy, myślę, zabawiać naszą muzyką chłopców stajennych i posługaczy na dziedzińcu.

Dama się roześmiała.

— Czy zamierza się pani kłócić?

Stary mężczyzna, domyślam się, zamknął okno. Opadło w każdym razie z hukiem, który mógł łatwo zwiastować tłukące się szyby.

Ze wszystkich cienkich przepierzeń szyba jest najbardziej skuteczną barierą, broniącą przed hałasem. Nic więcej nie usłyszałem, nawet stłumionego odgłosu rozmowy.

Jaki czarujący głos posiada ta hrabina! Jakże rozpływał się, unosił i drżał! Jak poruszał, a nawet rozpalał mnie! Jaka szkoda, że taka stara, pospolita kwoka ma moc, aby zakrakać takiego słowika!

— Niestety! Cóż to za życie! — westchnąłem filozoficznie. — Ta piękna hrabina, o cierpliwości anioła, urodzie Wenus i talentach wszystkich muz, niewolnikiem! Wie doskonale, kto zajmuje apartament nad nią. Słyszała, jak otwierałem okno. Można się łatwo domyślić, dla kogo była przeznaczona ta muzyka; o tak, stary dżentelmenie, i kogo mogłeś podejrzewać o bycie jej adresatem?

Bardzo przyjemnie podekscytowany opuściłem mój pokój i schodząc po schodach, minąłem drzwi hrabiego bardzo nieśpiesznie. Była niewielka szansa, że piękna śpiewaczka może właśnie stamtąd wyjść. Upuściłem laskę na korytarzu, w pobliżu drzwi, i możecie być pewni, że podniesienie jej zabrało mi trochę czasu! Szczęście jednak mi nie sprzyjało. Nie mogłem pozostać na korytarzu przez całą noc, podnosząc moją laskę, więc zszedłem na dół, do holu.

Spojrzałem na zegarek i zauważyłem, że pozostał zaledwie kwadrans do kolacji.

Wszyscy przeżywali teraz ciężki czas, w każdej gospodzie panował chaos — ludzie mogli w takiej przełomowej chwili zrobić coś, czego nie robili nigdy wcześniej. Czy było możliwe, ten jeden raz, aby hrabia i hrabina zajęli miejsce przy wspólnym stole?

4

Monsieur Droqville

Przepełniony tą ekscytującą nadzieją wyszedłem wolnym krokiem na schody Belle Etoile. Była teraz noc i wszystko spowijał przyjemny blask księżyca. Od czasu przyjazdu zanurzyłem się głębiej w moim romansie, a ta poetycka poświata intensyfikowała to uczucie. Jakże byłoby to dramatyczne, gdyby okazała się córką hrabiego i zakochała we mnie! Jakże rozkoszna tragedia, gdyby okazała się żoną hrabiego!

Gdy tak rozmyślałem, w tym jakże przyjemnym nastroju, podszedł do mnie wysoki i bardzo elegancki dżentelmen, który wyglądał na około pięćdziesiąt lat. Był dystyngowany i ujmujący, a w całym jego zachowaniu i wyglądzie było coś tak szlachetnego, że nie można było nie podejrzewać, że jest wysoko urodzony.

Stał na schodach, przyglądając się, tak jak ja, efektowi księżyca, który zdawał się przeobrażać przedmioty i budynki na niedużej ulicy. Zwrócił się do mnie, jak mówię, z uprzejmością, jednocześnie swobodną i wyniosłą, typową dla francuskiego arystokraty starej szkoły. Zapytał mnie, czy nie jestem przypadkiem panem Beckettem? Potwierdziłem, że tak, a on natychmiast przedstawił się jako markiz d'Harmonville (tę informację podał mi przyciszo-

nym głosem) i prosił, abym pozwolił mu wręczyć list od lorda Riversa, który znał przelotnie mojego ojca i który kiedyś wyświadczył mi również drobną przysługę.

Ten angielski par, niech mi wolno będzie wspomnieć, miał bardzo wysoką pozycję w politycznym świecie i był wymieniany jako jeden z prawdopodobnych następców na zaszczytne stanowisko ambasadora Anglii w Paryżu.

Przyjąłem list z niskim ukłonem i przeczytałem:

> Mój drogi Becketcie
>
> Pozwól, że przedstawię Ci mojego bardzo drogiego przyjaciela, markiza d'Harmonville'a, który wyjaśni Ci naturę przysługi, jaką prawdopodobnie będziesz mógł wyświadczyć jemu i nam.

Mówił dalej o tym, jak to bogactwo, zażyłe relacje ze starymi rodzinami i faktyczne wpływy na dworze czynią z markiza najbardziej odpowiednią osobę do wypełnienia tej przyjacielskiej misji, której na życzenie jego własnego suwerena i naszego rządu tak chętnie się podjął.

Poczułem się jeszcze bardziej zdezorientowany, gdy dalej przeczytałem:

> A tak przy okazji, Walton był tutaj wczoraj i mówił mi, że jest bardzo prawdopodobne, iż nastąpi zamach na Twoje stanowisko, mówi, że

coś, bez wątpienia, dzieje się w Domwell. Wiesz, że mieszanie się w te sprawy, nawet tak ostrożne, jest dla mnie niezręczne. Ale radziłbym, jeśli nie zdaje się to nazbyt gorliwe, abyś kazał zająć się tym Haxtonowi i dał mi znać natychmiast. Obawiam się, że to poważne. Powinienem był wspomnieć, że z powodów, które zrozumiesz, jak tylko porozmawiasz z nim przez pięć minut, markiz — za przyzwoleniem wszystkich naszych przyjaciół — rezygnuje ze swojego tytułu na kilka tygodni i jest obecnie zwykłym monsieur Droqville'em.

Wyjeżdżam w tej chwili do miasta i nie mogę napisać nic więcej.

Z wyrazami szacunku,
RIVERS

Byłem absolutnie zaskoczony. Ledwie znałem lorda Riversa. A nie znałem nikogo o nazwisku Haxton i poza moim kapelusznikiem — nikogo o nazwisku Walton, ten zaś par pisał, jakbyśmy byli bliskimi przyjaciółmi! Spojrzałem na tył koperty i tajemnica się wyjaśniła. Ku mojej konsternacji — bo byłem zwykłym Richardem Beckettem — przeczytałem:

Sir George Stanhope Beckett, Członek Parlamentu

Spojrzałem z konsternacją w oczy markiza.

— Jak mogę przeprosić mar... monsieur Droqville'a? To prawda, że nazywam się Beckett, to prawda, że jestem znany, chociaż dość pobieżnie, lordowi Riversowi, list jednak nie był przeznaczony dla mnie. Nazywam się Richard Beckett... list jest do sir Stanhope'a Becketta, członka parlamentu. Co mogę powiedzieć albo zrobić w tej nieszczęsnej sytuacji? Mogę jedynie przysiąc na mój honor dżentelmena, że ten list, który teraz zwracam, pozostanie taką samą tajemnicą, jaką był przedtem, zanim go otworzyłem. Jestem zaskoczony i zasmucony, że mogło dojść do takiego błędu!

Śmiem twierdzić, że moje szczere zaniepokojenie i dobra wola malowały się dość wyraźnie na mej twarzy, ponieważ wyraz posępnego zawstydzenia, który na chwilę zagościł na obliczu markiza, rozjaśnił się, a on się uśmiechnął życzliwie i podał mi dłoń.

— Nie mam najmniejszych wątpliwości, że monsieur Beckett uszanuje mój mały sekret. Jako że los chciał, aby pomyłka ta się zdarzyła, mam powód dziękować swej gwieździe, że stało się to przy udziale honorowego dżentelmena. Monsieur Beckett pozwoli mi, mam nadzieję, zaliczyć go do grona moich przyjaciół?

Podziękowałem markizowi bardzo za jego uprzejme słowa.

Dżentelmen kontynuował swoją wypowiedź:

— Jeśli, monsieur, uda mi się pana nakłonić do złożenia mi wizyty w Claironville w Normandii, gdzie mam nadzieję gościć piętnastego sierpnia wielu przyjaciół, z którymi zawarcie znajomości mogłoby pana interesować, to będę bardzo szczęśliwy.

Podziękowałem mu, oczywiście, bardzo wdzięczny za jego gościnność.

Markiz mówił dalej:

— Nie mogę obecnie przyjmować swoich przyjaciół z powodów, których może się pan domyślać, w moim domu w Paryżu. Ale, jeśli monsieur będzie tak dobry i da mi znać, w którym hotelu w stolicy zamierza się zatrzymać, to przekona się, że chociaż markiz d'Harmonville wyjechał z miasta, to monsieur Droqville nie straci go z oczu.

Z licznymi słowami podziękowania udzieliłem mu informacji, o którą prosił.

— A w tym czasie — kontynuował — gdyby przyszedł panu do głowy jakikolwiek sposób, w który monsieur Droqville mógłby być panu przydatny, nasza komunikacja nie zostanie przerwana, a ja tak wszystko zaplanuję, że będzie pan mógł łatwo się ze mną skontaktować.

To wszystko mi bardzo schlebiało. Jak to się mówi, przypadłem markizowi do gustu. Taka sympatia od pierwszego spojrzenia często przeradza się w trwałą przyjaźń. Z pewnością było też możliwe, że markiz uważał za rozsądne pozostawanie w dobrych relacjach z mimowolnym depozytariuszem politycznego sekretu, nawet tak enigmatycznego.

Markiz pożegnał się ze mną bardzo elegancko i wszedł do Belle Etoile.

Pozostałem na schodach, przez minutę zagubiony w spekulacjach na temat tego nowego interesujące-

go tematu. Ale cudowne oczy, poruszający głos i doskonała figura pięknej damy, które zawładnęły moją wyobraźnią, szybko na powrót zdominowały moje myśli. Spoglądałem znowu na czuły księżyc i zszedłszy po schodach, wędrowałem uliczkami, rozmyślając pośród dziwnych obiektów i domów, które były antyczne i malownicze jak we śnie.

Po krótkiej chwili ponownie zawitałem na dziedziniec gospody. Zapadła cisza. Hałaśliwy dziedziniec sprzed godziny czy dwóch był teraz idealnie cichy i pusty, z wyjątkiem karet, które stały tu i tam. Być może właśnie trwała kolacja dla służby. Byłem raczej zadowolony z tej samotności i w świetle księżyca, bez żadnych zakłóceń, znalazłem karetę mojej ukochanej damy. Rozmyślałem, chodziłem wokół niej — byłem tak całkowicie głupi i ckliwy, jak często zdarza się młodym mężczyznom w mojej sytuacji. Żaluzje były opuszczone, drzwi, przypuszczam, zamknięte. Jasny księżyc ukazywał wszystko, a koło, oś i sprężyna rzucały ostre czarne cienie na bruk. Stałem przed tarczą herbową wymalowaną na drzwiach, której dokładnie przyjrzałem się za dnia. Zastanawiałem się, jak często jej wzrok spoczywał na tym samym przedmiocie. Rozmyślałem o tym w czarującym śnie. Ostry, mocny głos tuż nad moim ramieniem wykrzyknął nagle:

— Czerwony bocian... dobrze! Bocian to drapieżnik, jest czujny, łakomy i łapie kiełbie. Czerwony, na dodatek! Czerwony jak krew! Ha! Ha! Właściwy symbol!

Odwróciłem się i zobaczyłem najbledszą twarz, jaką kiedykolwiek widziałem. Była szeroka, brzydka i zła. To postać francuskiego oficera w mundurze polowym, mierząca metr osiemdziesiąt wzrostu. W poprzek jego nosa i brwi biegła głęboka blizna, która czyniła tę odrażającą twarz jeszcze bardziej posępną.

Oficer uniósł podbródek i brwi w drwiącym chichocie i powiedział:

— Ustrzeliłem bociana kulą z karabinu, gdy wydawało mu się, że jest bezpieczny w chmurach, dla czystej zabawy! — Wzruszył ramionami i roześmiał się szyderczo. — Widzi monsieur, gdy człowiek taki jak ja… człowiek pełen energii, rozumie monsieur, człowiek, któremu nie brakuje rozumu, człowiek, który objechał całą Europę, śpiąc w namiotach i, *parbleu*, często bez nich… postanawia odkryć sekret, ujawnić zbrodnię, złapać złodzieja, nadziać go na koniec swojej szpady, byłoby bardzo dziwne, gdyby mu się to nie udało. Ha! Ha! Ha! *Au revoir, monsieur!*

Odwrócił się z gniewnym świstem na pięcie i wyszedł chwiejnie, stawiając długie kroki, za bramę.

5

Kolacja w Belle Etoile

Francuska armia była raczej w dzikim nastroju w tamtym czasie. Zwłaszcza Anglicy nie mogli się spodziewać szczególnej kurtuazji z ich strony. Było jednak oczywiste, że trupio blady dżentelmen, który właśnie z dziwną uszczypliwością pokusił się o opis herbu karety hrabiego, nie kierował swojej złośliwości do mnie. Poruszyło go jakieś stare wspomnienie i odmaszerował, kipiąc wściekłością.

Doznałem jednego z tych niespodziewanych szoków, które wprawiają nas w osłupienie, gdy — będąc przekonanym, że jesteśmy sami — odkrywamy nagle, iż nasze dziwne zachowanie nie uszło oczu obserwatora, nieomal pod naszym bokiem. W tym przypadku efekt był dodatkowo wzmocniony przez wyjątkową brzydotę twarzy i, niech wolno mi będzie dodać, jej bliskość, ponieważ, wydało mi się, że nieomal mnie dotykała. Enigmatyczna mowa tej osoby, tak pełna nienawiści i domniemanego oskarżenia, nadal rozbrzmiewała w moich uszach. Oto w każdym razie była nowa materia, nad którą mogła zacząć pracować rozbudzona wyobraźnia kochanka.

Był już czas, żeby zasiąść do wspólnej kolacji. Kto wie, jakie światło może rzucić plotka przy kolacyjnym stole na temat, który tak głęboko mnie interesował!

Wszedłem do komnaty, poszukując wzrokiem w towarzystwie liczącym około trzydziestu osób postaci, które szczególnie mnie interesowały.

Nie było łatwo nakłonić ludzi tak zabieganych i przepracowanych, jak ci w Belle Etoile teraz, żeby pośród tego niezwykłego zamieszania słać posiłki do prywatnych apartamentów, i dlatego wielu, którzy tego nie lubili, mogło być zmuszonych wybierać pomiędzy zjedzeniem kolacji przy wspólnym stole albo głodowaniem.

Hrabiego tu nie było ani jego pięknej towarzyszki, lecz markiz d'Harmonville, którego nie spodziewałem się zobaczyć w tak publicznym miejscu, wskazał ze znaczącym uśmiechem na wolne krzesło obok niego. Zająłem je, a on wydawał się zadowolony i niemal natychmiast zaczął rozmowę.

— To jest prawdopodobnie pana pierwsza wizyta we Francji? — zapytał.

Powiedziałem mu, że tak, a on odparł:

— Proszę nie myśleć, że jestem ciekawski lub impertynencki, ale Paryż jest niemal najbardziej niebezpieczną stolicą, którą pełen życia i bogaty młody dżentelmen może odwiedzić bez mentora. Jeśli nie ma pan doświadczonego przyjaciela jako towarzysza podczas wizyty...

Powiedziałem mu, że nie zabezpieczyłem się w ten sposób, ale mam swój rozum i widziałem, jak wygląda życie w Anglii, i że wydaje mi się, iż ludzka natura jest mniej więcej taka sama we wszystkich stronach świata. Markiz potrząsnął głową, uśmiechając się.

— Zauważy pan niemniej spore różnice — odparł. — Pewne szczególne cechy intelektu i pewne szczególne cechy charakteru bez wątpienia przeważają w pewnych narodach, a to skutkuje pośród warstw przestępczych wcale nie mniej szczególnym typem przestępczości. W Paryżu warstwa, która żyje ze swojej przebiegłości, jest trzy albo cztery razy większa niż w Londynie, i żyje im się dużo lepiej, niektórym wręcz wspaniale. Są bardziej pomysłowi niż londyńscy łajdacy — mają więcej energii i pomysłowości, a zdolności teatralne, których brakuje pana krajanom, są obecne wszędzie. Te nieocenione przymioty plasują ich na zupełnie innym poziomie. Potrafią naśladować maniery i cieszyć się luksusami ludzi wysoko urodzonych. Wielu z nich żyje z gry.

— Podobnie jak wielu naszych londyńskich łajdaków.

— Tak, ale w całkowicie odmienny sposób. Są *habitués** pewnych domów hazardu, salonów bilardowych i innych miejsc, nie wyłączając waszych wyścigów, gdzie toczy się gra o wysokie stawki. Dzięki lepszemu poznaniu możliwości, dzięki maskowaniu swojej gry, dzięki wspólnikom, dzięki przekupstwu i innym podstępom, dobieranym w zależności od przedmiotu ich mistyfikacji, rabują nieostrożnych.

---

* *Habitués* (franc.) — bywalcy.

Ale tutaj jest to czynione bardziej misternie i z naprawdę wyjątkową *finesse**. Są ludzie, których maniery, styl, konwersacja bywają nienaganne, mieszkają oni w pięknych domach, niezwykle elegancko, otoczeni przedmiotami, które zadowoliłyby najbardziej wyrafinowane gusta, wyjątkowo luksusowymi, oszukują nawet paryską burżuazję, która myśli, w dobrej wierze, że są ludźmi z wyższych sfer i z klasą, ponieważ ich nawyki są wyrafinowane, a w ich domach bywają szacowni obcokrajowcy i do pewnego stopnia naiwni młodzi Francuzi z wyższych sfer. We wszystkich tych domach jest uprawiany hazard. Rzekomi pan i pani domu rzadko dołączają do gry, zapewniają ją po prostu, by grabić swoich gości za pośrednictwem wspólników, i tak zamożni nieznajomi padają ofiarą manipulacji i są okradani.

— Ale ja słyszałem o pewnym młodym Angliku, synu lorda Rooksbury, który ograł dwa paryskie domy hazardu.

— Ach, rozumiem — zawołał mój rozmówca, śmiejąc się — i pan przyjechał tutaj, żeby zrobić to samo. Ja też, będąc mniej więcej w pana wieku, podjąłem się takiego odważnego zadania. Udało mi się zdobyć kwotę, ni mniej, ni więcej, pięciuset tysięcy franków na początek. Zamierzałem wygrywać w wielkim stylu, dzięki prostemu zabiegowi podwajania stawek. Słyszałem o tym i myślałem, że szulerzy, którzy pro-

* *Finesse* (franc.) — finezja.

wadzili stół, nic o tym nie wiedzą. Dowiedziałem się jednak, że nie tylko wiedzą o tym doskonale, ale że zabezpieczyli się przed groźbą takich eksperymentów, i zostałem powstrzymany, nim zdążyłem zacząć, przez zasadę, która zabrania podwajania oryginalnej stawki więcej niż cztery razy z rzędu.

— A czy ta zasada nadal obowiązuje? — zapytałem rozczarowany.

Roześmiał się i wzruszył ramionami.

— Oczywiście, mój młody przyjacielu. Ludzie, którzy żyją z jakiejś umiejętności, zawsze znają ją lepiej niż amatorzy. Widzę, że opracował pan taki sam plan i bez wątpienia przyjechał zaopatrzony.

Wyznałem, że przygotowałem się do podboju na dużo większą skalę. Przyjechałem z kwotą trzydziestu tysięcy funtów szterlingów.

— Każdy znajomy mojego bardzo drogiego lorda Riversa mnie interesuje, a poza moim uznaniem dla niego bardzo pana polubiłem, więc proszę mi wybaczyć wszystkie moje być może zbyt nadgorliwe pytania i rady.

Podziękowałem mu serdecznie za jego cenne rady i poprosiłem, aby był tak dobry i udzielił mi wszelkich wskazówek, jakie przychodzą mu do głowy.

— W takim razie, jeśli chce pan skorzystać z mej rady — odparł — to proszę zostawić wszystkie swoje pieniądze w banku, gdzie się znajdują. Proszę nie ryzykować nawet napoleona w domu hazardu. Tej nocy, której poszedłem rozbić bank, straciłem po-

między siedmioma a ośmioma tysiącami angielskich funtów szterlingów, a przy okazji swojej następnej przygody zostałem wprowadzony do jednego z tych eleganckich domów hazardu, które udają prywatne posiadłości dystyngowanych arystokratów, i uratowany przed ruiną przez dżentelmena, którego od tamtej pory darzę coraz większym szacunkiem i przyjaźnią. Tak się składa, że zatrzymał się w tej gospodzie. Rozpoznałem jego służącego i złożyłem mu wizytę w apartamencie. Jest tym samym dzielnym, uprzejmym i honorowym mężczyzną, jakiego zapamiętałem. Ponieważ jednak wycofał się teraz zupełnie z życia towarzyskiego, powinienem był postarać się przedstawić go panu. Piętnaście lat temu byłby człowiekiem, którego wszyscy by się radzili. Dżentelmen, o którym mówię, to hrabia de Saint Alyre. Jest przedstawicielem bardzo starej rodziny. Uosobienie honoru i najbardziej rozsądny człowiek na świecie, z jednym wyjątkiem.

— A ten wyjątek? — zasugerowałem.

Byłem teraz głęboko zainteresowany.

— To fakt, że poślubił czarującą istotę, przynajmniej czterdzieści pięć lat od siebie młodszą, i jest oczywiście, chociaż wierzę, że zupełnie bez powodu, strasznie o nią zazdrosny.

— A dama?

— Hrabina, wierzę, jest w każdym razie godna takiego dobrego człowieka jak hrabia — odparł trochę oschle.

— Wydaje mi się, że słyszałem tego wieczoru, jak śpiewała.

— O tak, bardzo możliwe, jest bardzo utalentowana.

Po kilku chwilach ciszy markiz kontynuował:

— Nie mogę stracić pana z oczu, bo byłoby mi przykro, gdyby następnym razem, kiedy spotka pan mojego przyjaciela, lorda Riversa, musiał mu pan opowiedzieć, że został oskubany w Paryżu. O takiego bogatego Anglika jak pan, z taką dużą sumą u swoich paryskich bankierów, młodego, wesołego, hojnego, będą rywalizowały tysiące upiorów i harpii, która z nich jako pierwsza ma pana porwać i pochłonąć.

W tej chwili poczułem coś na kształt uderzenia łokciem dżentelmena po mojej prawej stronie. Był to przypadkowy kuksaniec, wymierzony, gdy dżentelmen obracał się na swoim krześle.

— Na honor żołnierza, ciało żadnego człowieka w tym towarzystwie nie goi się tak szybko jak moje.

Głos, którym zostały wypowiedziane te słowa, był ostry i donośny — sprawił, że nieomal podskoczyłem. Rozejrzałem się i rozpoznałem oficera, którego duże białe oblicze tak bardzo przestraszyło mnie na dziedzińcu. Ocierając twarz energicznie, a potem zaczerpnąwszy łyk maçon, kontynuował:

— Żadnego człowieka! To nie krew — to ichor!* Jest cudowna! Zapomnijmy o posturze, ścięgnach,

---

* Ichor — w mitologii greckiej krew bogów, inna od ludzkiej [przyp. tłum.].

kościach i muskułach, zapomnijmy o odwadze — i na wszystkie anioły śmierci, pokonałbym lwa gołymi rękami i wbił mu zęby w gardło własną pięścią i wychłostał na śmierć jego własnym ogonem! Zapomnijmy, mówię, o tych wszystkich atrybutach, którymi obdarowała mnie natura, a jestem wart sześciu mężczyzn w każdej wojnie za tę jedną cechę gojenia się, którą posiadam — rozedrzyjcie mnie, zadajcie mi ciosy, rozerwijcie mnie na strzępy bombą, a natura sprawi, że będę znowu cały, zanim wasz krawiec zdąży pozszywać stary płaszcz. *Parbleu!* Panowie, gdybyście zobaczyli mnie nago, byście się śmiali! Spójrzcie na moją rękę; pozwoliłem, by szpada przecięła moją dłoń w poprzek, do kości, żeby ratować głowę — zebrane trzema szwami, a pięć dni później grałem w piłkę z angielskim generałem, więźniem w Madrycie, kopiąc w ścianę zakonu Santa Maria de la Castita! Pod Arcolą to sam diabeł działał. Każdy człowiek tam, panowie, połknął tyle dymu w pięć minut, że was wszystkich w tej izbie by udusił! Dostałem w jednej chwili dwoma kulami z muszkietu w uda, kartaczem w łydkę, odłamkiem szrapnela w lewy mięsień naramienny, bagnetem w chrząstki żeber po prawej stronie, szpadą, która pozbawiła mnie funta ciała z piersi, i większą częścią racy kongrewskiej*

* Raca kongrewska — rakieta konstrukcji Williama Congreve'a (1772–1828), angielskiego wynalazcy, pioniera badań nad bronią rakietową [przyp. tłum.].

w czoło. Całkiem nieźle, ha, ha! A to wszystko tak szybko, że nie zdążylibyście powiedzieć: bam! A za osiem dni musiałem maszerować, bez butów i tylko z jedną onucą, dusza towarzystwa, i zdrowy jak ryba!

— *Bravo! Bravissimo! Per Bacco! Un gallant uomo!* — wykrzyknął w wojennej ekstazie mały, gruby Włoch, który produkował wykałaczki i wiklinowe kołyski na wyspie Notre Dame. — Chwała waszych wyczynów powinna być opiewana po całej Europie, a historia tych wojen spisana waszą krwią!

— Nieważne! To drobiazg! — wykrzyknął żołnierz. — Pod Ligny, innym razem, gdzie roznieśliśmy Prusaków w pył, kawałek pocisku trafił mnie w nogę i przeciął tętnicę. Krew sikała ze mnie do góry jak fontanna i w pół minuty straciłem jej cały dzban. Jeszcze jedna minuta i byłoby po mnie, ale ja lotem błyskawicy zerwałem z siebie szarfę, przewiązałem nią nogę powyżej rany, porwałem bagnet z pleców martwego Prusaka i wsuwając go pod spód, okręciłem wszystko kilka razy, zrobiłem opaskę uciskową i tak zatamowałem krwotok, a jednocześnie ocaliłem życie. Ale, *sacré bleu!* Panowie, straciłem tyle krwi, że od tej pory jestem biały jak ściana. Nieważne. Krew w słusznej sprawie przelana, panowie.

Teraz żołnierz zajął się swoją butelką *vin ordinaire**.

Markiz zamknął oczy — wyglądał na zrezygnowanego i zdegustowanego.

---

* *Vin ordinaire* (franc.) — wino zwyczajne.

— *Garçon** — powiedział oficer, zwracając się przyciszonym głosem ponad oparciem swojego krzesła do kelnera — kto przyjechał tą karetą, ciemnożółtą z czarnym, która stoi na środku dziedzińca, z herbem i trzymaczami przedstawionymi na drzwiach, i czerwonym bocianem, takim jak moje wyłogi?

Kelner nie potrafił odpowiedzieć.

Oko ekscentrycznego oficera, który nagle sposępniał i spoważniał, i zdawał się pozostawić rozmowę innym ludziom, zatrzymało się, jakby przypadkowo, na mnie.

— Przepraszam, monsieur — zapytał — czy to nie pana widziałem, jak przyglądał się pan drzwiom tej karety dokładnie w tym samym czasie co ja, dzisiaj wieczorem? Czy może mi pan powiedzieć, kto nią przyjechał?

— Wydaje mi się, że hrabia i hrabina de Saint Alyre.

— Czy oni są tutaj, w Belle Etoile? — chciał wiedzieć.

— Mają apartament na piętrze — odparłem.

Zerwał się i odepchnął swe krzesło od stołu. Szybko jednak usiadł znowu i słyszałem, jak złorzeczy i mamrocze coś do siebie, z grymasem złości i niezadowolenia. Nie byłem w stanie powiedzieć, czy był przestraszony, czy wściekły.

Odwróciłem się, żeby zamienić słowo z markizem,

---

* *Garçon* (franc.) — kelner.

ale on zniknął. Kilku innych ludzi również wyszło i spotkanie przy kolacji wkrótce się skończyło.

Dwa lub trzy pokaźne kawałki drewna nadal tliły się na palenisku, jako że noc zrobiła się chłodna. Usiadłem przy ogniu w ogromnym, rzeźbionym, dębowym fotelu, z cudownie wysokim oparciem, który wyglądał, jakby pochodził z czasów Henryka IV.

— *Garçon* — powiedziałem — czy wiecie może, kim jest ten oficer?

— To pułkownik Gaillarde, monsieur.

— Czy bywał tu często?

— Raz, monsieur, przez tydzień, rok temu.

— Nigdy w życiu nie widziałem takiego bladego człowieka.

— To prawda, monsieur. Często biorą go za *revenant**.

— Czy możecie mi dać butelkę naprawdę dobrego burgunda?

— Najlepszego we Francji, monsieur.

— Proszę postawić ją i kieliszek przy mnie, na tym stoliku. Mogę tu posiedzieć przez pół godziny?

— Z pewnością, monsieur.

Było mi bardzo wygodnie, wino było wspaniałe, a moje myśli ciepłe i spokojne.

— Piękna hrabina! Piękna hrabina! Czy kiedykolwiek poznamy się lepiej?

---

* *Revenant* (franc.) — duch.

6

Naga szpada

Mężczyzna, który podróżował rozstawnymi końmi przez cały dzień i zmieniał powietrze, jakim oddycha, co pół godziny, który jest bardzo z siebie zadowolony i nie ma absolutnie żadnych zmartwień, i który siedzi sam przy kominku w wygodnym fotelu, zjadłszy sutą kolację, może się zdrzemnąć niechcący, i należy mu to wybaczyć.

Napełniłem sobie po raz czwarty kieliszek, gdy zasnąłem. Głowa, jak się domyślam, zwisała mi niewygodnie i trzeba przyznać, że duża różnorodność francuskich dań nie jest najlepszym wstępem do pogodnych snów.

Przyśnił mi się sen, gdy tak odpoczywałem wtedy w mojej gospodzie. Zdawało mi się, że jestem w ogromnej katedrze, pozbawionej światła z wyjątkiem czterech cienkich świec, które stały w rogach platformy na podwyższeniu, spowitej czarnym całunem, na którym leżało, również przykryte czarną szatą, jak mi się wydawało, martwe ciało hrabiny de Saint Alyre. Miejsce wydawało się puste, było zimno i widziałem jedynie (w poświacie świec) wąską ścieżkę dookoła.

To, co widziałem, nosiło piętno gotyckiego przygnębienia i było strawą dla mojej wyobraźni, która

tworzyła i zapełniała czarną pustkę, jaka ziała wokół mnie. Usłyszałem dźwięk jakby wolnych kroków dwóch osób nadchodzących po kamiennej posadzce. Słabe echo zdradzało ogrom budowli. Opanowało mnie straszne przeczucie i przeraziłem się okrutnie, gdy ciało, które leżało na katafalku, powiedziało (nie poruszając się) szeptem, który mnie zmroził:

— Przychodzą, żeby pogrzebać mnie żywcem, ratuj mnie.

Odkryłem, że nie jestem w stanie nic powiedzieć ani się poruszyć.

Dwie osoby, który nadchodziły, teraz wyłoniły się z ciemności. Jedna z nich, hrabia de Saint Alyre, płynnym ruchem przesunęła się w miejsce, gdzie spoczywała głowa postaci, i wsunęła pod nią swoje długie, szczupłe dłonie. Pułkownik o białej twarzy, z blizną w poprzek i wyglądem piekielnego triumfu, wsunął swoje dłonie pod jej stopy i razem zaczęli ją podnosić.

Zdobyłem się na przeogromny wysiłek, pokonując obezwładniający czar, i zerwałem się na równe nogi z okrzykiem przerażenia.

Odzyskałem całkowitą świadomość, ale szeroka, złowroga twarz pułkownika Gaillarde'a spoglądała na mnie, biała jak śmierć, z przeciwległej strony paleniska.

— Gdzie ona jest? — wyrzuciłem z siebie.

— To zależy od tego, kim ona jest, monsieur — odparł oschle pułkownik.

— Wielkie nieba! — Wzdrygnąłem się, rozglądając dookoła.

Pułkownik, który przyglądał mi się z sarkazmem, wypił już swoje *demi-tasse café noir**, a teraz pił kolejną *tasse*, rozsiewając wokół przyjemny aromat brandy.

— Zdrzemnąłem się i coś mi się śniło — wyjaśniłem, na wypadek gdyby jakieś mocniejsze słowo, sprowokowane rolą, którą odgrywał w moim śnie, wydostało się z mych ust. — Nie wiedziałem przez kilka dobrych chwil, gdzie jestem.

— To pan jest tym młodym dżentelmenem, który ma apartament nad pokojami hrabiego i hrabiny de Saint Alyre? — zapytał mój rozmówca, mrugnąwszy jednym okiem i przyglądając mi się uważnie drugim.

— Wydaje mi się, że tak — odparłem.

— No cóż, młody dżentelmenie, proszę uważać, żeby nie miał pan jeszcze gorszych snów niż ten którejś nocy — powiedział enigmatycznie i pokręcił głową, chichocząc. — Jeszcze gorszych snów — powtórzył.

— Co monsieur pułkownik ma na myśli? — zapytałem.

— Usiłuję sam się tego dowiedzieć — rzekł — i myślę, że mi się uda. Gdy już pochwycę pierwsze centymetry nici mocno między palec i kciuk, idzie ciężko, ale ja idę za nią, kawałek po kawałku, krok po

* *Demi-tasse café noir* (franc.) — pół filiżanki czarnej kawy.

kroku, śledząc ją tu i tam, do góry i na dół, i dookoła, aż cała zagadka owinięta jest wokół mojego kciuka, a koniec i jej sekret siedzi w mej garści. Przemyślny! Sprytny jak lis! I czujny jak łasica! *Parbleu!* Gdybym zniżył się do tego zawodu, zbiłbym fortunę jako szpieg. Mają tutaj dobre wino? — Spojrzał pytająco na moją butelkę.

— Bardzo dobre! — odparłem. — Czy monsieur pułkownik ma ochotę spróbować?

Pułkownik wziął największy kieliszek, jaki mógł znaleźć, napełnił go, uniósł z ukłonem i wypił powoli.

— Och! Fe! To nie to! — wykrzyknął z pewną odrazą, napełniając kieliszek ponownie. — Powinien był pan mnie poprosić, żebym zamówił panu burgunda, to nie przynieśliby tego świństwa.

Uwolniłem się od tego człowieka tak szybko, jak tylko pozwalały mi na to dobre maniery, i nakładając kapelusz, wyszedłem z gospody bez żadnego towarzystwa z wyjątkiem mojej solidnej laski. Złożyłem wizytę na dziedzińcu i spojrzałem w górę na okna apartamentu hrabiny. Były jednak zamknięte i nie mogłem znaleźć nawet nienamacalnego pocieszenia w kontemplowaniu światła, przy którym ta piękna dama w tej chwili coś pisała albo czytała, albo siedziała i myślała o... kimkolwiek.

Zniosłem ten poważny niedostatek, najlepiej jak potrafiłem, i wybrałem się na małą przechadzkę po mieście. Nie będę was nudził efektami światła księżyca ani ścieżkami mężczyzny, który zakochał

się od pierwszego wejrzenia w tej pięknej twarzy. Moja wędrówka, dość powiedzieć, zajęła około pół godziny i gdy wracałem, zdecydowawszy się na małą *détour*, znalazłem się nagle na niewielkim skwerze, z dwoma domami z łamanym dachem po każdej stronie i prostym kamiennym posągiem, zniszczonym przez całe wieki deszczu, na piedestale na samym jego środku. Posągowi temu przyglądał się szczupły i raczej wysoki mężczyzna, w którym natychmiast rozpoznałem markiza d'Harmonville'a. On rozpoznał mnie nieomal równie szybko. Zrobił krok w moją stronę, wzruszył ramionami i się roześmiał.

— Jest pan zaskoczony, spotykając monsieur Droqville'a przyglądającego się kamiennemu posągowi w świetle księżyca. Wszystko, żeby tylko zabić czas. Widzę, że cierpi pan tak jak i ja na *ennui**. Te małe prowincjonalne miasteczka! Na niebiosa! Jaki to wysiłek w nich mieszkać! Gdybym miał kiedyś żałować, że zawarłem w młodości przyjaźń, która jest dla mnie zaszczytem, to myślę, że jedynie skazanie mnie przez nią na życie w takim miejscu mogłoby mnie do tego skłonić. Jedzie pan dalej do Paryża, przypuszczam, rano?

— Zamówiłem konie.

— Jeśli chodzi o mnie, oczekuję na list albo na wizytę; każde może mnie uwolnić, ale nie wiem, jak szybko któreś z nich się przydarzy.

---

* *Ennui* (franc.) — nuda.

— Czy mógłbym jakoś pomóc w tej sprawie? — zacząłem.

— Niestety nie, monsieur, stokrotne dzięki. Nie, to sztuka, w której wszystkie role zostały już obsadzone. Jestem zaledwie amatorem i nakłoniony jedynie przez przyjaźń, by w niej grać.

I mówił tak dalej przez jakiś czas, gdy szliśmy wolno do Belle Etoile, a potem zapadła cisza, którą przerwałem, pytając go, czy wie coś o pułkowniku Gaillarde.

— Ach tak! Oczywiście. Jest trochę obłąkany, doznał pewnych obrażeń głowy. Zamęczał ludzi w Biurze Dowództwa na śmierć. Nieustannie cierpi na przywidzenia. Obmyślili jakieś zatrudnienie dla niego — nie w pułku, oczywiście — ale podczas tej ostatniej kampanii Napoleon, dla którego liczył się każdy człowiek, powierzył mu dowództwo regimentu. Zawsze był desperackim wojownikiem i tacy ludzie byli potrzebni bardziej niż kiedykolwiek przedtem.

Jest, lub była, w tym mieście druga gospoda zwana l'Ecu de France. Przy jej drzwiach markiz zatrzymał się, pożegnał ze mną tajemniczo i zniknął.

Kiedy tak szedłem wolno w kierunku mojej gospody, spotkałem w cieniu rzędu topoli tego *garçon*, który przyniósł mi burgunda jakiś czas temu. Myślałem o pułkowniku Gaillarde i zatrzymałem małego kelnera, kiedy mnie mijał.

— Mówił pan, wydaje mi się, że pułkownik Gaillarde spędził kiedyś w Belle Etoile cały tydzień.

— Tak, monsieur.

— Czy nie ma on żadnych problemów z głową?

Kelner spojrzał na mnie ze zdziwieniem.

— Absolutnie żadnych, monsieur.

— Czy kiedykolwiek był podejrzewany o obłęd?

— Nigdy, monsieur. Jest trochę hałaśliwy, ale to bardzo przebiegły człowiek.

— I co mam teraz myśleć? — wyszeptałem do siebie, idąc dalej.

Wkrótce znalazłem się w zasięgu świateł Belle Etoile. Kareta z czterema końmi stała w świetle księżyca przed drzwiami, a w sieni miała miejsce karczemna awantura — krzyk pułkownika Gaillarde'a zdawał się zagłuszać wszystkie inne głosy.

Większość młodych mężczyzn lubi być przynajmniej świadkami kłótni. Ale intuicyjnie poczułem, że ta będzie mnie interesować szczególnie. Musiałem przebiec zaledwie czterdzieści pięć metrów, by znaleźć się w sieni starej gospody. Główną rolę w tym dziwnym dramacie rzeczywiście odgrywał pułkownik, który stał twarzą do starego hrabiego de Saint Alyre. Ten, w swoim podróżnym stroju, z czarnym szalem zakrywającym dolną część twarzy, stał przed nim — najwyraźniej został zatrzymany podczas próby dotarcia do karety. Nieco za hrabią stała hrabina, również w podróżnym stroju, z gęstą, czarną woalką opuszczoną, i trzymała w delikatnych palcach białą różę. Nie jesteście sobie w stanie wyobrazić bardziej diabolicznego uosobienia nienawiści i furii niż pułkownik w tej chwili — na czoło wystąpiły mu żyły grube jak powrozy, oczy wyskakiwały z orbit, zgrzytał zębami, a z ust toczył pianę. Szpadę trzymał w dłoni i wykrzykując słowa potępienia, tupał w podłogę i wymachiwał zamaszyście bronią w powietrzu.

Gospodarz Belle Etoile zwracał się do pułkownika łagodzącym tonem, ale pozostawał całkowicie niezauważony. Dwóch kelnerów, bladych ze strachu, gapiło się całkowicie bezczynnie zza jego pleców. Pułkownik krzyczał, grzmiał i wywijał szpadą.

— Nie byłem pewien co do was, wy czerwone ptasie drapieżniki. Nie mogłem uwierzyć, że mielibyście czelność podróżować gościńcami i zatrzymywać się w uczciwych gospodach, i kłaść się spać pod jednym dachem z uczciwymi ludźmi. Wy! Wy! Obydwoje! Wampiry, wilki, upiory. Wezwijcie żandarmów, mówię. Na świętego Piotra i wszystkie diabły, jeśli któreś z was spróbuje przekroczyć te drzwi, pozbawię je głowy.

Przez chwilę stałem zdumiony. Co za sytuacja! Podszedłem do damy, oparła mi w szaleńczym geście dłoń na ramieniu.

— Ach! Monsieur — szepnęła bardzo poruszona — ten straszny szaleniec! Co mamy zrobić? Nie pozwoli nam przejść... zabije mojego męża!

— Proszę się niczego nie obawiać, madame — odparłem z romantycznym poświęceniem, stając pomiędzy hrabią i Gaillarde'em, gdy on wykrzykiwał

swe inwektywy. — Zamilcz i zejdź z drogi, ty gburze, tyranie, ty tchórzu! — wrzasnąłem.

Słaby okrzyk wydostał się z ust damy, który po stokroć wynagrodził ryzyko, na jakie się naraziłem, gdy szpada rozszalałego żołnierza, po krótkiej pauzie zaskoczenia, przecięła powietrze ciosem, który miał mnie obezwładnić.

7

Biała róża

Byłem za szybki dla pułkownika Gaillarde'a. Gdy on uniósł szpadę, nie zważając na żadne konsekwencje z wyjątkiem mojej zasłużonej kary, i z postanowieniem, żeby rozłupać mi czaszkę, uderzyłem go w bok głowy moją ciężką laską, a gdy zachwiał się do tyłu, wymierzyłem mu kolejny cios, nieomal w to samo miejsce, który powalił go na podłogę, gdzie leżał jak nieżywy.

Nie obchodziło mnie ani trochę, czy był żywy, czy też nieżywy, targała mną w tej chwili taka burza rozkosznych i niesamowitych emocji!

Złamałem jego szpadę pod stopą i wyrzuciłem kawałki na ulicę. Stary hrabia de Saint Alyre przemierzył zwinnie hol bez oglądania się na prawo czy lewo i bez dziękowania komukolwiek, przemknął przez drzwi, zbiegł po schodach i zniknął w swojej karecie. W jednej chwili znalazłem się u boku pięknej hrabiny, która w ten sposób została zmuszona radzić sobie samodzielnie, zaoferowałem jej swoje ramię, które przyjęła, i zaprowadziłem ją do karety. Weszła do środka, a ja zatrzasnąłem drzwi. Wszystko to bez jednego słowa.

Już miałem zapytać, czy są jakieś polecenia, którymi zechciałaby mnie zaszczycić — moja dłoń spoczywała na dolnej ramie okna, które było otwarte.

Dłoń damy spoczęła nieśmiało i drżąc lekko na mojej. Jej usta nieomal dotykały mojego policzka, gdy wyszeptała pośpiesznie:

— Może już nigdy cię nie zobaczę i... Ach! Gdybym tylko mogła cię zapomnieć. Idź... żegnaj... na litość boską, idź!

Ścisnąłem na chwilę jej dłoń. Cofnęła ją, ale z drżeniem podała mi różę, którą trzymała w palcach przez całą tę poruszającą scenę, jaka właśnie się rozegrała.

Gdy wszystko to się działo, hrabia wydawał rozkazy, ponaglał i przeklinał swoich służących, odurzonych alkoholem i niezaangażowanych podczas całego kryzysu — jak podpowiedziała mi później moja świadomość — dzięki memu sprytnemu wybiegowi. Zajęli teraz swoje miejsca pośpiesznie, ze względu na alarm. Bicze forysiów strzeliły, konie zerwały się do kłusa, a powóz ruszył ze swoim cennym ciężarem dziwną główną ulicą, w świetle księżyca, do Paryża.

Stałem na bruku, aż całkiem zniknął mi z oczu i nie dobiegał już żaden dźwięk z oddali.

Wzdychając głęboko, odwróciłem się wtedy, z moją białą różą zawiniętą w chusteczkę — małym *gage**, na pożegnanie, „przywilejem sekretnym, słodkim i cennym" — której darowania nie widziało żadne ludzkie oko, oprócz mojego i jej.

Staraniem gospodarza Belle Etoile i jego pomocników ranny bohater setki walk został podniesiony

---

* *Gage* (franc.) — zastaw, rękojmia.

i oparty o ścianę, i podparty po bokach kuframi podróżnymi i poduszkami. Do dużych ust wlano mu kieliszek brandy, który został przepisowo dodany do jego rachunku, choć ten prawdziwy dar niebios po raz pierwszy pozostał niepołknięty.

Łysy, niewysoki chirurg wojskowy w wieku sześćdziesięciu lat, w okularach, który samodzielnie amputował osiemdziesiąt siedem nóg i ramion po bitwie pod Iławą Pruską i osiadł na emeryturze razem ze swoim mieczem i piłą, laurami i plastrami, w tym właśnie, swoim rodzinnym miasteczku, został wezwany do gospody. Był zdania, że czaszka walecznego pułkownika jest pęknięta, a w każdym razie doszło do wstrząśnienia ośrodka rozumienia, a to z pewnością oznacza, że wyjątkowe zdolności pułkownika do samogojenia będą miały zajęcie przez okres najbliższych dwóch tygodni.

Poczułem się trochę nieswojo. Byłaby to nieprzyjemna niespodzianka, gdyby moja wycieczka, podczas której miałem rozbijać banki i łamać serca, i jak sami widzicie, głowy, miała zakończyć się na szubienicy albo gilotynie. Nie byłem pewien w tych czasach politycznych zawirowań, które urządzenie było stosowane.

Pułkownik został przeniesiony, sapiąc apoplektycznie, do swego pokoju.

Spotkałem się z gospodarzem w komnacie, w której jedliśmy kolację. Zawsze gdy uciekasz się do siły, jakiegokolwiek rodzaju, żeby przeforsować coś o na-

prawdę dużym znaczeniu, odrzuć wszystkie drobne ekonomiczne kalkulacje. Lepiej przekroczyć wartość o tysiąc procent, niż żeby zabrakło ci jednej setnej. Czułem to instynktownie.

Zamówiłem butelkę najlepszego wina mojego gospodarza i zachęciłem go, żeby wypił ją ze mną, w proporcji dwóch kieliszków do jednego, a potem oznajmiłem mu, że nie może odmówić przyjęcia drobnego upominku od gościa, który został tak oczarowany wszystkim, co zobaczył w osławionej Belle Etoile. Mówiąc to, umieściłem trzydzieści pięć napoleonów w jego dłoni. Gdy tylko poczuł ich dotknięcie, jego twarz, która żadną miarą nie wyglądała przedtem zachęcająco, pojaśniała, on sam zaś się rozluźnił i było oczywiste, gdy upuszczał pośpiesznie monety do kieszeni, że serdeczne relacje zostały pomiędzy nami ustanowione.

Natychmiast skierowałem naszą rozmowę na temat pękniętej głowy pułkownika. Zgodziliśmy się obydwaj, że gdybym go nie zdzielił całkiem sprytnie moją laską, pościnałby głowy połowie przebywających w Belle Etoile podróżnych. Wszyscy kelnerzy, jak jeden mąż, byli gotowi oświadczyć to pod przysięgą.

Czytelnik może przypuszczać, że miałem też inne motywy, poza chęcią ucieczki przed nudnym wymiarem sprawiedliwości, aby kontynuować bez chwili zwłoki moją podróż do Paryża. Możecie więc sobie wyobrazić, z jakim przerażeniem dowiedziałem się, że za żadne skarby świata nie uda się zdobyć tej nocy koni.

Ostatnia para w mieście została zamówiona z Ecu de France przez dżentelmena, który zjadł obiad i kolację w Belle Etoile i zamierzał jechać do Paryża tej nocy.

Kim był ten dżentelmen? Czy już pojechał? Czy można byłoby go nakłonić, aby poczekał do rana?

Dżentelmen był teraz na górze i pakował swe rzeczy, a nazywał się monsieur Droqville.

Pobiegłem na górę. Znalazłem mojego służącego Saint Claira w pokoju. Na jego widok, na chwilę, moje myśli skierowały się w inną stronę.

— No i cóż, Saint Clair, mów mi natychmiast, kim jest ta dama — zawołałem.

— Ta dama jest córką lub żoną, nieważne którą z nich, hrabiego de Saint Alyre… tego starszego dżentelmena, który nieomal został posiekany na kawałki, jak słyszę, szpadą generała, którego to monsieur, jak chciał los, przyprawił o atak apopleksji.

— Trzymaj język za zębami, głupcze! Ten człowiek jest pijany jak świnia… bredzi… mógłby mówić, gdyby chciał… kogo to obchodzi? Pakuj moje rzeczy. Gdzie jest apartament monsieur Droqville'a?

Wiedział, oczywiście. Zawsze wszystko wiedział.

Pół godziny później monsieur Droqville i ja podróżowaliśmy do Paryża — moim powozem, jego końmi. Postanowiłem zapytać markiza d'Harmonville'a po pewnym czasie, czy dama, która towarzyszyła hrabiemu, była z pewnością hrabiną.

— Czy nie ma on córki?

— Tak. Wydaje mi się, że ma, jest bardzo piękną

i czarującą młodą damą. Trudno mi powiedzieć... może to była ona, jego córka z poprzedniego małżeństwa. Widziałem dzisiaj jedynie hrabiego.

Markiz zrobił się senny i po chwili zasnął w swoim rogu. Ja drzemałem i budziłem się co chwila, lecz markiz spał jak zabity. Obudził się na następnym przystanku, gdzie — jakże szczęśliwie — zamówił kolejne konie, wysyłając wcześniej swojego człowieka, jak wyjaśnił.

— Proszę mi wybaczyć, że jestem takim nudnym towarzyszem — powiedział — ale do dzisiejszego wieczoru spałem zaledwie dwie godziny w ciągu ostatnich sześćdziesięciu. Napiję się tutaj filiżanki kawy, jestem już po drzemce. Proszę pozwolić, że zalecę panu to samo. Mają naprawdę wyborną kawę.

Zamówił dwie filiżanki *café noir* i czekał z głową wysuniętą przez okno.

— Zatrzymamy filiżanki — oświadczył, odbierając je od kelnera — i tacę. Dziękuję.

Chwilę trwało, zanim za wszystko zapłacił, a potem wziął małą tacę i podał mi filiżankę kawy.

Podziękowałem za tacę, więc położył ją na swoich kolanach, żeby pełniła funkcję miniaturowego stolika.

— Nie znoszę, gdy na mnie czekają i poganiają — wyjaśnił. — Lubię sączyć kawę nieśpiesznie.

Przyznałem mu rację. Kawa była rzeczywiście doskonała.

— Ja, podobnie jak monsieur markiz, spałem

bardzo niewiele przez ostatnie dwie lub trzy noce i z trudem powstrzymując się, żeby nie zasnąć. Ta kawa działa prawdziwe cuda — wspaniale odświeża.

Zanim wypiliśmy połowę, powóz znowu jechał.

Na chwilę kawa rozwiązała nam języki i toczyliśmy ożywioną rozmowę.

Markiz był wyjątkowo miły, jak również bystry — opisał mi niezwykle pomysłowo i zabawnie paryskie życie, intrygi i niebezpieczeństwa, a wszystko po to, żeby dostarczyć praktycznych przestróg, których wagi nie można było przecenić.

Pomimo zabawnych i ciekawych opowieści, które markiz snuł tak intrygująco i barwnie, poczułem, że robię się coraz bardziej zmęczony i senny.

Dostrzegając to, markiz dobrotliwie pozwolił, aby nasza rozmowa przeszła stopniowo w milczenie. Okno obok niego było otwarte. Wyrzucił przez nie swoją filiżankę i uczynił to samo z moją, a w końcu poleciała za nimi i taca; słyszałem, jak z brzdękiem upada na drogę — bez wątpienia cenne znalezisko dla jakiegoś porannego wędrowca w drewnianych butach.

Oparłem się wygodnie w moim rogu, miałem ze sobą mój ukochany *gage* — białą różę — blisko przy sercu, zawiniętą teraz w biały papier. Budziła we mnie przeróżne romantyczne marzenia. Robiłem się coraz bardziej i bardziej senny. Ale faktyczny sen nie nadchodził. Nadal widziałem, na wpół zamkniętymi oczami, z mojego rogu, ukośnie, wnętrze powozu.

Pragnąłem snu, ale bariera pomiędzy snem i jawą wydawała się absolutnie nie do pokonania, a w zamian wkroczyłem w stan nowej i trudnej do opisania niemocy.

Markiz podniósł swoją kasetę na dokumenty z podłogi, położył ją na kolanach, otworzył kluczykiem i wyjął coś, co okazało się lampą, którą zawiesił za dwa haczyki na oknie naprzeciw niego. Zapalił ją zapałką, nałożył okulary, wyjął plik listów i zaczął je uważnie czytać.

Jechaliśmy bardzo wolno. Moja niecierpliwość do tej pory sprawiała, że od przystanku do przystanku jechaliśmy czwórką koni. W tych nieprzewidzianych okolicznościach mieliśmy duże szczęście, dostając dwa. Ale różnica w tempie była przygnębiająca.

Zmęczyła mnie monotonia obserwowania markiza w okularach, jak czyta, składa i opisuje list za listem. Chciałem opuścić powieki i nie oglądać już widoku, który mnie znużył, ale coś sprawiało, że nie byłem w stanie zamknąć oczu. Próbowałem raz po raz, ale, naprawdę, straciłem moc ich zamykania.

Potarłbym swoje oczy, lecz nie byłem w stanie ruszyć dłonią, moja wola nie miała już wpływu na moje ciało — odkryłem, że nie jestem w stanie ruszyć ani jednym stawem, ani jednym mięśniem — równie dobrze mógłbym usiłować obrócić aktem mojej woli powóz.

Do tego momentu nie doświadczyłem poczucia przerażenia. Cokolwiek to było, zwykły koszmar noc-

ny nie był tego powodem. Byłem bardzo przerażony. Czy to był jakiś atak?

To było straszne, obserwować mojego przyjacielskiego towarzysza, zajmującego się swoimi sprawami tak spokojnie, podczas gdy mógłby przerwać mój horror jednym prostym potrząśnięciem.

Zdobyłem się na niesamowity wysiłek, żeby zawołać, lecz wszystko na próżno — powtarzałem ten wysiłek raz po raz, ale bez rezultatu.

Mój towarzysz związał teraz swoje listy i wyjrzał przez okno, nucąc arię z opery. Wsunął z powrotem głowę i oświadczył, zwracając się do mnie:

— O tak, widzę światła, będziemy tam za dwie lub trzy minuty.

Przyjrzał mi się bardziej uważnie, po czym z uprzejmym uśmiechem i niewielkim wzruszeniem ramion powiedział:

— Biedne dziecko, jak bardzo musiał być zmęczony... jak głęboko śpi, obudzi się, gdy powóz się zatrzyma.

Następnie odłożył swoje listy do kasety, zamknął ją na kluczyk, schował okulary do kieszeni i ponownie wyjrzał przez okno.

Wjechaliśmy do małego miasteczka. Przypuszczam, że mogło być po drugiej w nocy. Powóz się zatrzymał, zobaczyłem, jak otwierają się drzwi gospody, a na zewnątrz wydobywa się smuga światła.

— Oto jesteśmy! — zawołał mój towarzysz, zwracając się do mnie wesoło.

Ale ja się nie obudziłem.

— Tak, jak bardzo musiał być zmęczony! — wykrzyknął, poczekawszy chwilę na odpowiedź.

Mój służący był u drzwi powozu i otworzył je.

— Twój pan śpi głęboko, jest taki zmęczony! Bylibyśmy okrutni, gdybyśmy mu przeszkadzali. Ja i ty wejdziemy do środka, gdy będą zmieniali konie, i zjemy coś. Wybierzemy też coś dla monsieur Becketta do zjedzenia w drodze, bo jak się w końcu obudzi, jestem pewien, że będzie głodny.

Przygasił lampę, dolał trochę oliwy i starając się mnie nie poruszyć, z jeszcze jednym uprzejmym uśmiechem i jeszcze jednym słowem ostrzeżenia do mojego służącego wysiadł. Słyszałem, jak rozmawia z Saint Clairem, gdy wchodzili do gospody, a ja zostałem sam w moim rogu, w powozie, w tym samym stanie.

8

Trzyminutowa wizyta

Cierpiałem ogromny i długotrwały ból cielesny w różnych okresach mojego życia, ale nic podobnego do tej udręki, dzięki Bogu, nigdy nie musiałem znosić, ani przedtem, ani potem. Mam gorącą nadzieję, że nie przypomina ona żadnego rodzaju śmierci, która może nas czekać. Byłem w istocie uwięzionym duchem — a moja niema agonia w bezruchu była niewypowiedziana.

Moja umiejętność rozumowania pozostała jasna i aktywna. Tępy terror wypełniał mój umysł przerażeniem. Jak to się skończy? Czy to była faktyczna śmierć?

Rozumiecie oczywiście, że moja zdolność obserwacji była zaburzona. Słyszałem i widziałem wszystko tak wyraźnie jak przedtem. Moja wola po prostu straciła jakby władzę nad moim ciałem.

Mówiłem wam, że markiz d'Harmonville nie zgasił swojej lampy podróżnej, wychodząc do wiejskiej gospody. Nasłuchiwałem uważnie, wyczekując jego powrotu, który mógł sprawić, przez jakiś szczęśliwy przypadek, że obudzę się z mojej katalepsji.

Bez najmniejszego szelestu zbliżających się kroków obwieszczających wizytę drzwi powozu nagle się otwarły, a zupełnie obcy człowiek wszedł cicho do środka i zamknął je za sobą.

Lampa rzucała światło mniej więcej tak silne jak świeca, więc widziałem intruza doskonale. Był młodym mężczyzną w ciemnoszarym, luźnym, zapinanym płaszczu z kapturem, naciągniętym na głowę. Wydawało mi się, gdy się poruszył, że zobaczyłem pod nim złotą opaskę munduru polowego i na pewno widziałem galony i guziki munduru na mankietach marynarki, które były widoczne pod szerokim rękami zewnętrznego okrycia.

Ten młody mężczyzna miał gęste wąsy i bródkę; zauważyłem, że miał czerwoną bliznę biegnącą od wargi w górę, przez policzek.

Wszedł, zamknął za sobą delikatnie drzwi i usiadł obok mnie. Wszystko to stało się w okamgnieniu. Pochylając się nade mną i osłaniając oczy dłonią w rękawiczce, przyglądał się przez kilka sekund dokładnie mojej twarzy.

Ten mężczyzna wszedł tak bezszelestnie jak duch i wszystko, co robił, działo się z szybkością i zdecydowaniem, które wskazywały na dobrze przemyślany i wcześniej opracowany plan. Jego zamiary były ewidentnie wrogie. Myślałem, że zamierza mnie okraść i może zamordować. Leżałem mimo to jak martwe ciało, bezbronne wobec niego. Wsunął swoją dłoń do mojej kieszeni na piersi, z której wyjął cenną białą różę i wszystkie listy, pośród których znajdował się dokument o pewnym znaczeniu dla mnie.

Przyjrzał się moim listom. Były wyraźnie nie tym, czego szukał. Moją cenną różę także odłożył razem

z nimi. To wyraźnie tym dokumentem, o którym wspominałem, był zainteresowany. Otworzył go i zaczął robić notatki na podstawie jego zawartości ołówkiem w małym notesie.

Mężczyzna ten zdawał się wykonywać swoją pracę z bezszelestną i chłodną szybkością, która wskazywała, uważałem, na szkolenie wydziału policji.

Ułożył papiery, możliwe, że w tym samym porządku, w jakim je zastał, umieścił w mojej kieszeni na piersi i wyszedł.

Jego wizyta, myślę, trwała mniej niż trzy minuty. Tuż po jego zniknięciu ponownie usłyszałem głos markiza. Wsiadł do powozu i zobaczyłem, że patrzy na mnie z uśmiechem, na wpół mi zazdroszcząc, jak pomyślałem, mojego solidnego odpoczynku. Gdyby tylko wiedział!

Wrócił do czytania i opisywania listów w świetle małej lampy, która właśnie posłużyła niecnym knowaniom szpiega.

Znaleźliśmy się już za miastem, kontynuując podróż w tym samym umiarkowanym tempie. Oddaliliśmy się dziesięć kilometrów od miejsca wizyty policjanta, jak powinienem był to określić, gdy nagle poczułem dziwne pulsowanie w jednym uchu i miałem wrażenie, że powietrze przedostało się przez nie do gardła. Wydawało mi się, jakby bańka powietrza, utworzona głęboko w moim uchu, napęczniała tam i wybuchła. Nieopisane napięcie mózgu zdało się natychmiast ustąpić, w głowie poczułem dziwny

szum i drżenie w każdym nerwie ciała, podobne do sensacji w kończynie, która — jak to się powszechnie nazywa — ścierpła. Wydałem z siebie okrzyk i na wpół wstałem z miejsca, a potem upadłem, drżąc, z uczuciem cielesnej słabości.

Markiz spojrzał na mnie, ujął za rękę i z przejęciem zapytał, czy źle się czuję. Byłem mu w stanie odpowiedzieć jedynie głębokim jęknięciem.

Stopniowo proces powrotu do pełni sił się zakończył i byłem w stanie, chociaż z dużym wysiłkiem, opowiedzieć mu, jak bardzo zaniemogłem, a potem, że ktoś przeglądał moje listy w czasie jego nieobecności w powozie.

— Wielkie nieba! — wykrzyknął. — Ten łotr nie dostał się do mojej kasety?

Uspokoiłem go w tym względzie. Umieścił kasetę na siedzeniu obok siebie, otworzył i zbadał jej zawartość bardzo dokładnie.

— Tak, nietknięte, bezpieczne, dzięki Bogu! — wyszeptał. — Jest tutaj jakieś pół tuzina listów i za nic w świecie bym nie chciał, żeby ujrzały je oczy pewnych konkretnych ludzi.

Zapytał teraz z bardzo czułą troską o niemoc, na którą się skarżyłem. Gdy mnie wysłuchał, powiedział:

— Mój znajomy miał kiedyś atak bardzo podobny do ataku monsieur. Stało się to na statku i nastąpiło po stanie wysokiej ekscytacji. Był dzielnym mężczyzną, jak pan, i musiał nagle wykazać się i swoją siłą, i odwagą. Godzinę czy dwie potem opanowało go ogromne zmęczenie i wyglądało na to, że zapadł w głęboki sen. W rzeczywistości pogrążył się w stanie, który potem opisał w taki sposób, że myślę, iż musiał być dokładnie taką samą dolegliwością jak pana.

— Jestem szczęśliwy, mogąc myśleć, że mój atak nie był wyjątkowy. Czy kiedykolwiek doświadczył jego nawrotu?

— Znałem go przez wiele lat i nigdy o czymś takim nie słyszałem. Co mnie uderza, to pewna paralelność w przyczynach, które wywołały każdy z ataków. Pana nieoczekiwana i waleczna, bezpośrednia potyczka, w tak desperackich okolicznościach, z tak doświadczonym szermierzem, jak szalony pułkownik dragonów, pana zmęczenie i w końcu pana ułożenie się, tak jak uczynił to mój drugi znajomy, do snu.

Uspokoiło mnie to jeszcze bardziej.

— Chciałbym — kontynuował — żeby można było dowiedzieć się, kim był ten *coquin**, który przeglądał pana listy. Nie warto jednak zawracać, bo niczego się nie dowiemy. Wszyscy ci ludzie zawsze tak zręcznie sobie radzą. Jestem jednak przekonany, że musiał to być agent policji. Każdy inny łobuz z pewnością by pana okradł.

Mówiłem bardzo mało, czułem się źle i byłem wy-

* *Coquin* (franc.) — szelma.

czerpany, ale markiz mówił dalej, sprawiając mi tym przyjemność.

— Staliśmy się sobie tak bliscy — powiedział w końcu — że muszę panu przypomnieć, iż nie jestem teraz markizem d'Harmonville'em, ale jedynie monsieur Droqville'em, niemniej, gdy dotrzemy do Paryża, mimo że nie będę mógł pana widywać często, mogę być przydatny. Poproszę pana o podanie nazwy hotelu, w którym zamierza się pan zatrzymać, jako że dopóki markiz, jak pan doskonale wie, przebywa w podróży, hotel d'Harmonville jest zamieszkany jedynie przez dwóch czy trzech starych służących, którym nie wolno nawet zobaczyć monsieur Droqville'a. Ten dżentelmen jednak obmyśli sposób, jak umożliwić panu dostęp do loży markiza w operze, jak również, być może, do innych miejsc, bardziej niedostępnych, i jak tylko dyplomatyczna misja markiza d'Harmonville'a się zakończy i będzie mógł się ujawnić, nie zwolni swojego przyjaciela, monsieur Becketta, z obietnicy złożenia mu tej jesieni wizyty w Château d'Harmonville.

Możecie być pewni, że podziękowałem markizowi.

Im bliżej byliśmy Paryża, tym bardziej ceniłem jego protekcję. Znajoma twarz wspaniałego mężczyzny na miejscu, właśnie wtedy zainteresowanego losem nieznajomego, na którego wpadł jakby przypadkiem, mogła uczynić moją wizytę dużo bardziej przyjemną, niż przewidywałem.

Nic nie mogło równać się z klasą zachowania i wy-

glądu markiza i gdy ja nadal mu dziękowałem, powóz zatrzymał się nagle w miejscu, gdzie oczekiwała na nas zmiana koni i gdzie, jak się okazało, mieliśmy się rozstać.

9

Plotki i rady

Moja pełna wydarzeń podróż dobiegła wreszcie końca. Siedziałem w hotelowym oknie, spoglądając na cudowny Paryż, który w jednej chwili odzyskał całą swoją wesołość i więcej niż zwyczajny zgiełk. Wszyscy czytali o swoistej ekscytacji, jaka zapanowała po katastrofie Napoleona i ponownej restauracji Burbonów. Nie muszę zatem, nawet gdybym po tak długim upływie czasu był w stanie, przypominać i opisywać moich doświadczeń i wrażeń wywołanych przez szczególne aspekty Paryża w tamtych dziwnych czasach. Była to z pewnością moja pierwsza wizyta. Jednak mimo że od tamtej pory często go odwiedzałem, nie wydaje mi się, żebym kiedykolwiek widział tę zachwycającą stolicę w stanie tak przyjemnej ekscytacji i tak ekscytującą.

Byłem w Paryżu od dwóch dni i widziałem mnóstwo ciekawych zabytków — nie doświadczyłem nic z tej nieuprzejmości i arogancji ze strony zawiedzionych oficerów pobitej francuskiej armii, na które inni narzekali.

Muszę też coś wyznać. Mój romans zawładnął mną całkowicie i szansa ujrzenia obiektu moich marzeń dostarczała dodatkowej ekscytacji w czasie spacerów i przejażdżek po ulicach i okolicy, podczas

wizyt w galeriach i innych interesujących miejscach metropolii.

Nie widziałem hrabiego ani hrabiny, nic też o nich nie słyszałem; markiz d'Harmonville także nie dawał żadnego znaku życia. Odzyskałem za to pełnię sił po dziwnej niedyspozycji w czasie nocnej podróży.

Był już wieczór i zaczynałem się martwić, że mój arystokratyczny znajomy całkiem o mnie zapomniał, gdy kelner podał mi wizytówkę „monsieur Droqville'a" i nie bez pewnego zachwytu oraz pośpiechu poleciłem, aby wprowadził tego dżentelmena.

Markiz d'Harmonville pojawił się natychmiast, uprzejmy i elegancki jak zwykle.

— Obecnie jestem nocnym ptakiem — wyjaśnił, jak tylko wymieniliśmy zwyczajowe słowa powitania. — Za dnia pozostaję w cieniu i nawet teraz z ogromnym narażeniem odważyłem się przyjechać zamkniętym powozem. Przyjaciele, dla których podjąłem się tej raczej krytycznej misji, tak mi polecili. Uważają, że cała sprawa będzie stracona, jeśli ktoś dowie się, że jestem w Paryżu. Proszę pozwolić, iż najpierw wręczę panu te karnety do mojej loży. Tak mi przykro, że nie mogę dysponować nią częściej przez następne dwa tygodnie. Poleciłem sekretarzowi, żeby w czasie mojej nieobecności dawał je na każdą noc pierwszemu z moich przyjaciół, który się zgłosi, i w rezultacie prawie nic nie zostało do mojej dyspozycji.

Serdecznie mu podziękowałem.

— A teraz słowo ode mnie w roli opiekuna. Nie przyjechał pan tutaj, oczywiście, bez listów polecających?

Pokazałem mu pół tuzina listów, z adresami których się zapoznał.

— Proszę odłożyć te listy — poradził. — Sam pana wprowadzę do towarzystwa. Osobiście będę panu towarzyszył od domu do domu. Jeden przyjaciel u twojego boku jest wart więcej niż wiele listów. Proszę nie zawierać znajomości i nie nawiązywać przyjaźni do tego czasu. Wy młodzi lubicie wyczerpać publiczne atrakcje wielkiego miasta przed podjęciem trudów zobowiązań towarzyskich. Proszę zaliczyć wszystkie. Zajmie to pana, licząc dnie i noce, przynajmniej na trzy tygodnie. Gdy to się skończy, będę mógł i osobiście wprowadzę pana do cudownej, ale stosunkowo spokojnej rutyny towarzystwa. Proszę oddać się w moje ręce, a w Paryżu, proszę pamiętać, jak już wejdzie się do towarzystwa, pozostaje się w nim na zawsze.

Podziękowałem mu serdecznie i obiecałem wiernie przestrzegać jego rady.

Wyglądał na zadowolonego i powiedział:

— Teraz wskażę panu kilka miejsc, do których powinien pan pójść. Proszę wziąć swoją mapę i nanieść litery albo numery w miejscach, które wskażę; w ten sposób zrobimy małą listę. Wszystkie miejsca, o których powiem, są warte zobaczenia.

W ten metodyczny sposób, z mnóstwem zabaw-

nych i skandalizujących anegdot, zaopatrzył mnie w katalog i przewodnik, który — dla poszukiwacza nowości i przyjemności — był nie do przecenienia.

— Za dwa tygodnie, może za tydzień — zadeklarował — powinienem okazać się naprawdę przydatny dla pana. Do tego czasu proszę mieć się na baczności. Nie wolno panu grać; zostanie pan obrabowany z fortuny, jeżeli będzie pan grał. Proszę pamiętać, jest pan otoczony tutaj najprawdziwszymi oszustami i przestępcami wszelkiego rodzaju, co żyją z pożerania obcokrajowców. Proszę nie ufać nikomu z wyjątkiem tych, których pan zna.

Podziękowałem mu i obiecałem, że skorzystam z jego rady. Moje serce jednak było zbyt pełne pięknej damy z Belle Etoile, abym mógł pozwolić na zakończenie naszej rozmowy bez próby dowiedzenia się czegoś o niej. Zapytałem zatem o hrabiego i hrabinę de Saint Alyre, których miałem szczęście wybawić z wyjątkowo nieprzyjemnej awantury w holu gospody.

Niestety nie widział ich od tamtej pory. Nie wiedział, gdzie się zatrzymali. Mieli piękny stary dom mniej więcej dwadzieścia kilometrów od Paryża, ale uważał, że jest prawdopodobne, iż zatrzymali się, przynajmniej na kilka dni, w mieście, ponieważ należało, bez wątpienia, poczynić przygotowania po tak długiej nieobecności na ich przyjęcie w domu.

— Jak długo przebywali poza domem?

— Około ośmiu miesięcy, wydaje mi się.

— Są ubodzy, czy nie tak pan mówił?

— Może w pana ocenie. Ale, monsieur, hrabia ma dochód, który zapewnia im komfortową, a nawet wytworną egzystencję, przy ich spokojnym i wycofanym stylu życia w tym tanim kraju.

— W takim razie są szczęśliwi?

— Można by powiedzieć, że powinni być szczęśliwi.

— A co stoi im na przeszkodzie?

— On jest zazdrosny.

— Ale jego żona... nie daje mu powodów?

— Obawiam się, że daje.

— W jaki sposób, monsieur?

— Zawsze uważałem, że jest trochę za bardzo... o wiele za bardzo...

— Za bardzo jaka, monsieur?

— Za bardzo urodziwa. Ale mimo że ma wyjątkowo piękne oczy, piękne rysy twarzy i najbardziej delikatną cerę na świecie, ufam, że jest kobietą o nieposzlakowanej opinii. Nigdy jej pan nie widział?

— Owej nocy, gdy w holu Belle Etoile rozbiłem głowę tego jegomościa, który atakował starego hrabiego, była z nim dama, otulona płaszczem, z bardzo gęstą woalką na twarzy. Jej woalka była tak gęsta, że nic przez nią nie widziałem. — Moja odpowiedź była dyplomatyczna, jak zauważyliście. — Mogła być córką hrabiego. Czy oni się kłócą?

— Kto, on i jego żona?

— Tak.

— Trochę.

— Ach! I o co się kłócą?

— To długa historia... o diamenty tej damy. Są drogocenne... są warte, La Perelleuse mówi, około miliona franków. Hrabia chce je sprzedać i obrócić w dochód. Hrabina jednak, która jest właścicielką diamentów, odmawia, i to z powodu, którego, jak myślę, nie może mu zdradzić.

— A co to za powód? — spytałem ogromnie zaciekawiony.

— Marzy ona, przypuszczam, jak ładnie będzie w nich wyglądała, kiedy poślubi kolejnego męża.

— O tak, na pewno. Ale hrabia de Saint Alyre jest dobrym człowiekiem?

— Godnym podziwu i wyjątkowo inteligentnym.

— Tak bardzo chciałbym zostać przedstawiony hrabiemu; mówi mi pan, że ma on tak...

— Że ma on tak miłą małżonkę. Ale wiodą bardzo zamknięte życie. Zabiera ją od czasu do czasu do opery albo do jakiegoś innego publicznego miejsca, ale to wszystko.

— I musi on pamiętać tak wiele ze starego *régime** i tak wiele zdarzeń z czasu rewolucji!

— Tak, idealny człowiek dla filozofa takiego jak pan. I zasypia po obiedzie, a jego żona nie. Ale, mówiąc poważnie, wycofał się on z wesołego i wspaniałego świata i stał się apatyczny. Podobnie jego żona, zdaje się, że nic jej teraz nie interesuje... nawet mąż!

Markiz wstał, żeby się pożegnać.

---

* *Régime* (franc.) — ustrój.

— Proszę nie ryzykować swoich pieniędzy — poradził. — Już wkrótce będzie pan miał okazję wyłożenia części z nich na bardzo korzystny cel. Parę kolekcji naprawdę dobrych obrazów należących do osób, które wdały się w restaurację Bonapartych, musi zostać wystawionych na aukcję w ciągu kilku najbliższych tygodni. Będą oszałamiające okazje! Proszę zarezerwować na nie czas. Dam panu o wszystkim znać. A tak przy okazji — powiedział, zatrzymując się nagle w drodze do drzwi — nieomal zapomniałem. Ma się odbyć dokładnie coś, co bardzo by się panu spodobało, bo tak rzadko zdarza się w Anglii. Mam na myśli *bal masqué**, zorganizowany, mówi się, z wyjątkowym splendorem. Odbywa się w Wersalu... cały świat tam będzie. Wszyscy biją się o bilety! Ale myślę, że mogę panu jeden obiecać. Dobranoc!

---

* *Bal masqué* (franc.) — bal kostiumowy.

10

Czarna woalka

Jako że posługiwałem się płynnie językiem i dysponowałem nieograniczoną gotówką, nic nie stało mi na przeszkodzie w korzystaniu ze wszystkich przyjemności, jakie miała do zaoferowania francuska stolica. Możecie sobie łatwo wyobrazić, jak minęły dwa dni. Pod koniec tego czasu, i mniej więcej o tej samej porze, monsieur Droqville złożył mi kolejną wizytę.

Uprzejmy, dobrotliwy, wesoły jak zawsze, powiedział mi, że bal kostiumowy odbędzie się następnego dnia i że zdobył dla mnie bilet.

Co za pech! To fatalne, ale wyglądało na to, że nie będę mógł pójść.

Wpatrywał się we mnie przez chwilę podejrzliwym i wrogim wzrokiem, którego nie rozumiałem, w milczeniu, a potem zapytał, raczej surowo:

— A czy monsieur Beckett będzie na tyle miły i powie dlaczego?

Byłem trochę zdziwiony, ale odparłem, mówiąc najprawdziwszą prawdę: umówiłem się na ten wieczór z dwoma czy trzema znajomymi Anglikami i nie wyobrażałem sobie, abym mógł to zmienić.

— No tak! Wy Anglicy, gdziekolwiek jedziecie, zawsze szukacie swoich angielskich nudziarzy, waszego piwa i „bifsteku", a gdy przyjeżdżacie tutaj, za-

miast spróbować dowiedzieć się czegoś o ludziach, których odwiedzacie i udajecie, że chcecie poznać, pijecie, przeklinacie i palicie w swoim towarzystwie, a na koniec waszych podróży nie jesteście mądrzejsi ani nie macie większej ogłady, niż jakbyście przez cały czas siedzieli w restauracji w Greenwich.

Roześmiał się z sarkazmem i wyglądał, jakby miał ochotę mnie otruć.

— Proszę bardzo — oznajmił, rzucając bilet na stół. — Proszę z tym zrobić, co pan zechce. Przypuszczam, że nie doczekam się podziękowań za moje starania, ale niecodziennie człowiek taki jak ja zadaje sobie trud, prosi o przysługę i zdobywa przywilej dla swojego znajomego, i zostaje potem tak potraktowany.

To było zadziwiająco impertynenckie.

Byłem zaszokowany, obrażony, skruszony. Najwyraźniej naruszyłem zupełnie nieświadomie zasady dobrego wychowania, według francuskich wzorców, co nieomal usprawiedliwiało opryskliwość i surowość niegodnej nagany markiza.

I tak, targany skrajnymi uczuciami, pośpieszyłem z przeprosinami, żeby przebłagać przypadkowego znajomego, który okazał mi tyle bezinteresownej uprzejmości.

Powiedziałem mu, że za wszelką cenę uwolnię się od zobowiązań, w które pechowo się wplątałem, że odpowiedziałem zbyt pochopnie i że z pewnością nie podziękowałem mu wystarczająco, w proporcji

do jego uprzejmości i do mojej rzeczywistej wdzięczności.

— Proszę już nic nie mówić, moje zdenerwowanie wynikało jedynie z troski o pana i wyraziłem je, jestem tego zbyt dobrze świadom, w słowach zdecydowanie za mocnych, które, jak przypuszczam, pana dobra natura mi wybaczy. Ci, którzy znają mnie odrobinę lepiej, są świadomi, że czasami mówię dużo więcej, niż zamierzałem, i jest mi zawsze bardzo przykro, gdy się to dzieje. Monsieur Beckett zapomni, że jego stary przyjaciel, monsieur Droqville, stracił panowanie w trosce o niego na chwilę i... będziemy takimi dobrymi przyjaciółmi jak przedtem.

Uśmiechnął się jak monsieur Droqville z Belle Etoile i podał mi dłoń, którą przyjąłem z ogromnym szacunkiem i serdecznością.

Nasza chwilowa kłótnia uczyniła nas jeszcze lepszymi przyjaciółmi.

Markiz powiedział mi wtedy, że powinienem zarezerwować nocleg w jakimś hotelu w Wersalu, ponieważ wszyscy będą chcieli wynająć tam pokoje, i poradził mi, abym pojechał tam jutro rano w tym celu.

Zamówiłem więc konie na godzinę jedenastą przed południem, a po kolejnej chwili rozmowy markiz d'Harmonville życzył mi dobrej nocy i zbiegł po schodach, zasłaniając chusteczką twarz i nos, po czym — jak widziałem z okna — wskoczył do zamkniętego powozu i odjechał.

Następnego dnia pojechałem do Wersalu. Gdy

zbliżałem się do drzwi Hôtel de France, było oczywiste, że nie przybyłem za wcześnie ani o minutę, jeśli w istocie nie było już zbyt późno.

Mnóstwo powozów oczekiwało przed wejściem, co sprawiło, że nie miałem szansy dostać się do środka inaczej, jak poprzez opuszczenie własnego powozu i torowanie sobie drogi pomiędzy końmi. Hol był pełen służących i dżentelmenów krzyczących do właściciela, który w stanie uprzejmego zdezorientowania zapewniał ich, wszystkich i każdego z osobna, że w całym jego domu nie ma ani jednego wolnego pokoju i gabinetu.

Wymknąłem się ponownie na zewnątrz, pozostawiając hol tym, którzy krzyczeli, protestowali i błagali, w fałszywej nadziei, że gospodarz mógłby, gdyby zechciał, znaleźć coś dla nich. Wskoczyłem do powozu i pojechałem, najszybciej jak mogły moje konie, do Hôtel de Reservoir. Blokada pod tymi drzwiami była tak sama jak pod poprzednimi. Rezultat był ten sam. Było to bardzo denerwujące, ale co można było zrobić? Mój woźnica, raczej nadgorliwie, podczas gdy ja byłem w holu i rozmawiałem z właścicielem hotelu, podjechał kawałek po kawałku, w miarę jak inne powozy się odsuwały, pod same schody.

Ten układ był bardzo wygodny, jeśli chodziło o ponowne dostanie się do powozu. Ale gdy już to mi się udało, jak mieliśmy się stamtąd wydostać? Były powozy przed nami i powozy za nami, i nie mniej

niż cztery rzędy powozów wszelkiego rodzaju po naszej stronie.

Cieszyłem się w tamtych czasach wyjątkowo dobrym wzrokiem i jeśli byłem niecierpliwy przedtem, to pomyślcie, jakie były moje uczucia, gdy zobaczyłem otwarty powóz poruszający się wąskim przejezdnym pasem drogi po drugiej stronie, kaleszę, w której, byłem pewien, rozpoznałem hrabinę w woalce i jej męża. Powóz jechał spacerowym tempem za wozem, który zajmował całą szerokość wąskiej drogi i poruszał się z typową dla takich pojazdów opieszałością.

Postąpiłbym o wiele mądrzej, gdybym zeskoczył na *trottoir** i pobiegł dookoła baterii powozów, wybiegając przed kaleszę. Ale, niestety, było we mnie więcej z Murata** niż z Moltkego*** i wolałem przypuścić bezpośredni atak na mój cel, niż polegać na *tactique*****. Przesadziłem tylne siedzenie powozu obok nas, nie wiem jak, przeturlałem się przez rodzaj gigu,

---

* *Trottoir* (franc) — chodnik, trotuar.

** Joachim Murat (1767-1815) — marszałek Francji, książę Bergu, król Neapolu 1808-1815. Wsławił się jako dowódca kawalerii w 1800 pod Marengo, był w ciągu swojej kariery jednym z najbardziej brawurowych dowódców napoleońskich [przyp. tłum.].

*** Helmuth Karl Bernhard von Moltke (1800-1891) — pruski generał i feldmarszałek, reformator armii pruskiej, a potem niemieckiej. Był wybitnym strategiem i autorem szeregu prac z dziedziny wojskowości [przyp. tłum.].

**** *Tactique* (franc.) — taktyka.

w którym drzemali starszy dżentelmen i pies, przeszedłem, wydobywając z siebie nieskładne słowa przeprosin, wzdłuż boku otwartego powozu, w którym znajdowało się czterech pogrążonych w dyspucie dżentelmenów, potknąłem się na jego końcu, usiłując się wydostać, i upadłem na płask na grzbiety pary koni, które natychmiast opuściły głowy i zrzuciły mnie głową w dół na piasek.

Wszystkim, którzy obserwowali moją brawurową szarżę, a nie byli wtajemniczeni w jej cel, musiałem wydawać się obłąkany. Na szczęście interesująca kalesza odjechała przed tą katastrofą, a ja, cały pokryty kurzem i z pogiętym kapeluszem, możecie być pewni, wcale nie chciałem znaleźć się przed obiektem mojego donkiszotowskiego oddania.

Stałem przez chwilę w deszczu przekleństw, łagodzonych litościwie śmiechem, i pośród tego wszystkiego, gdy usiłowałem otrzepać chusteczką kurz z mojego ubrania, usłyszałem dobrze znajomy mi głos:

— Monsieur Beckett.

Podniosłem wzrok i dostrzegłem markiza wyglądającego z okna powozu. Był to jakże miły widok. W jednej chwili znalazłem się u jego boku.

— Równie dobrze może pan opuścić Wersal — stwierdził. — Dowiedział się pan bez wątpienia, że nie ma ani jednego łóżka do wynajęcia w żadnym z hoteli, a ja mogę dodać, że nie ma ani jednego wolnego pokoju w całym mieście. Ale znalazłem coś dla pana, co będzie odpowiednie. Proszę powiedzieć swojemu służącemu, żeby jechał za nami, i proszę wsiąść tutaj i zająć miejsce obok mnie.

Na szczęście pośród ciasno zaparkowanych powozów właśnie zrobił się przejazd i mój powóz już się zbliżał.

Poleciłem służącemu, żeby jechał za nami. Markiz zamienił słowo ze swoim woźnicą i natychmiast ruszyliśmy.

— Zawiozę pana w wygodne miejsce, o którego istnieniu wie niewielu paryżan, gdzie... wiedząc, jak się mają sprawy tutaj, zarezerwowałem dla pana pokój. To stara, wygodna gospoda, zwana Le Dragon Volant, oddalona stąd zaledwie o półtora kilometra. Miał pan szczęście, że moje uciążliwe zobowiązanie przywiodło mnie do tego miejsca tak wcześnie.

Myślę, że przejechaliśmy około trzech kilometrów, oddalając się od pałacu, gdy oto znaleźliśmy się na wąskiej starej drodze z lasami Wersalu po jednej stronie i dużo starszymi drzewami, rozmiarów rzadko spotykanych we Francji, po drugiej.

Zajechaliśmy pod antyczną i solidną gospodę, wybudowaną z kamienia z Caen, w stylu bogatszym i bardziej ozdobnym niż zazwyczaj spotykany w domach tego rodzaju, a który wskazywał, że był on oryginalnie zaprojektowany jako prywatna posiadłość jakiejś zamożnej i prawdopodobnie dystyngowanej osoby, jako że na ścianie widniały liczne rzeźbione tarcze i trzymacze. Rodzaj ganku, mniej antyczny

niż cała reszta, wystawał gościnnie. Był zwieńczony kamiennym łukiem z kwiatowymi motywami, nad którym, pomalowana i pozłocona, znajdowała się wypukła płaskorzeźba znaku gospody. Był to latający smok z rozpostartymi skrzydłami mieniącymi się jaskrawą czerwienią i złotem, z ogonem bladozielonym i złotym, powyginanym i pozawijanym w niezliczoną ilość pierścieni. Ogon zakończony był błyszczącym punktem, ostrym niczym śmiertelna strzała.

— Nie będę wchodził do środka, ale zobaczy pan, że to wygodne miejsce. W każdym razie lepsze niż nic. Wszedłbym z panem, ale bycie incognito mi na to nie pozwala. Będzie pan — śmiem twierdzić — jeszcze bardziej zadowolony, gdy się pan dowie, że w gospodzie straszy — wiem, bo byłem za młodych lat. Ale proszę nie wspominać o tym przykrym fakcie przy swoim gospodarzu, bo — jak mniemam — to bolesny temat. Au revoir. Jeśli chce się pan dobrze bawić na balu, proszę skorzystać z mojej rady i pojawić się w stroju domina. Myślę, że tam zajrzę i z pewnością, jeśli tak się stanie, będę w takim samym kostiumie. Jak się rozpoznamy? Niech no się zastanowię... coś, co będziemy trzymać w palcach — kwiat nie zda egzaminu, tak wielu ludzi będzie miało kwiaty. Przypuśćmy, że pan będzie miał czerwony krzyż, długi na kilka centymetrów — jest pan Anglikiem — wyhaftowany lub przypięty do pana domina na piersi, a ja biały? Tak, to będzie doskonałe rozwiązanie. I bez względu na to, do której komnaty pan wejdzie, proszę się trzymać blisko wejścia, aż się spotkamy. Będę wyglądał pana przy wszystkich drzwiach, przez które będę przechodził, a pan w ten sam sposób niech szuka mnie; będziemy musieli się szybko spotkać. A więc jesteśmy umówieni. Rzeczy tego rodzaju nie sprawiają mi przyjemności, chyba że jestem w towarzystwie młodej osoby. Człowiek w moim wieku potrzebuje zaraźliwej młodości ducha i towarzystwa kogoś, komu wszystko sprawia spontaniczną radość. Do widzenia. Spotkamy się dzisiaj wieczorem.

W tym momencie stałem już na drodze. Zamknąłem drzwi do powozu, pożegnałem się z nim, a on odjechał.

11

Gospoda Le Dragon Volant

Rozejrzałem się dookoła.

Budynek był malowniczy, drzewa jeszcze bardziej to podkreślały. Antyczny i odludny charakter scenerii kontrastował dziwnie z blichtrem i zgiełkiem paryskiego życia, do którego przywykło moje ucho i oko.

Przyglądałem się przez minutę lub dwie wspaniałemu staremu symbolowi. Potem obejrzałem bardziej dokładnie dom z zewnątrz. Był duży i solidny — pasował bardziej do mojego wyobrażenia o starożytnej angielskiej gospodzie, w której mogliby się zatrzymać kanterberyjscy pielgrzymi, niż francuskiego domu rozrywki. Z wyjątkiem, w istocie, okrągłej wieżyczki po lewej stronie domu, zakończonej dachem w kształcie gaśnicy, sugerującej francuski *château*.

Wszedłem do środka i przedstawiłem się jako monsieur Beckett, dla którego został zarezerwowany pokój. Zostałem przyjęty z wszelkimi przywilejami należnymi angielskiemu milordowi, oczywiście z niewyobrażalnie dużą sakwą.

Gospodarz zaprowadził mnie do mojego apartamentu. Był to duży pokój, trochę posępny, wyłożony ciemnymi drewnianymi panelami i umeblowany w dostojnym i ponurym stylu, który dawno wyszedł z mody. Znajdował się w nim szeroki kominek, zwieńczony ciężką półką z płaskorzeźbami herbów, w których mógłbym, gdybym był na tyle zainteresowany, doszukać się podobieństwa do heraldyki na zewnętrznych ścianach. Było w tym wszystkim coś interesującego, melancholijnego, a nawet przygnębiającego. Podszedłem do okna z kamiennym laskowaniem i wyjrzałem na mały park z grubymi drzewami, stanowiącymi tło dla *château*, który chlubił się prawdziwą gęstwiną takich wieżyczek ze stożkowym zakończeniem, o jakich przed chwilą wspominałem.

Drzewa i *château* były obiektami przygnębiającymi. Nosiły oznaki zaniedbania i nieomal rozpadu, a smutek przebrzmiałej świetności i nastrój opuszczenia unosił się złowieszczo nad całą scenerią.

Zapytałem mojego gospodarza o nazwę *château*.

— To, monsieur, jest Château de la Carque — odparł.

— Wielka szkoda, że jest taki zaniedbany — zauważyłem. — Powinienem być może powiedzieć, że to szkoda, iż jego właściciel nie jest bardziej zamożny?

— Być może tak, monsieur.

— Być może — powtórzyłem i spojrzałem na niego. — W takim razie przypuszczam, że nie jest zbytnio lubiany.

— Ani tak, ani nie, monsieur — odpowiedział. — Chodziło mi tylko o to, że trudno powiedzieć, jak mógłby spożytkować swoje bogactwa.

— A kto to jest? — zapytałem.

— Hrabia de Saint Alyre.

— Ach! Hrabia! Jest pan pewien? — zapytałem z ogromnym zainteresowaniem.

Tym razem to właściciel gospody spojrzał na mnie badawczo.

— Zupełnie pewien, monsieur, hrabia de Saint Alyre.

— Czy spędza dużo czasu w tych stronach?

— Niezbyt dużo, monsieur, często bywa nieobecny przez dłuższy czas.

— A czy jest biedny? — dopytywałem.

— Płacę mu za wynajem tego domu. To niezbyt dużo, ale zauważyłem, że za każdym razem nie może się już doczekać — odparł, uśmiechając się sarkastycznie.

— Z tego jednak, co słyszałem, myślałbym, że nie może być bardzo biedny — kontynuowałem.

— Mówią, monsieur, że gra. Nie wiem. Na pewno nie jest bogaty. Około siedmiu miesięcy temu jego krewny zmarł w odległym miejscu. Jego ciało zostało przysłane do domu hrabiego i pochowane przez niego na Père Lachaise, tak jak życzył sobie biedny dżentelmen. Hrabia bardzo to przeżywał, chociaż otrzymał całkiem spory spadek, mówią, w związku z tą śmiercią. Ale pieniądze zdają się nigdy nie wychodzić mu na dobre w żadnym czasie.

— Jest stary, jak sądzę.

— Stary? Nazywamy go „Żydem Wiecznym Tuła-

czem"*, z tą różnicą w istocie, że nie zawsze ma przy sobie swoje pięć sou. Mimo to, monsieur, jest bardzo odważny. Wziął sobie młodą i piękną żonę.

— A ona? — zachęcałem.

— To hrabina de Saint Alyre.

— Tak, ale przypuszczam, że można o niej powiedzieć coś więcej? Ma jakieś przymioty?

— Trzy, monsieur, trzy przynajmniej, wielce przyjemne.

— Ach! A co to za przymioty?

— Młodość, uroda i... diamenty.

Roześmiałem się. Sprytny starszy dżentelmen chciał rozbudzić moją ciekawość.

— Rozumiem, przyjacielu — powiedziałem — obawiasz się...

— Kłótni z hrabią — dokończył. — To prawda. Widzi monsieur, mógłby przysporzyć mi kłopotów na dwa lub trzy sposoby, i ja podobnie. Ale, ogółem rzecz biorąc, lepiej jest, jak każdy z nas zajmuje się swoimi sprawami, a razem utrzymujemy pokojowe relacje, rozumie monsieur.

I tak nie było sensu naciskać na niego, przynajmniej teraz. Być może nie miał nic do opowiedzenia. Gdybym myślał inaczej, za jakiś czas mógłbym spró-

---

* Żyd Wieczny Tułacz (Ahaswerus, Aswerus) — legendarna postać Żyda, który miał znieważyć czynnie Chrystusa idącego z krzyżem na Golgotę, za co został ukarany wieczną tułaczką po świecie [przyp. tłum.].

bować wpływu kilku napoleonów. Być może chciał je ze mnie wydobyć.

Gospodarz Le Dragon Volant był starszym człowiekiem, szczupłym, opalonym, inteligentnym, i robił wrażenie zdecydowanego, w dosłownym wojskowym stylu. Dowiedziałem się później, że służył pod Napoleonem w jego wczesnych włoskich kampaniach.

— Jedno pytanie, na które, jak myślę, może pan odpowiedzieć, nie ryzykując kłótni. Czy hrabia jest w domu?

— Ma wiele domów, domyślam się — odparł wymijająco gospodarz. — Ale, ale… myślę, że mogę powiedzieć, monsieur, iż przebywa obecnie, jak mi się wydaje, w Château de la Carque.

Wyjrzałem przez okno, bardziej zainteresowany niż kiedykolwiek, ponad falującymi ziemiami, na *château*, z jego posępnym tłem, jakie stanowiło listowie.

— Widziałem go dzisiaj w jego powozie w Wersalu — rzuciłem.

— Bardzo typowe.

— W takim razie jego powóz i konie, i służący są w *château*?

— Swój powóz przechowuje tutaj, monsieur, a służący są wynajmowani za każdym razem. Tylko jeden śpi w *château*. Takie życie musi być przerażające dla madame hrabiny — odparł.

Stary skąpiec! — pomyślałem. — Poprzez te tortury ma nadzieję zmusić ją do oddania diamentów. Co za życie! Z jakimi wrogami musi ona walczyć — z zazdrością i uciskiem!

I tak wierny rycerz, wygłosiwszy do siebie płomienną mowę, obrzucił jeszcze raz spojrzeniem zamek czarodzieja i westchnął głęboko — z tęsknoty, oddania i miłości.

Jakimże głupcem byłem! A mimo to, czy w oczach aniołów stajemy się mądrzejsi, w miarę jak się starzejemy? Wydaje mi się, że jedynie nasze iluzje zmieniają się z upływem naszego życia, ale my mimo to jesteśmy takimi samymi szaleńcami.

— No cóż, Saint Clair — zwróciłem się do służącego, gdy wszedł i zaczął układać moje rzeczy. — Masz miejsce do spania?

— Na strychu, monsieur, pośród pająków i *par ma foi**, kotów i sów! Ale dogadujemy się świetnie. *Vive la bagatelle!***

— Nie miałem pojęcia, że będą takie tłumy.

— Głównie służący, monsieur, tych ludzi, którzy mieli dość szczęścia, żeby dostać apartamenty w Wersalu.

— A co myślisz o Le Dragon Volant!

— Le Dragon Volant, monsieur? Stary ognisty smok? Diabeł wcielony, jeśli to wszystko prawda! Na wiarę chrześcijanina, monsieur, mówią, że w tym domu miały miejsce diabelskie cuda.

---

* *Par ma foi* (franc.) — proszę mi wierzyć.

** *Vive la bagatelle* (franc.) — niech żyje zabawa.

— Co masz na myśli? Duchy?

— Ależ nie, sir. Chciałbym, żeby nie było to coś gorszego. Duchy? Nie! Ludzie, którzy nigdy nie wracali... którzy zniknęli na oczach połowy tuzina osób patrzących na nich.

— Co masz na myśli, Saint Clair? Chętnie posłucham tej historii o cudzie, o czymkolwiek ona jest.

— Chodzi tylko o to, monsieur, że były koniuszy świętej pamięci króla, który został pozbawiony głowy... monsieur będzie uprzejmy sobie przypomnieć, w czasie rewolucji... uzyskawszy pozwolenie cesarza na powrót do Francji, mieszkał w tym hotelu przez miesiąc, a gdy ten czas upłynął, zniknął, rozpłynął się, tak jak panu mówiłem, na oczach połowy tuzina wiarygodnych świadków! Drugi był rosyjskim arystokratą, mającym ponad metr osiemdziesiąt wzrostu, który stojąc na środku pokoju na dole, opisując siedmiu dżentelmenom o niekwestionowanej wiarygodności ostatnie chwile życia Piotra Wielkiego i trzymając kieliszek *eau de vie** w lewej dłoni i swoją *tasse de café*, nieomal pustą, w prawej, w podobny sposób zniknął. Jego buty znaleziono na podłodze, w miejscu, w którym stał, a dżentelmen po jego prawej stronie znalazł, ku swojemu zdziwieniu, jego filiżankę kawy w swojej ręce, a dżentelmen po lewej jego kieliszek *eau de vie*...

— Którą wypił z konsternacji — dodałem.

---

* *Eau de vie* (franc.) — wódka.

— Który został zachowany przez trzy lata pośród ciekawych przedmiotów tego domu i który został rozbity przez *curé** podczas rozmowy z mademoiselle Fidone w pokoju gospodarza, ale o samym rosyjskim arystokracie nikt już nigdy nie słyszał. *Parbleu!* Gdy będziemy opuszczać Le Dragon Volant, mam nadzieję, że będzie to przez drzwi. Dowiedziałem się tego wszystkiego od woźnicy, który nas dzisiaj wiózł.

— W takim razie to musi być prawda! — zawołałem żartobliwie, ale zaczynałem odczuwać posępność widoku i komnaty, w której mieszkałem.

Ogarnęło mnie, nie wiem jak, przeczucie czegoś złego i mój żart był na siłę, a moje dobre samopoczucie mnie opuściło.

---

* *Curé* (franc.) — proboszcz.

12

Magik

Trudno było sobie wyobrazić bardziej olśniewające widowisko niż ten bal kostiumowy. Ze wszystkich pozostałych *salons** i galerii otwartych dla gości roztaczał się widok na Grande Galerie des Glaces**, oświetloną na tę okazję nie mniej niż czterema tysiącami świec woskowych, których światło odbijało się i było potęgowane przez wszystkie lustra, tworząc olśniewający efekt. Niezliczona liczba salonów była zatłoczona gośćmi w maskach, we wszelkich wyobrażalnych kostiumach. Nie było ani jednego pustego pokoju. Każde miejsce tętniło muzyką, głosami, cudownymi kolorami, błyskiem klejnotów i wesołością improwizowanej komedii, wszystkimi żywiołowymi zdarzeniami sprytnie prowadzonej maskarady. Nigdy wcześniej nie widziałem niczego w najmniejszym stopniu porównywalnego do tej *fête****. Wędrowałem leniwie w swoim stroju domina i masce, przystając od czasu do czasu, żeby posłuchać jakiegoś dowcipnego dialogu, farsowej piosenki

---

* *Salons* (franc.) — salony.

** *Grande Galerie des Glaces* (franc.) — Galeria Zwierciadlana w Wersalu.

*** *Fête* (franc.) — zabawa.

lub zabawnego monologu, ale jednocześnie rozglądałem się dookoła, na wypadek gdyby mój przyjaciel w czarnym stroju domina, z małym białym krzyżem na piersi, przeszedł obok mnie.

Zwalniałem i rozglądałem się dookoła, szczególnie przy każdych drzwiach, które mijałem, tak jak uzgodniliśmy z markizem, ale do tej pory się nie pojawił.

Gdy tak delektowałem się esencją luksusu leniwej rozrywki, zobaczyłem pozłacaną lektykę w chińskim stylu, z baldachimem, pyszniącą się fantastycznym przepychem „niebiańskiej" dekoracji, niesioną na złoconych drągach przez czterech bogato ubranych Chińczyków. Jeden z różdżką w dłoni maszerował przed lektyką, a drugi za. Jeszcze jeden, szczupły i dystyngowany mężczyzna z długą czarną brodą i w wysokim fezie, w jakim zazwyczaj przedstawia się derwiszów, szedł tuż u jej boku. Dziwnie wyszywana szata spływała mu z ramion; była pokryta hieroglificznymi symbolami — haft był czarny i złoty, na wielobarwnym tle żywych kolorów — i przewiązana szerokim złotym pasem, we wzór z kabalistycznych figur w ciemnoczerwonym i czarnym kolorze. Spod szaty były widoczne czerwone rajtuzy i buty haftowane złotem, z długimi szpicami, zawiniętymi do góry, w stylu orientalnym. Twarz mężczyzny była ciemna, skupiona i poważna, jego brwi zaś czarne i ogromnie grube, pod jednym ramieniem niósł szczególnie wyglądającą książkę, a w drugiej dłoni różdżkę z czarnego wypolerowanego drewna. Mężczyzna szedł z tak nisko opuszczoną głową, że podbródkiem nieomal dotykał piersi, jego oczy były utkwione w podłodze. Z przodu machał swoją różdżką w prawo i w lewo, żeby zrobić miejsce dla niesionej lektyki, której kotary pozostawały zasunięte. Było coś tak wyjątkowego, dziwnego i dostojnego w całym tym widowisku, że natychmiast poczułem się nim zainteresowany.

Czułem najprawdziwsze zadowolenie, gdy zobaczyłem, że tragarze umieszczają swój ciężar w odległości zaledwie kilku metrów od miejsca, w którym stałem.

Tragarze i mężczyźni ze złoconymi różdżkami klasnęli następnie w dłonie i w ciszy odtańczyli wokół lektyki dziwny i na wpół szaleńczy taniec, który mimo to, jeśli chodzi o figury i kroki, był wysoce metodyczny. Wkrótce dołączyło do tego klaskanie w dłonie i bardzo rytmiczny akompaniament ze słów „ha-ha-ha".

W czasie gdy trwał taniec, na moim ramieniu ktoś oparł lekko dłoń; odwracając się, zobaczyłem, że obok mnie stoi czarne domino z białym krzyżem.

— Tak się cieszę, że pana znalazłem — przywitał mnie markiz — i to w tej chwili. To najlepsza ze wszystkich trup. Musi porozmawiać pan z czarnoksiężnikiem. Mniej więcej godzinę temu natknąłem się na nich w innym salonie i zasięgnąłem opinii wyroczni, zadając jej pytania. Nigdy nie byłem tak

zaskoczony. Mimo że jego odpowiedzi były trochę zawoalowane, szybko stało się oczywiste, że zna każdy szczegół biznesu, o którym nikt na tym świecie nie wie, z wyjątkiem mnie i dwóch albo trzech innych mężczyzn, chyba najbardziej ostrożnych osób we Francji. Nigdy nie zapomnę tego szoku. Widziałem innych ludzi, którzy zasięgali jego opinii, wyraźnie tak samo zaskoczonych i przerażonych bardziej niż ja. Przybyłem z hrabią de Saint Alyre i hrabiną.

Skinął głową w kierunku szczupłej osoby, również w stroju domina. To był hrabia.

— Proszę pójść za mną — powiedział — przedstawię pana.

Poszedłem za nim, jak możecie przypuszczać, z ogromną chęcią.

Markiz przedstawił mnie, posługując się bardzo zgrabnie ujętą aluzją do mojej pomyślnej interwencji na jego korzyść w Belle Etoile, a hrabia obsypał mnie uprzejmymi słowami i zakończył, mówiąc coś, co ucieszyło mnie jeszcze bardziej:

— Hrabina jest w pobliżu, w sąsiednim salonie, rozmawia ze swoją starą przyjaciółką, księżną d'Argensaque, pójdę po nią za kilka minut, a gdy ją przyprowadzę, pozna pana i podziękuje również za pomoc, udzieloną z taką ogromną odwagą, gdy w tak nieprzyjemny sposób nas zaatakowano.

— Musi pan absolutnie porozmawiać z magikiem — nakłaniał markiz hrabiego de Saint Alyre — tak pana rozbawi. Ja to zrobiłem i zapewniam pana, ni-

gdy nie spodziewałbym się takich odpowiedzi! Sam nie wiem, co mam o tym myśleć.

— Naprawdę? W takim razie ze wszech miar spróbujmy — odparł.

Nasza trójka zbliżyła się do lektyki od strony, gdzie stał magik z czarną brodą.

Młody mężczyzna w hiszpańskim stroju, który z przyjacielem u boku przed chwilą skończył rozmowę ze sztukmistrzem, mówił, mijając nas:

— Cóż za pomysłowa mistyfikacja! Kim jest ta osoba w lektyce? Zdaje się, że zna każdego!

Hrabia, w masce i stroju domina, zmierzał szybko razem z nami do lektyki. Chińscy pomocnicy utrzymywali wolną przestrzeń, a widzowie tłoczyli się, tworząc wokół krąg. Jeden z mężczyzn — ten, który ze złoconą różdżką szedł przed procesją — zbliżył się do nas, wyciągając w naszą stronę rękę z wewnętrzną częścią dłoni skierowaną do góry.

— Pieniądze? — zapytał hrabia.

— Złoto — odparł asystent.

Hrabia położył monetę na jego dłoni i zostaliśmy z markizem po kolei poproszeni o to samo, gdy wchodziliśmy do kręgu. Uiściliśmy stosowną opłatę.

Czarnoksiężnik stał obok lektyki, trzymając w ręce jedwabną kurtynę; podbródek ze swoją długą kruczoczarną brodą miał opuszczony na piersi, a w dłoni trzymał czarną laskę, na której się opierał. Wzrok miał opuszczony, tak jak poprzednio, wbity w ziemię, a jego twarz wyglądała na całkowicie ka-

mienną. W istocie, nigdy nie widziałem twarzy ani postaci tak nieruchomej, chyba że po śmierci.

Pierwsze pytanie, jakie hrabia zadał, brzmiało:

— Jestem żonaty czy nie?

Czarnoksiężnik odsunął szybko kotarę, zbliżył ucho do bogato ubranego Chińczyka, który siedział w lektyce, wysunął z powrotem głowę, znowu zasunął kurtynę, a potem odpowiedział:

— Tak.

Ten sam rytuał powtarzał się za każdym razem, tak że mężczyzna z czarną różdżką jawił się nie jako prorok, ale jako medium, i odpowiadał, jak się wydawało, słowami potężniejszego niż on sam.

Nastąpiły dwa lub trzy kolejne pytania, na które odpowiedzi zdawały się bawić markiza niesłychanie, ale których znaczenia nie rozumiałem, ponieważ nie wiedziałem prawie nic o szczególnych cechach i przygodach hrabiego.

— Czy moja żona mnie kocha? — zapytał wesoło.

— Na tyle, na ile pan zasługuje.

— Kogo kocham najbardziej na świecie?

— Siebie.

— Ach! To akurat, myślę, można powiedzieć o każdym. Ale zostawiając mnie na boku, czy kocham cokolwiek na tym świecie bardziej niż moją żonę?

— Jej diamenty.

— Ach! — westchnął hrabia.

Markiz, widziałem, roześmiał się.

— Czy to prawda — spytał hrabia, zmieniając bezceremonialnie temat rozmowy — że pod Neapolem doszło do bitwy?

— Nie, we Francji.

— Doprawdy? — odparł hrabia, kpiącym wzrokiem rozglądając się dokoła. — A mogę zapytać, pomiędzy jakimi siłami i co konkretnie było punktem spornym?

— Pomiędzy hrabią i hrabiną de Saint Alyre, a spór był w sprawie dokumentu, który podpisali 25 czerwca 1811 roku.

Markiz wyjaśnił mi potem, że była to data podpisania ich kontraktu ślubnego.

Hrabia stał jak słup soli przez jakąś minutę i można było odnieść wrażenie, że przez maskę widać, jak jego twarz pokryła się pąsem.

Nikt, tylko my dwaj wiedzieliśmy, że pytającym był hrabia de Saint Alyre.

Wydawało mi się, że miał problemy ze znalezieniem tematu swojego kolejnego pytania i być może żałował, że dał się wciągnąć w tę konwersację. Jeśli tak, to został wybawiony, ponieważ markiz, dotykając jego ramienia, szepnął:

— Proszę spojrzeć na prawo i zobaczyć, kto się zbliża.

Spojrzałem w kierunku, który wskazywał markiz, i zobaczyłem wymizerowaną postać, zbliżającą się do nas. Postać nie miała maski. Jej twarz była szeroka, nosiła ślady blizn i była blada. Jednym słowem, była to brzydka twarz pułkownika Gaillarde'a w ko-

stiumie kaprala gwardii cesarskiej, który trzymał lewą rękę ułożoną tak, żeby wyglądała jak kikut, pozostawiając dolną część rękawa pustą i przypiętą do munduru na piersi. Paski bardzo prawdziwego plastra biegły w poprzek jego jednej brwi i skroni, w miejscu gdzie moja laska pozostawiła swój ślad, który odtąd miał zająć miejsce pośród najbardziej honorowych blizn wojny.

13

Wyrocznia opowiada mi cuda

Zapomniałem na chwilę, jak nieprzeniknione były moja maska i strój domina dla surowego spojrzenia starego weterana, i już przygotowywałem się do zaciekłej przepychanki. Trwało to jedynie chwilę, oczywiście, ale hrabia ostrożnie się wycofał, gdy przechwalający się kapral w błękitnym mundurze, białej kamizelce i białych getrach — albowiem mój przyjaciel Gaillarde był równie głośny i zamaszysty w swojej przybranej roli, co w tej rzeczywistej, pułkownika dragonów — się zbliżał. Niewiele brakowało, a już dwa razy zostałby wyrzucony za wychwalanie wyczynów wielkiego Napoleona w groteskowo heroikomiczny sposób i nieomal wdał się w bijatykę z pruskim huzarem. To prawda, wdałby się już w kilka krwawych bójek, gdyby rozsądek nie podpowiadał mu, że jego przedwczesne usunięcie z tej świątecznej scenerii, której był ozdobą, w towarzystwie kilku żandarmów nie pomogłoby mu raczej w osiągnięciu celu, dla jakiego przede wszystkim tutaj przybył, a mianowicie zaaranżowania spotkania z zamożną wdową, na której, jak wierzył, zrobił bardzo czułe wrażenie.

— Pieniądze! Złoto! Fe! Jakie pieniądze mógłby zgromadzić raniony żołnierz, taki jak wasz pokorny

sługa, któremu pozostała jedynie lewa ręka do walki, która będąc w oczywisty sposób zajęta, nie pozostawia do jego dyspozycji ani jednego palca, którym mógłby zagarnąć zdobyczne dobra poskromionego wroga?

— Żadnego złota od niego — stwierdził magik. — Jego blizny świadczą za nim.

— *Bravo, monsieur le Prophète!** *Bravissimo!* Oto jestem! Czy mam zaczynać, *mon sorcier***, bez zbędnego ociągania się zadawać ci pytania?

Nie czekając na odpowiedź, zaczął stentorowym głosem.

Po około połowie tuzina pytań i odpowiedzi zapytał:

— Kogo obecnie ścigam?

— Dwie osoby.

— Ha! Dwie? No cóż, kim one są?

— Jedna to Anglik. Jeśli go złapiesz, zabije cię. Druga to francuska wdowa. Jeśli ją znajdziesz, napluje ci w twarz.

— *Monsieur le Magicien**** nie przebiera w słowach i wie, że jego przebranie go chroni. Nieważne! Dlaczego ich ścigam?

— Wdowa zraniła twe serce, Anglik twoją głowę. Każde z nich z osobna jest dla ciebie zbyt silne, uważaj, aby twój pościg ich nie połączył.

---

* *Prophète* (franc.) — prorok.

** *Sorcier* (franc.) — czarnoksiężnik.

*** *Magicien* (franc.) — magik.

— Fe! Jak mogłoby do tego dojść?

— Anglik broni dam. Wbił ci ten fakt do głowy. Wdowa, jeśli go ujrzy, wyjdzie za niego za mąż. Dojdzie bowiem do wniosku, że potrzeba trochę czasu, żeby zostać pułkownikiem, a Anglik jest bez wątpienia młody.

— Sam utnę mu jego grzebień — wyrzucił z siebie, przeklinając i uśmiechając się, a potem łagodniejszym tonem zapytał: — Gdzie ona jest?

— Dość blisko, by poczuła się urażona, jeśli ci się nie uda.

— Zupełnie słusznie, jak mi życie miłe. Masz rację, *monsieur le Prophète!* Stokrotne dzięki! Żegnaj!

I rozglądając się dookoła, wyciągając przy tym swoją chudą szyję najwyżej, jak potrafił, odmaszerował ze swoimi bliznami, białą kamizelką, getrami i czakiem ze skóry niedźwiedzia.

Próbowałem zobaczyć osobę, która siedziała w lektyce. Tylko raz udało mi się zajrzeć do środka przez wystarczająco długą chwilę. Zobaczyłem coś wyjątkowego. *Prophète* był ubrany, jak już mówiłem, bardzo bogato, w chińskim stylu, ponadto był postacią zupełnie innego rodzaju niż tłumacz, który stał na zewnątrz. Rysy mężczyzny wydawały mi się grube i ciężkie, głowę miał zwieszoną, oczy zamknięte, a podbródek opierał się na piersi, na haftowanej pelisie. Jego twarz wydawała się zastygła i bardzo apatyczna. Jego charakter i poza zdawały się wyolbrzymioną wersją bezruchu całej postaci, która komunikowała się z hałaśliwym światem zewnętrznym. Jego twarz była czerwona jak krew, ale doszedłem do wniosku, że to było spowodowane światłem, które wpadało do środka przez czerwone jedwabne kotary. Wszystko to uderzyło mnie niemal w jednej chwili, nie miałem zbyt wielu sekund, żeby poczynić obserwację. Droga była teraz wolna i markiz powiedział:

— Idź, przyjacielu.

Tak też zrobiłem. Gdy doszedłem do magika, jak nazywaliśmy mężczyznę z czarną różdżką, spojrzałem przez ramię, żeby sprawdzić, czy hrabia stoi w pobliżu.

Nie, był kilka metrów za mną, i on, i markiz, którego ciekawość wydawała się zaspokojona, rozmawiali teraz ogólnie na jakiś temat, oczywiście zupełnie inny.

Odczułem ulgę, bo mędrzec zdawał się zdradzać sekrety w zupełnie niespodziewany sposób, a niektóre z moich tajemnic mogły nie spodobać się hrabiemu.

Myślałem przez chwilę. Chciałem sprawdzić proroka. Kościół anglikański był *rara avis** w Paryżu.

— Jaka jest moja religia? — zapytałem.

— Piękna herezja — odpowiedziała wyrocznia natychmiast.

— Herezja? A mogę zapytać, jak się nazywa?

---

* *Rara avis* (łac.) — biały kruk, rzadkość.

— Miłość.

— Ach! W takim razie przypuszczam, że jestem politeistą i kocham wielu.

— Jedną.

— Ale mówiąc poważnie — spytałem, zamierzając przekierować bieg naszej rozmowy na nieco mniej krępujący temat — czy nauczyłem się kiedykolwiek jakichś słów oddania na pamięć?

— Tak.

— Czy możesz je powtórzyć?

— Zbliż się.

Tak uczyniłem i pochyliłem się, przybliżając ucho. Mężczyzna z czarną różdżką zasunął kotarę i wyszeptał wolno i wyraźnie te słowa, które, nie muszę wam mówić, natychmiast rozpoznałem: „Może już nigdy cię nie zobaczę i… Ach! Gdybym tylko mogła cię zapomnieć. Idź… żegnaj… na litość boską, idź!".

Osłupiałem, słysząc je. Były to, jak wiecie, ostatnie słowa wyszeptane do mnie przez hrabinę.

Wielkie nieba! Niesamowite! Słowa, których z pewnością do tej pory nie słyszało żadne inne ucho na ziemi z wyjątkiem mojego i damy, która je wypowiedziała.

Spojrzałem na beznamiętną twarz mówcy z różdżką.

Nie dostrzegłem żadnego śladu sugestii ani nawet świadomości, że słowa, które wypowiedział, mogłyby mnie w najmniejszym stopniu zainteresować.

— Czego pragnę najbardziej? — zapytałem, ledwie zdając sobie sprawę z tego, co mówię.

— Raju.

— A co mnie powstrzymuje przed sięgnięciem po niego?

— Czarna woalka.

Coraz bardziej i bardziej! Wydawało mi się, że odpowiedzi wskazują na drobiazgową znajomość każdego szczegółu mojego małego romansu, o którym nawet markiz nic nie wiedział! A ja, pytający, w masce i odziany tak, że mój rodzony brat by mnie nie rozpoznał!

— Mówiłeś, że kocham kogoś. Czy moja miłość jest odwzajemniona? — zapytałem.

— Przekonaj się.

Mówiłem ciszej niż przedtem i stałem blisko ciemnoskórego mężczyzny z brodą, żeby nie musiał mówić pełnym głosem.

— Czy ktoś mnie kocha? — powtórzyłem.

— Sekretnie — padła odpowiedź.

— Bardzo czy trochę? — zapytałem.

— Za bardzo.

— Jak długo będzie trwała ta miłość?

— Aż róża zgubi swe płatki.

— Róża... kolejna aluzja!

— Potem... ciemność!

Westchnąłem.

— Ale do tej pory będę żył w blasku.

— W blasku fiołkowych oczu.

Miłość, jeśli nie religia, jak to właśnie ogłosiła wyrocznia, jest co najmniej rodzajem przesądu. Jak porusza wyobraźnię! Jak paraliżuje umysł! Jakimi łatwowiernymi nas czyni!

Wszystko to, z czego w przypadku kogoś innego bym się śmiał, jakże mocno działało na mnie. Roznieciło mój zapał, na wpół ogłupiło umysł, a nawet wpłynęło na moje postępowanie.

Rzecznik tej zadziwiającej sztuczki — jeśli była to sztuka — dał mi teraz różdżką sygnał do odejścia i oddaliłem się, z wzrokiem nadal utkwionym w grupie otoczonej teraz w mojej wyobraźni aurą tajemniczości. Wycofując się w kierunku kręgu widzów, zobaczyłem, jak unosi on nagle dłoń, gestem polecenia dając znak odźwiernemu, który niósł na przedzie złotą różdżkę.

Odźwierny stuknął różdżką w podłogę i przenikliwym głosem obwieścił:

— Wielki Confu będzie milczał przez godzinę.

Tragarze natychmiast opuścili rodzaj żaluzji z bambusa, które opadły z głośnym hukiem, i zabezpieczyli je na dole. Następnie mężczyzna w wysokim fezie, z czarną brodą i różdżką, rozpoczął rodzaj derwiszowego tańca. W tańcu tym dołączyli do niego mężczyźni ze złotymi różdżkami, a w końcu tragarze, tworząc zewnętrzny krąg, lektyka zaś pozostawała w centrum kół kreślonych przez skupionych tancerzy, których tempo stopniowo rosło, a gesty stawały się gwałtowne, dziwne, oszalałe, w miarę jak ich

ruch robił się coraz szybszy, aż w końcu wir był tak gwałtowny, że tancerze zdawali się frunąć z prędkością koła młyńskiego, i pośród ogólnego klaskania w dłonie i powszechnego zachwytu ci dziwni artyści wmieszali się w tłum, a występ przynajmniej w tej chwili dobiegł końca.

Markiz d'Harmonville stał niedaleko, wpatrując się w podłogę, jak można było wywnioskować z jego postawy, i rozmyślając. Podszedłem do niego, a on oświadczył:

— Hrabia właśnie poszedł szukać swojej żony. Wielka szkoda, że nie było jej tutaj i nie mogła zadać paru pytań wyroczni; byłoby zabawnie, śmiem twierdzić, widzieć, jak hrabia to znosi. Może pójdziemy za nim. Poprosiłem go, żeby pana przedstawił.

Z bijącym sercem ruszyłem za markizem d'Harmonville'em.

14

Mademoiselle de la Vallière

Wędrowaliśmy przez *salons*, markiz i ja. Nie było łatwo znaleźć przyjaciela w tak zatłoczonych komnatach.

— Proszę tutaj zostać — polecił markiz. — Przyszedł mi do głowy pomysł, jak go znaleźć. Poza tym, być może jego zazdrość ostrzegła go, że raczej nic nie zyska, przedstawiając pana swojej żonie. Pójdę lepiej i przekonam go, skoro tak bardzo panu zależy, aby zostać przedstawionym.

Zdarzyło się to w komnacie, która teraz nazywa się Salon d'Apollon. Nadal pamiętam obrazy, jakie wisiały w tej sali, i przygoda, która mnie spotkała tego wieczoru, miała wydarzyć się tutaj.

Usiadłem na sofie i rozejrzałem się dookoła. Trzy lub cztery osoby oprócz mnie siedziały na tym przestronnym pozłacanym meblu. Wszystkie gawędziły wesoło, wszystkie z wyjątkiem jednej osoby, która siedziała obok mnie i była damą. Dzieliło nas dobre pół metra. Dama siedziała najwyraźniej zadumana. Nic nie mogło być bardziej wdzięczne. Była ubrana w kostium uwieczniony na portrecie Mademoiselle de la Vallière Collignana. Jest on, jak wiecie, nie tylko bogaty, ale i elegancki. Miała upudrowane włosy, ale było widać, że ich naturalny kolor to ciemny brąz.

Jedna śliczna stopa była widoczna, a czyż mogło być coś bardziej pięknego niż jej dłoń?

Fakt, że dama ta miała na twarzy maskę i nie trzymała jej, jak wielu innych, ani przez chwilę w dłoni, był wysoce prowokujący.

Nabrałem przekonania, że jest ładna. Korzystając z przywileju, jaki oferuje maskarada — mikrokosmos, w którym rozróżnienie przyjaciela od wroga jest niemożliwe, chyba że poprzez głos i aluzję — przemówiłem:

— Nie jest łatwo, mademoiselle, mnie oszukać — zacząłem.

— Tym lepiej dla monsieur — cicho odparła kobieta w masce.

— Chodzi mi o to — powiedziałem zdeterminowany dokończyć moją szaradę — że piękno jest darem dużo trudniejszym do ukrycia, niż mademoiselle przypuszcza.

— Mimo to panu udało się to wyśmienicie — odparła tym samym słodkim i lekkim tonem.

— Widzę przebranie pięknej mademoiselle de la Vallière na postaci, która przewyższa model, podnoszę wzrok i dostrzegam maskę, a mimo to rozpoznaję damę. Piękno jest jak ten cenny klejnot z *Baśni tysiąca i jednej nocy*, który promienieje bez względu na to, jak jest ukryty, światłem, które go zdradza.

— Znam tę opowieść — odparła młoda dama. — Światło zdradziło go nie w słońcu, ale w ciemności. Czyż jest w tych pokojach tak mało światła, monsieur, że biedny świetlik jest tak bardzo widoczny? Myślałam, że znajdujemy się w oślepiającym blasku, gdziekolwiek przebywa pewna hrabina.

Otóż i niezręczna mowa! Jak miałem odpowiedzieć? Ta dama mogła być, jak mówi się o pewnych damach, intrygantką albo powierniczką hrabiny de Saint Alyre. Ostrożnie więc zapytałem:

— Jaka hrabina?

— Jeśli pan mnie zna, musi pan wiedzieć, że jest moją najdroższą przyjaciółką. Czyż nie jest piękna?

— Jakże mogę odpowiedzieć? Jest tak wiele hrabin.

— Każdy, kto mnie zna, wie, kto jest moją najdroższą przyjaciółką. Pan mnie nie zna.

— To okrutne. Trudno mi uwierzyć, że się mylę.

— Z kim pan szedł przed chwilą? — zapytała.

— Z dżentelmenem, przyjacielem — odpowiedziałem.

— Widziałam go, oczywiście. Przyjaciel. Ale wydaje mi się, że go znam, i chciałabym być pewna. Czy to nie pewien markiz?

Oto było kolejne pytanie, niezwykle niewygodne.

— Jest tutaj tak wielu ludzi, można iść w jednej chwili z jedną osobą, a w drugiej z inną, tak...

— Tak więc okrutna osoba nie ma problemów z unikaniem odpowiedzi na takie proste pytanie jak moje. Proszę wiedzieć zatem, raz na zawsze, że nic tak nie odstręcza wspaniałomyślnej osoby jak podejrzliwość. Pan, monsieur, jest bardzo dyskretny. Potraktuję pana w ten sam sposób.

— Mademoiselle by mną gardziła, gdybym zdradził sekret.

— Ale pan nie kryje przede mną żadnej tajemnicy. Naśladuje pan dyplomację swojego przyjaciela. Nie cierpię dyplomacji. Oznacza oszustwo i tchórzostwo. Czyż nie wie pan, że go znam? Dżentelmena z krzyżem z białej wstążki na piersi. Znam markiza d'Harmonville'a doskonale. Widzi pan, na ile się zdała pana pomysłowość?

— Na te domysły nie mogę odpowiedzieć ani tak, ani nie.

— Udawał pan, że mnie zna, ale pan mnie nie zna. Z kaprysu albo z nudy, albo z ciekawości chciał pan porozmawiać nie z damą, ale z kostiumem. Wyraził pan podziw, lecz udaje pan, że pomylił mnie z inną. Ale kto jest doskonały? Czy można znaleźć jeszcze prawdę na tym świecie?

— Mademoiselle myli się co do mnie.

— I pan co do mnie; właśnie odkrył pan, że nie jestem taka głupiutka, jak pan myślał. Wiem dokładnie, kogo chciał pan zabawiać komplementami i melancholijnymi wyznaniami i kogo w tym przyjemnym celu pan poszukiwał.

— Proszę mi powiedzieć, kogo ma pani na myśli — poprosiłem.

— Pod jednym warunkiem.

— Jaki to warunek?

— Że przyzna się pan, jeśli zdradzę nazwisko damy.

— Przedstawia pani mój cel niesprawiedliwie —

zaoponowałem. — Nie mogę się zgodzić, że zamierzałem rozmawiać z jakąkolwiek damą w tonie, który pani opisuje.

— No cóż, nie zamierzam na to nalegać, jedynie jeśli wymienię nazwisko damy, obieca pan przyznać, że miałam rację.

— Czy muszę obiecać?

— Z pewnością nie, nie ma obowiązku, ale pańska obietnica jest jedynym warunkiem, pod którym zgodzę się odezwać do pana ponownie.

Zawahałem się przez chwilę, ale skąd mogłaby wiedzieć? Hrabina raczej nie zdradziłaby się z tym małym romansem przed nikim, a dama w kostiumie mademoiselle de la Vallière w żaden sposób nie mogła wiedzieć, kim jest osoba w stroju domina obok niej.

— Zgadzam się — odparłem. — Obiecuję.

— Musi pan obiecać na honor dżentelmena.

— Obiecuję na honor dżentelmena.

— W takim razie, ta dama to hrabina de Saint Alyre.

Byłem niewypowiedzianie zaskoczony, byłem zaniepokojony, ale pamiętałem o swojej obietnicy i odpowiedziałem:

— Hrabina de Saint Alyre jest bez wątpienia tą damą, której miałem nadzieję być dzisiaj przedstawiony, ale chciałbym jednocześnie najgoręcej panią zapewnić, na honor dżentelmena, że w najmniejszym nawet stopniu nie podejrzewa ona, że poszukiwałem takiego zaszczytu, ani najprawdopodobniej nie pamięta ona nawet, że taka osoba istnieje. Miałem honor oddać jej i hrabiemu drobną przysługę, zbyt drobną, obawiam się, żeby zasłużyć sobie na więcej niż godzinę pamięci.

— Świat nie jest taki niewdzięczny, jak pan przypuszcza, a nawet gdyby taki był, jest jednak kilka serc, które go zbawiają. Mogę wypowiedzieć się w imieniu hrabiny de Saint Alyre, że ona nigdy nie zapomina uprzejmości. Nie zawsze okazuje to, co czuje, bo jest nieszczęśliwa i nie może.

— Nieszczęśliwa! Obawiałem się w istocie, że może tak być. Ale co do całej reszty, którą jest pani tak dobra zakładać, to zaledwie pochlebne marzenie.

— Mówiłam panu, że jestem przyjaciółką hrabiny i jako taka muszę znać jej charakter. Również zwierzamy się sobie i mogę wiedzieć więcej, niż pan przypuszcza, o tych drobnych przysługach, o których pamięć wydaje się panu taka ulotna.

Wszystko to interesowało mnie coraz bardziej. Byłem tak arogancki jak inni młodzi mężczyźni i haniebność takich konkurów wydawała się nieistotna, gdy miłość własna i wszystkie namiętności, które towarzyszą takiemu romansowi, zostały we mnie rozbudzone. Obraz pięknej hrabiny przyćmił teraz ponownie ładny odpowiednik pod postacią de la Vallière, która była przede mną. Dałbym bardzo wiele, by usłyszeć poważnie i szczerze, że istotnie pamiętała bohatera, który dla jej dobra rzucił się na szpadę rozwścieczonego dragona jedynie z pałką w dłoni, ale zwyciężył.

— Mówi pani, że hrabina jest nieszczęśliwa — powiedziałem. — Co jest powodem jej nieszczęścia?

— Wiele rzeczy. Jej mąż to stary, zazdrosny tyran. Czy to nie wystarcza? Nawet jeśli uwolni się od jego towarzystwa, nadal jest samotna.

— Ale pani jest jej przyjaciółką — zauważyłem.

— I myśli pan, że jedna przyjaciółka wystarczy? — zapytała. — Ma tylko jedną osobę, przed którą może otworzyć serce.

— Czy jest miejsce dla innego przyjaciela?

— Proszę spróbować.

— Jak mam znaleźć sposób?

— Pomoże panu.

— Jak?

Odpowiedziała pytaniem:

— Czy udało się panu wynająć pokój w którymś hotelu w Wersalu?

— Niestety nie. Zatrzymałem się w gospodzie Le Dragon Volant, która stoi na obrzeżach posiadłości Château de la Carque.

— To jeszcze lepiej. Nie muszę pytać, czy ma pan dość odwagi, by przeżyć przygodę. Nie muszę pytać, czy jest pan człowiekiem honoru. Dama może panu zaufać i nie obawiać się niczego. Jest niewielu mężczyzn, którym audiencja, jaką zaaranżuję, mogłaby zostać udzielona bez obaw. Spotka ją pan dzisiaj o drugiej nad ranem w parku Château de la Carque. Który pokój zajmuje pan w Le Dragon Volant?

Byłem zaskoczony zuchwałością i zdecydowaniem tej dziewczyny. Czyżby, jak mówimy w Anglii, próbowała mnie naciągnąć?

— Mogę opisać to dokładnie — odparłem. — Patrząc od tyłu domu, w którym znajduje się mój apartament, jestem maksymalnie po prawej stronie, za rogiem i dzieli mnie od holu jedno piętro.

— Bardzo dobrze, musiał pan zauważyć, spoglądając na park, dwie lub trzy kępy kasztanów i lip, rosnące tak gęsto, że tworzą swojego rodzaju zagajnik. Musi pan wrócić do hotelu, przebrać się i zachowując absolutną dyskrecję odnośnie do powodu i miejsca pana wyjścia, opuścić Le Dragon Volant i przejść niezauważony przez mur. Z łatwością rozpozna pan zagajnik, o którym mówiłam, tam spotka pan hrabinę, która udzieli panu audiencji przez kilka minut, która będzie oczekiwała od pana absolutnej rezerwy i która wytłumaczy panu w kilku słowach dużo z tego, czego ja nie mogłam tak dobrze opowiedzieć panu dzisiaj.

Nie umiem opisać uczuć, jakie wywołały we mnie te poruszające słowa. Byłem zadziwiony. Następnie opadło mnie zwątpienie. Nie mogłem uwierzyć w to, co usłyszałem.

— Mademoiselle uwierzy mi, że gdybym tylko śmiał mieć pewność, iż takie wielkie szczęście i honor są mi przeznaczone, moja wdzięczność byłaby dozgonna? Ale jakże śmiałbym ufać, że mademoiselle nie mówi tak raczej ze swojej sympatii lub dobroci

niż z pewności, że hrabina de Saint Alyre uczyniłaby mi taki honor?

— Monsieur uważa, że albo nie jestem, jak twierdzę, wtajemniczona w sekret, który, jak do tej pory sądził, jest znany tylko hrabinie i jemu samemu, albo że okrutnie go oszukuję. Że zawierzyła mi ten sekret, przysięgam na wszystko co drogie, w wyszeptanym pożegnaniu. Na ostatniego towarzysza tego kwiatu! — Ujęła na chwilę między palce zwisającą główkę białego pączka róży, który był umieszczony w jej bukiecie. — Na moją własną szczęśliwą gwiazdę i jej... czy też mam ją nazwać *belle étoile*? Czy powiedziałam wystarczająco dużo?

— Wystarczająco dużo? — powtórzyłem. — Więcej niż trzeba, stokrotne dzięki.

— I będąc tak wtajemniczona w jej sekrety, jestem z pewnością jej przyjaciółką, a będąc przyjaciółką, czy byłoby miłe posługiwać się tak jej drogim imieniem, a wszystko po to, żeby zrobić panu — nieznajomemu — jakiś nikczemny żart?

— Mademoiselle mi wybaczy. Proszę pamiętać, jak cenna jest nadzieja spotkania i rozmowy z hrabiną. Czy to dziwne w takim razie, że tracę nadzieję? Przekonała mnie pani jednak i proszę mi wybaczyć moje wahanie.

— Będzie pan wobec tego w miejscu, które opisałam, o drugiej?

— Z pewnością — odparłem.

— I monsieur, wiem, nie zawiedzie ze strachu.

Nie, nie musi mnie monsieur zapewniać, odwaga pana już została udowodniona.

— Żadne niebezpieczeństwo w tym wypadku nie będzie przeze mnie niemile widziane.

— Czy nie byłoby lepiej, gdyby już pan poszedł i dołączył do swojego znajomego?

— Obiecałem, że poczekam tutaj na jego powrót. Hrabia de Saint Alyre mówił, że zamierza mnie przedstawić hrabinie.

— A monsieur jest tak prostoduszny, żeby mu wierzyć?

— Dlaczego nie miałbym mu wierzyć?

— Ponieważ jest zazdrosny i sprytny. Zobaczy pan. Nigdy nie przedstawi pana swojej żonie. Przyjdzie tutaj i powie, że nie może jej znaleźć, i obieca panu, że zrobi to następnym razem.

— Wydaje mi się, że widzę go, jak się zbliża z moim przyjacielem. Nie... nie ma z nim damy.

— Mówiłam panu. Będzie pan długo czekał na to szczęście, jeśli nie ma pana spotkać inaczej niż dzięki niemu. Tymczasem proszę nie pozwolić, żeby widział pana tak blisko mnie. Będzie podejrzewał, że rozmawialiśmy o jego żonie, a to podsyci zazdrość i wzmoże czujność.

Podziękowałem mojej nieznanej przyjaciółce w masce i czyniąc parę kroków w tył, zatoczyłem małe koło, by znaleźć się u boku hrabiego.

Uśmiechałem się pod moją maską, gdy on mnie zapewniał, że księżna de la Roquème zmieniła miejsce i zabrała ze sobą hrabinę, ale że ma nadzieję, iż w bardzo niedługim czasie będzie miał okazję, żeby umożliwić mi jej poznanie.

Unikałem markiza d'Harmonville'a, który szedł za hrabią. Obawiałem się, że może zaproponować, iż będzie mi towarzyszył do domu, a ja nie chciałem być zmuszony do czynienia wyjaśnień.

Wmieszałem się zatem szybko w tłum i ruszyłem na tyle szybko, na ile mi pozwalał, w stronę Galerie des Glaces, która znajdowała się w kierunku przeciwnym niż ten, w jakim, widziałem, udawali się hrabia i mój znajomy markiz.

15

Dziwna historia gospody Le Dragon Volant

Te *fêtes* trwały krócej w tamtych czasach we Francji niż nasze współczesne bale w Londynie. Spojrzałem na zegarek. Wskazywał niewiele po dwunastej.

Była to spokojna i parna noc; te wspaniałe komnaty, mimo że niektóre z nich naprawdę ogromne, nie były w stanie utrzymać temperatury na poziomie niższym niż prawdziwie przykry, szczególnie dla ludzi z maskami na twarzy. W niektórych miejscach tłum był naprawdę gęsty, a mnogość świateł dodatkowo potęgowała gorąco. Zdjąłem zatem swoją maskę, tak jak, widziałem, uczyniło parę innych osób, którym podobnie jak mnie nie zależało na utrzymaniu swojej tożsamości w tajemnicy. Ledwie zdążyłem to uczynić i zacząłem oddychać trochę swobodniej, gdy usłyszałem, jak przyjazny angielski głos woła mnie po imieniu. To był Tom Whistlewick z ósmego pułku dragonów. Zdjął maskę i miał bardzo zaczerwienioną twarz, jak i ja. Był jednym z tych bohaterów spod Waterloo, jeszcze skąpanych w blasku chwały, których wielbił cały świat z wyjątkiem Francji. Jedyną rzeczą, jaką mogłem, według mojego stanu wiedzy, poczytać przeciwko niemu, był jego nawyk gaszenia pragnienia, które było ogromne, na balach, *fêtes*, wieczorkach muzycznych i wszystkich innych

spotkaniach, gdzie był dostępny, szampanem. I tak, gdy przedstawiał mnie swojemu przyjacielowi, monsieur Carmaignacowi, zauważyłem, że mówi trochę niewyraźnie. Monsieur Carmaignac był niewysoki, szczupły i trzymał się prosto jak struna. Był łysy, zażywał tabaki i nosił okulary; jak się wkrótce dowiedziałem, piastował urząd.

Tom był nadmiernie wesoły, trochę nerwowy i raczej trudno było go zrozumieć w jego obecnym nastroju. Unosił brwi i dziwnie wykrzywiał wargi, wachlując się niezręcznie swoją maską.

Po chwili sympatycznej rozmowy z zadowoleniem odnotowałem, że Tom woli ciszę. Wkrótce zadowolił się rolą słuchacza, podczas gdy ja i monsieur Carmaignac gawędziliśmy. Tom w tym czasie usadowił się, wyjątkowo ostrożnie i niezdecydowanie, na kanapce obok nas i wkrótce jedynie z największym trudem udawało mu się nie zamknąć oczu.

— Słyszałem, jak pan mówił — zauważył francuski dżentelmen — że zajął apartament w Le Dragon Volant, oddalonej o jakieś trzy kilometry stąd. Gdy byłem w innym oddziale policji, ze cztery lata temu, dwie bardzo dziwne sprawy związane były z tym domem. Jedna dotyczyła zamożnego *émigré**, który otrzymał zgodę na powrót do Francji od cesa... — poprawił się — Napoleona. Zniknął. Druga, równie dziwna, dotyczyła Rosjanina z wysoką pozycją i zamożnego. Zniknął w nie mniej tajemniczy sposób.

---

* *Émigré* (franc.) — emigrant.

— Mój służący — powiedziałem — zdał mi dość chaotyczną relację z jakichś wydarzeń i na ile dobrze pamiętam, mówił o tych samych osobach, to znaczy o francuskim arystokracie, który powrócił do kraju, i o rosyjskim dżentelmenie. Ale w jego słowach cała historia wydawała się taka nieziemska — mam na myśli, w nadprzyrodzonym sensie — że przyznaję, nie uwierzyłem w ani jedno słowo.

— Nie, nie stało się nic nadprzyrodzonego, ale zdecydowanie trudnego do wyjaśnienia — powiedział francuski dżentelmen. — Oczywiście można snuć teorie, ale tych zdarzeń nigdy nie udało się rozwikłać, nie zostało też, na ile wiem, rzucone na nie żadne nowe światło.

— Błagam, chciałbym usłyszeć tę historię — poprosiłem. — Wydaje mi się, że mam prawo, ponieważ dotyczy ona mojego miejsca zamieszkania. Nie podejrzewa pan właścicieli domu?

— Ach! Przeszedł w inne ręce od tamtej pory. Ale pewne fatum zdawało się wisieć nad jednym pokojem.

— Czy mógłby pan opisać ten pokój?

— Oczywiście. To obszerna, wyłożona drewnem sypialnia na piętrze, na tyłach domu i maksymalnie po prawej stronie, gdy się wygląda z jej okien.

— Och! Naprawdę? No cóż, w takim razie mieszkam dokładnie w tym pokoju! — zawołałem i poczułem rosnące zainteresowanie, być może odrobinę nieprzyjemne. — Czy ci ludzie zmarli, czy też po prostu rozpłynęli się w powietrzu?

— Nie, nie zmarli, zniknęli w bardzo dziwny sposób. Opowiem panu wszystko ze szczegółami; tak się składa, że znam je dokładnie, ponieważ składałem oficjalną wizytę z tej okazji w domu, żeby zebrać dowody, i mimo że nie pojechałem tam w drugim przypadku, dokumenty spłynęły do mnie i dyktowałem oficjalny list, który został wysłany do krewnych ludzi, którzy zniknęli. Zwrócili się do rządu z prośbą, aby zbadać tę sprawę. Otrzymaliśmy listy od tych samych krewnych dwa lata później, z których dowiedzieliśmy się, że zaginieni mężczyźni nigdy się nie odnaleźli.

Zażył szczyptę tabaki i przyjrzał mi się uważnie.

— Nigdy! Opowiem panu wszystko, co się zdarzyło, na tyle, na ile udało się nam to zbadać. Francuski szlachcic, znany jako Chevalier Château Blassemare, w odróżnieniu od większości *émigrés* podjął działania w odpowiednim czasie, sprzedał dużą część majątku, zanim rewolucja rozwinęła się tak bardzo, żeby to uniemożliwić, i przeszedł na emeryturę z pokaźną sumką. Przywiózł ze sobą około pół miliona franków, z których większą część zainwestował we francuskie fundusze, dużo większa suma została zainwestowana w austriackie ziemie i papiery wartościowe. Proszę więc zauważyć, że ten dżentelmen był bogaty i nie było żadnych doniesień, że stracił swoje pieniądze czy też miał jakiekolwiek inne kłopoty. Rozumie pan?

Przytaknąłem.

— Nawyki tego dżentelmena nie były drogie w stosunku do jego środków. Miał stosowne mieszkanie w Paryżu i przez jakiś czas towarzystwo, teatry i inne rozsądne rozrywki go pochłaniały. Nie grał. Był mężczyzną w średnim wieku, kreującym się na młodszego, z odrobiną próżności typowej u takich osób, ale co do reszty, był dystyngowaną i uprzejmą osobą, która nikomu nie zawadzała — osobą, rozumie pan, co do której istnieje małe prawdopodobieństwo, że mogła prowokować wrogość.

— Z pewnością nie — zgodziłem się.

— Wczesnym latem 1811 roku otrzymał bilet zezwalający mu na zrobienie kopii obrazu z jednego z tych *salons* i przyjechał tutaj, do Wersalu, w tym celu. Jego praca postępowała wolno. Po jakimś czasie opuścił swój hotel i pojechał dla odmiany do Le Dragon Volant, tam wynajął, na specjalne życzenie, sypialnię, która panu trafiła się przez przypadek. Od tej pory, wygląda na to, malował niewiele i rzadko bywał w swoich apartamentach w Paryżu. Pewnego wieczoru spotkał się z gospodarzem Le Dragon Volant i powiedział mu, że wyjeżdża do Paryża, gdzie zatrzyma się na dwa lub trzy dni, żeby załatwić pewną bardzo szczególną sprawę, że jego służący będzie mu towarzyszył, ale że zatrzyma swoje apartamenty w Le Dragon Volant i wróci za kilka dni. Zostawił tam trochę ubrań, lecz spakował kufer podróżny, zabrał też walizę i całą resztę, po czym ze swoim służącym jadącym za powozem wybrał się do Paryża. Słucha mnie pan uważnie, monsieur?

— Jak najbardziej — potwierdziłem.

— Cóż, monsieur, gdy zaczęli zbliżać się do jego kwatery, zatrzymał nagle powóz, powiedział służącemu, że zmienił zdanie, że będzie spał gdzie indziej tej nocy, że ma bardzo szczególną sprawę do załatwienia na północy Francji, niedaleko Rouen, że wyruszy przed świtem w podróż i wróci za dwa tygodnie. Wezwał *fiacre**, wziął do ręki skórzaną torbę, o której służący powiedział, że mogła pomieścić zaledwie kilka koszul i płaszcz, ale że była wyjątkowo ciężka, co mógł zaświadczyć, ponieważ trzymał ją w ręce, gdy jego pan wyjął portfel, żeby odliczyć trzydzieści sześć napoleonów, z których służący miał się rozliczyć po jego powrocie. Wysłał go następnie dalej, w powozie, a on, z torbą, o której wspominałem, wsiadł do *fiacre*. Do tego momentu, widzi pan, historia jest dość jasna.

— Idealnie — zgodziłem się.

— Teraz pojawia się tajemnica — powiedział monsieur Carmaignac. — Potem hrabia Château Blassemare nie był już nigdy widziany, na ile byliśmy to w stanie ustalić, przez żadnego znajomego czy przyjaciela. Dowiedzieliśmy się, że dzień wcześniej makler hrabiego sprzedał na jego polecenie wszyst-

---

* *Fiacre* (franc.) — mały czterokołowy powóz konny ze składanym dachem.

kie udziały we francuskich funduszach i wręczył mu uzyskaną gotówkę. To, jak uzasadnił ten krok, zgadzało się z tym, co powiedział swojemu służącemu. A mianowicie, że jedzie na północ Francji uregulować pewne roszczenia i nie wie, ile dokładnie może potrzebować. Torba, która zadziwiła służącego swoją wagą, zawierała bez wątpienia pokaźną sumę w złocie. Czy spróbuje monsieur mojej tabaki?

Uprzejmie zaoferował swoją otwartą tabakierę, z której skorzystałem, eksperymentalnie.

— Zaoferowano nagrodę — kontynuował — gdy rozpoczęto dochodzenie, za wszelkie informacje, które mogą rzucić światło na tajemnicę, jaką mógłby zdradzić woźnica *fiacre*, „zatrudniony nocą dnia (takiego to a takiego) około godziny wpół do jedenastej, przez dżentelmena z czarną skórzaną torbą podróżną w ręce, który wysiadł z prywatnego powozu i dał swojemu służącemu pewną kwotę pieniędzy, które przeliczył dwa razy". Zgłosiło się około stu pięćdziesięciu woźniców, ale żaden z nich nie był tym właściwym. Udało się nam jednak uzyskać ciekawy i niespodziewany dowód z zupełnie innego źródła. Jakiż harmider robi ten natrętny arlekin swym mieczem!

— Nie do zniesienia! — zawtórowałem.

Arlekin wkrótce zniknął, a on kontynuował opowieść:

— Dowód, o którym mówię, pochodził od chłopca około dwunastoletniego, który doskonale znał hrabiego z wyglądu, jako że hrabia zatrudniał go często jako posłańca. Zeznał, że około wpół do pierwszej tej samej nocy — w czasie gdy, proszę zauważyć, świecił bardzo jasny księżyc — został posłany (jako że jego matka nagle poczuła się bardzo źle) — po mądrą *femme**, która mieszkała o rzut kamieniem od Le Dragon Volant. Dom jego ojca, z którego wyruszył, był oddalony o półtora kilometra lub trochę więcej od tej gospody. Żeby do niej dojść, chłopiec musiał obejść park Château de la Carque w miejscu najbardziej odległym od tego, do którego zmierzał. Droga ta prowadzi wzdłuż starego cmentarza Saint Aubin, który od drogi oddziela jedynie niskie ogrodzenie i dwa lub trzy ogromne stare drzewa. Chłopiec trochę się denerwował, zbliżając się do tego pradawnego cmentarza, i w jasnym świetle księżyca ujrzał mężczyznę, w którym wyraźnie rozpoznał hrabię, określanego przydomkiem oznaczającym „człowiek uśmiechów". Wyglądał dość posępnie i siedział na płycie nagrobka, na której leżał pistolet, a on nabijał drugi.

Chłopiec minął go ostrożnie, idąc na palcach i nie spuszczając hrabiego Château Blassemare'a, albo człowieka, którego za niego wziął, z oczu. Ubrany był inaczej niż zwykle, ale świadek przysięgał, że nie może się mylić co do jego tożsamości. Mówił, że jego twarz wyglądała na poważną i surową, ale mimo że się nie uśmiechał, była to ta sama twarz, którą tak

* *Femme* (franc.) — kobieta.

dobrze znał. Nic nie mogło wpłynąć na zmianę jego zdania. Jeśli to był on, widziano go wtedy po raz ostatni. Od tamtej pory nikt o nim nie słyszał. Niczego nie można było dowiedzieć się o nim w okolicach Rouen. Nie znaleziono żadnych dowodów na to, że nie żyje, i nie ma żadnych śladów, że żyje.

— To z pewnością bardzo wyjątkowy przypadek — odparłem i miałem właśnie zadać pytanie czy dwa, gdy Tom Whistlewick, który zupełnie niepostrzeżenie zrobił sobie krótki spacer, wrócił zupełnie już rozbudzony i zdecydowanie mniej podchmielony.

— Słuchaj, Carmaignac, robi się późno i muszę iść, naprawdę muszę, z powodu, o którym ci mówiłem, i... Beckett, musimy wkrótce znowu się spotkać.

— Bardzo mi przykro, monsieur, że nie mogę w tej chwili opowiedzieć panu o drugim przypadku, o innym lokatorze tego samego pokoju... przypadku dużo bardziej tajemniczym i przykrym niż ten poprzedni, który wydarzył się jesienią tego samego roku.

— Czy zrobicie ten dobry uczynek i przyjedziecie zjeść ze mną obiad w Le Dragon Volant jutro?

I tak, gdy szliśmy wzdłuż Galerie des Glaces, uzyskałem ich zapewnienie.

— Na Jowisza! — zawołał Whistlewick, gdy już to załatwiliśmy. — Spójrzcie na tę pagodę albo lektykę, czy cokolwiek to jest, dokładnie tam, gdzie ci goście ją postawili. Ani jednego z nich obok niej! Nie mogę pojąć, jak są w stanie tak diabelsko dobrze wróżyć.

Jack Nuffles... spotkałem go tutaj dziś w nocy... mówi, że są Cyganami. Gdzie oni są, zastanawiam się. Podejdę i zerknę na proroka.

Widziałem, jak rozchyla żaluzje, które były skonstruowane odrobinę na podobieństwo weneckich, poziomych. Wewnątrz znajdowały się czerwone kotary, ale nie dało się ich rozsunąć i Tom mógł jedynie zajrzeć pod jedną, która nie do końca opadła.

Gdy do nas wrócił, powiedział:

— Ledwie byłem w stanie dojrzeć tego starego gościa — jest tak ciemno. Cały jest okryty złotem i czerwienią i ma haftowany kapelusz, jak mandaryn. Śpi jak suseł i, na Jowisza, śmierdzi jak skunks! Warto tam pójść tylko po to, żeby móc to powiedzieć. Fe! Uch! Och! Ale zapach. Fe!

Nie pragnąc skorzystać z tego kuszącego zaproszenia, zmierzaliśmy wolno w stronę drzwi. Pożegnałem się z nimi, przypominając im o ich obietnicy. W końcu odnalazłem swój powóz i wkrótce toczyłem się wolno w kierunku Le Dragon Volant, na zupełnie pustej drodze, pod starymi drzewami i w łagodnym świetle księżyca.

Ileż rzeczy wydarzyło się przez ostatnie dwie godziny! Jakaż różnorodność dziwnych i żywych obrazów stłoczyła się w tym krótkim odcinku czasu! Jakaż przygoda mnie oczekiwała!

Cicha, skąpana w świetle księżyca rzadko odwiedzana droga w jakim kontraście pozostawała w stosunku do wielobiegunowego wiru przyjemności, z którego gwaru, muzyki, świateł, diamentów i kolorów właśnie się wyswobodziłem!

Widok samotnej natury w takim momencie działa jak nagły środek uspokajający. Szaleństwo i poczucie winy, które towarzyszyły mojemu pościgowi, w jednej chwili poraziły mnie ogromnymi wyrzutami sumienia i przerażeniem. Pożałowałem, że wstąpiłem na krętą drogę intrygi, która prowadziła mnie w nieznanym kierunku. Było teraz za późno, żeby o tym myśleć, ale jad zaczął się już sączyć do mojego kielicha i niejasne obawy przez kilka minut ciążyły mi na sercu. Nie potrzebowałbym wiele, aby podzielić się tym niemęskim stanem umysłu z moim energicznym przyjacielem, Alfredem Ogle'em, czy nawet narazić się na łagodniejsze drwiny sympatycznego Toma Whistlewicka.

16

Park Château de la Carque

Nie było obaw, że Le Dragon Volant zamknie swe podwoje w tym dniu przed trzecią czy czwartą nad ranem. Było tutaj zakwaterowanych wielu służących wielkich ludzi, którzy nie chcieli opuścić balu do ostatniej chwili, więc lokaje nie mogli powrócić do swoich miejsc spoczynku w Le Dragon Volant, zanim nie wypełnią ostatnich obowiązków.

Wiedziałem zatem, że powinienem mieć dość czasu na tajemniczą wycieczkę bez rozbudzania ciekawości, co by się zdarzyło, gdybym pozostał za zamkniętymi drzwiami.

A teraz zajechaliśmy pod baldachim konarów przy znaku Le Dragon Volant i światło, które padało sponad drzwi wejściowych.

Odesłałem powóz, wbiegłem po szerokich schodach, z maską w ręce i w szerokim stroju domina powiewającym luźno wokół mnie, i wszedłem do dużej sypialni. Ciemne panele i dostojne meble razem z czarnymi kotarami bardzo wysokiego łóżka czyniły noc w tym pokoju jeszcze bardziej ponurą.

Ukośna smuga księżycowej poświaty padała na podłogę z okna, do którego pośpieszyłem. Wyjrzałem na krajobraz uśpiony w tych srebrzystych promieniach. Widoczna tam była sylwetka Château de

la Carque, jego kominy i wiele wieżyczek z dachami w kształcie gaśnicy, odcinających się czernią na jasnej szarości nieba. Tam również, nieco bardziej z przodu, mniej więcej w połowie między oknem, w którym stałem, i *château*, ale bardziej na lewo, wyśledziłem nierówny kształt zagajnika, który dama w masce wyznaczyła jako miejsce, gdzie ja i piękna hrabina mieliśmy się spotkać tej nocy.

Zapamiętałem położenie tego posępnego fragmentu lasu, którego górne partie mieniły się delikatnie w świetle księżyca.

Możecie się domyślać, z jakim dziwnym zainteresowaniem i dumnym sercem oczekiwałem nieznanej nadchodzącej przygody.

Ale czas płynął, a umówiona godzina się zbliżała. Rzuciłem szatę na sofę i wydobyłem parę trzewików, którymi zastąpiłem cienkie buty na płaskiej podeszwie, zwane w tamtych czasach „pantoflami", bez których dżentelmen nie mógł wziąć udziału w wieczornym przyjęciu. Nałożyłem kapelusz i na koniec wziąłem parę naładowanych pistoletów, które — doradzano mi — były odpowiednimi towarzyszami w nieustabilizowanym jeszcze wtedy stanie francuskiego towarzystwa — watah rozformowanych żołnierzy, po części ponoć desperatów, których wszędzie można było spotkać. Gdy ukończyłem te przygotowania, muszę wyznać, zaniosłem lustro do okna, żeby zobaczyć, jak wyglądam w świetle księ-

życa. Zadowolony z efektu, odstawiłem je na miejsce i zbiegłem po schodach.

W holu wezwałem służącego.

— Saint Clair — poleciłem — zamierzam pospacerować trochę w świetle księżyca, nie dłużej niż jakieś dziesięć minut. Nie wolno ci kłaść się spać, dopóki nie wrócę. Jeśli noc będzie wyjątkowo piękna, mogę odrobinę wydłużyć spacer.

I tak zszedłem leniwie po schodach, oglądając się najpierw przez prawe, potem przez lewe ramię, jak człowiek niepewien, w którą stronę ma się udać, i poszedłem spacerem w górę drogi, spoglądając to na księżyc, to na niewielkie białe chmury, gwiżdżąc cały czas arię, którą usłyszałem w jednym z teatrów.

Gdy oddaliłem się kilkaset metrów od Le Dragon Volant, moje muzykowanie całkowicie ustało, obejrzałem się i popatrzyłem uważnie na drogę, która wyglądała w świetle księżyca na całkowicie białą, jakby pokryta była szronem. Ujrzałem łamany dach starej gospody i okno, częściowo zakryte listowiem, z którego wydobywało się mgliste światło.

Nie było słychać żadnych kroków ani śladu ludzkiej postaci, jak okiem sięgnąć. Spojrzałem na zegarek, jako że światło było dość jasne, abym mógł sprawdzić czas. Do uzgodnionego terminu brakowało mi jedynie ośmiu minut. Gęsty płaszcz bluszczu pokrywał w tym miejscu mur i tworzył splątaną czapę na szczycie. To zapewniło mi warunki do wdrapania się na mur i dało częściową osłonę, gdyby czyjeś oko przez przypadek spoglądało w tym kierunku. I stało się. Znajdowałem się w parku Château de la Carque, sztandarowy nikczemny kłusownik, który wtargnął na ziemie nic niepodejrzewającego lorda!

Przede mną wznosił się rzeczony zagajnik, który wyglądał tak czarno jak kępa czarnych piór na karawanie. Zdawał się wyższy i wyższy z każdym moim krokiem i rzucał szerszy i ciemniejszy cień pod stopy. Maszerowałem dalej i byłem zadowolony, gdy znalazłem się w cieniu, który zapewniał mi kryjówkę. Znajdowałem się teraz pośród wspaniałych starych lip i kasztanów — serce biło mi szybko z emocji.

Zagajnik ten miał mały prześwit, mniej więcej pośrodku, i na tej małej przestrzeni stała, z otaczającymi ją schodami, mała grecka świątynia czy sanktuarium, z posągiem na środku. Zbudowana była z białego marmuru ze żłobkowanymi korynckimi kolumnami, jej szczeliny porastała trawa, gzyms i cokół porosły mchem, a poszarzały, zniszczony od wiatru i deszczu marmur nosił ślady zaniedbania i upadku. Kilka kroków przed schodami, zasilana z ogromnych stawów po drugiej stronie *château*, pluskała i szeleściła fontanna w szerokiej marmurowej niecce, a strumień wody błyszczał jak deszcz diamentów w złamanym świetle księżyca. Ślady zaniedbania i na wpół zrujnowany stan tego wszystkiego czyniły obraz jeszcze piękniejszym, jak również smutniejszym. Zbyt intensywnie wyglądałem nadejścia damy od strony *château*, abym mógł się temu przyglądać, ale

na wpół zaobserwowany efekt całości był romantyczny i przywodził na myśl grotę, fontannę i Egerię*.

Gdy tak się przyglądałem, przemówił do mnie głos zza mojego lewego ramienia. Odwróciłem się, nieomal z przerażeniem, a tam stała kobieta z balu w przebraniu mademoiselle de la Vallière.

— Hrabina zaraz tu będzie — poinformowała mnie.

Dama stała na tle otwartej przestrzeni, w pełnym świetle księżyca. Trudno było sobie wyobrazić coś piękniejszego — jej sylwetka jeszcze nigdy nie prezentowała się tak wdzięcznie i elegancko.

— W tym czasie zapoznam pana z pewnymi szczególnymi okolicznościami sytuacji, w jakiej hrabina się znajduje. Jest nieszczęśliwa, cierpi w źle dobranym małżeństwie z zazdrosnym tyranem, który teraz chciałby zmusić ją do sprzedaży diamentów, które są...

— Warte trzydzieści tysięcy funtów szterlingów. Słyszałem to od przyjaciela. Czy mogę pomóc hrabinie w jej nierównej walce? Proszę tylko powiedzieć jak, a im większe niebezpieczeństwo czy poświęcenie, tym większe będzie moje szczęście. Czy mogę jej pomóc?

— Jeśli gardzi pan niebezpieczeństwem, które na razie nie jest niebezpieczeństwem, jeśli gardzi pan,

---

* Egeria — w mitologii rzymskiej nimfa wodna [przyp. tłum.].

tak jak ona, tyranicznymi kanonami świata i jeśli jest pan dość rycerski, aby oddać się sprawie damy bez żadnej nagrody oprócz jej wdzięczności, jeśli może pan zrobić te rzeczy, może jej pan pomóc i zająć najważniejsze miejsce nie tylko w jej wdzięczności, ale również w jej przyjaźni.

Po tych słowach dama w masce odwróciła się i wydawało się, że płacze.

Przysiągłem, że jestem dobrowolnym niewolnikiem hrabiny.

— Ale — dodałem — mówiła pani, że hrabina wkrótce tu będzie.

— To znaczy, jeśli nic nieprzewidzianego się nie zdarzy, ale pod okiem hrabiego de Saint Alyre w domu, i to otwartym, trudno bezpiecznie się poruszać.

— Czy ona chce mnie zobaczyć? — zapytałem z delikatnym wahaniem w głosie.

— Po pierwsze, proszę powiedzieć, czy naprawdę myślał pan o niej więcej niż raz od czasu przygody w Belle Etoile?

— Ani na chwilę nie przestaję o niej myśleć, jej piękne oczy prześladują mnie dniem i nocą, cały czas słyszę jej słodki głos.

— Mówią, że mój głos jest podobny do jej głosu — powiedziała kobieta w masce.

— Rzeczywiście — odparłem. — Ale to jedynie podobieństwo.

— Ach! Czy w takim razie mój jest lepszy?

— Proszę mi wybaczyć, mademoiselle, nie powie-

działem tego. Pani ma słodki głos, ale wydaje mi się, że trochę wyższy.

— Trochę ostrzejszy, mówi pan — odparła de la Vallière, jak mi się zdało, dużo bardziej zdenerwowana.

— Nie, nie ostrzejszy. Pani głos nie jest ostry, jest cudownie słodki, ale nie jest tak melancholijnie słodki jak jej.

— To uprzedzenie, monsieur, to nie jest prawda.

Skłoniłem się, nie mogłem nie zgodzić się z damą.

— Rozumiem, monsieur, śmieje się pan ze mnie. Myśli pan, że jestem próżna, ponieważ twierdzę, że pod pewnymi względami jestem równa z hrabiną de Saint Alyre. W takim razie, może chociaż o mojej dłoni powie pan, że jest mniej piękna niż jej? — Mówiąc to, ściągnęła rękawiczkę i wysunęła dłoń, odwracając ją wewnętrzną stroną do światła księżyca.

Dama wydała się naprawdę rozzłoszczona. Było to nieeleganckie i irytujące, ponieważ podczas tego nieinteresującego konkurowania ulatywały cenne chwile, a moja rozmowa prowadziła wyraźnie donikąd.

— Przyzna pan zatem, że moja dłoń jest równie piękna jak jej?

— Nie mogę tego przyznać, mademoiselle — odparłem uczciwie, a w moim głosie dała się słyszeć irytacja. — Nie dam się nakłonić do porównań, ale hrabina de Saint Alyre jest pod wszystkimi względami najpiękniejszą damą, jaką kiedykolwiek widziałem.

Kobieta w masce zaśmiała się zimno, a potem już coraz bardziej miękkim głosem oznajmiła z westchnieniem:

— Udowodnię wszystko, co mówię.

I mówiąc to, zdjęła maskę. Hrabina de Saint Alyre, uśmiechnięta, niepewna, speszona, piękniejsza niż kiedykolwiek przedtem — stała przede mną!

— Wielkie nieba! — wykrzyknąłem. — Jak monstrualnie głupi byłem. I to z madame hrabiną rozmawiałem przez tak długi czas w *salon*!

Spoglądałem na nią w milczeniu. Śmiejąc się słodko niskim głosem, z dobroci serca wyciągnęła do mnie dłoń. Ująłem ją i uniosłem do ust.

— Nie, nie wolno panu tego robić — odparła cicho — nie jesteśmy jeszcze takimi dobrymi przyjaciółmi. Przekonuję się, mimo że się pan pomylił, iż pamięta pan hrabinę z Belle Etoile i że jest pan bohaterem, prawdziwym i nieustraszonym. Gdyby uległ pan żądaniom, które przed chwilą wysuwała rywalizująca mademoiselle de la Vallière, w masce, hrabina de Saint Alyre nigdy by panu nie zaufała i nigdy już by pana nie zobaczyła. Wiem teraz, że jest pan uczciwy, jak również dzielny. Wie pan już, że o panu nie zapomniałam i również, że gdyby ryzykował pan dla mnie życie, ja także naraziłabym się na niebezpieczeństwo, żeby nie stracić przyjaciela na zawsze. Mam jeszcze kilka chwil. Czy przyjdzie pan tu również jutro, kwadrans po jedenastej? Będę tu o tej godzinie, musi pan postępować z największą ostrożnością, żeby uniknąć wszelkich podejrzeń, że idzie pan tutaj. Jest mi pan to winien.

Wypowiedziała te ostatnie słowa prawdziwie błagalnym głosem.

Przysiągłem jeszcze kilka razy, że raczej umrę, niż pozwolę, aby najmniejsza nierozwaga naraziła na wyjawienie sekretu, który stanowił sens i najwyższą wartość mojego życia.

Wyglądała, wydawało mi się, coraz piękniej z każdą chwilą. Mój entuzjazm wzrastał proporcjonalnie.

— Jutrzejszej nocy musi pan przyjść inną drogą — oznajmiła — a jeśli przyjdzie pan ponownie, jeszcze raz ją zmienimy. Po drugiej stronie *château* znajduje się mały cmentarz z kaplicą, która sypie się w ruinę. Sąsiedzi boją się tamtędy chodzić w nocy. Droga tam jest opuszczona, a przełaz w ogrodzeniu prowadzi na teren parku. Proszę go pokonać i znajdzie pan gąszcz zarośli, oddalony od tego miejsca o jakieś pięćdziesiąt kroków.

Obiecałem oczywiście, że postąpię zgodnie z jej instrukcjami.

— Żyłam przez ponad rok w agonii niezdecydowania. W końcu podjęłam decyzję. Wiodłam smutne życie, samotniejsze niż życie w klasztorze. Nie miałam nikogo, komu mogłabym się zwierzyć, nikogo, kto mógłby mnie uratować od horroru mojej egzystencji. Znalazłam w końcu odważnego i zdecydowanego przyjaciela. Czyżbym mogła kiedyś zapomnieć tę heroiczną scenę z Belle Etoile? Czy zatrzymał

pan... czy rzeczywiście zatrzymał pan różę, którą panu podarowałam, gdy się rozstawaliśmy? Tak, przysięga pan. Nie musi pan, wierzę panu. Richard, mój bohater! Ach! Richard! Ach, mój król! Kocham cię!

Przytuliłbym ją do serca — rzuciłbym się do jej stóp. Ale ta piękna i — niech mi wolno będzie to powiedzieć — niekonsekwentna kobieta onieśmielała mnie.

— Nie, nie możemy marnować czasu na takie zbytki. Zrozum mnie dobrze. Nie ma czegoś takiego jak obojętność w stanie małżeńskim. Nie kochać swojego męża — kontynuowała — oznacza nienawidzić go. Z litości do mnie więc, proszę, działaj ostrożnie. Przed wszystkimi, z którymi rozmawiasz, udawaj, że nie wiesz nic o mieszkańcach Château de la Carque, a jeśli ktoś w twoim towarzystwie wspomni o hrabim lub hrabinie de Saint Alyre, pamiętaj, proszę, aby powiedzieć, że nigdy nie widziałeś ani jego, ani jej. Będę ci miała więcej do powiedzenia jutro w nocy. Mam powody, których nie mogę wyjawić teraz, związane ze wszystkim, co robię i co odkładam na później. Żegnaj! Idź! Zostaw mnie.

Dała mi ręką stanowczy znak, abym odszedł.

Powtórzyłem za nią „żegnaj" i posłuchałem jej polecenia.

Ta rozmowa nie trwała, wydaje mi się, dłużej niż dziesięć minut. Ponownie przeskoczyłem przez mur parku i znalazłem się w Le Dragon Volant, zanim zamknięto drzwi.

Leżałem, nie śpiąc, w łóżku, w gorączce podniecenia. Widziałem, do chwili gdy nadszedł świt i przegonił tę wizję, piękną hrabinę de Saint Alyre, zawsze w ciemności, przede mną.

17

Pasażer lektyki

Markiz odwiedził mnie następnego dnia. Moje późne śniadanie nadal było na stole.

Przyjechał, mówił, aby poprosić mnie o przysługę. Jego powozowi przytrafił się wypadek w tłumie, gdy wyjeżdżał z balu, i prosił, gdybym jechał do Paryża, abym zabrał go ze sobą. Wybierałem się do Paryża i byłem bardzo zadowolony z jego towarzystwa. Przyjechał ze mną do hotelu i poszliśmy razem do moich pokoi. Byłem zaskoczony, widząc mężczyznę siedzącego w fotelu, plecami do nas, czytającego gazetę. Wstał. Był to hrabia de Saint Alyre, w okularach w złotej oprawie na nosie, w czarnej peruce ze śliskich loków, gładko przyczesanych, która wyglądała jak rzeźbiony heban na odrażającym obliczu z bukszpanu. Jego czarny szal był opuszczony. Prawą rękę miał na temblaku. Nie wiem, czy w jego wyglądzie tego dnia było coś niezwykłego, czy był to efekt uprzedzeń wywołanych przez wszystko, co usłyszałem podczas mojej tajemniczej rozmowy w parku, ale jego oblicze zrobiło na mnie uderzająco złowróżbne wrażenie.

Nie byłem wystarczająco gruboskórny w kwestii zła, aby spotkanie z tym mężczyzną nie wprawiło mnie w chwilowe zażenowanie.

Uśmiechnął się.

— Złożyłem wizytę, monsieur Beckett, z nadzieją, że pana tutaj zastanę — powiedział skrzekliwym głosem — i rozważałem, muszę przyznać, poproszenie pana o wielką przysługę, ale mój przyjaciel, markiz d'Harmonville, do którego mam być może pewne prawa, zechce udzielić mi pomocy, której tak bardzo potrzebuję.

— Z ogromną przyjemnością — odparł markiz — ale nie wcześniej niż o szóstej. Muszę pojechać w tej chwili na spotkanie trzech czy czterech osób, których nie mogę rozczarować, i wiem doskonale, że nie możemy skończyć wcześniej.

— Co mam zrobić?! — wykrzyknął hrabia. — Godzina na wszystko by wystarczyła. Dlaczegóż prześladują mnie takie *contretemps**?

— Z przyjemnością poświęcę panu godzinę — zadeklarowałem.

— Jakie to miłe z pana strony, monsieur. Nie wiem, czy mogę o to prosić. Sprawa dla takiego wesołego i czarującego mężczyzny, jak monsieur Beckett, jest trochę *funeste***. Proszę przeczytać tę wiadomość, która dotarła do mnie dziś rano.

Z pewnością nie była wesoła. Liścik mówił, że ciało kuzyna hrabiego, monsieur de Saint Amanda, który zmarł w swoim domu w Château Clery, zosta-

---

* *Contretemps* (franc.) — przeciwności.

** *Funeste* (franc.) — smutna.

ło zgodnie z jego pisemnym poleceniem przesłane celem pochowania na Père Lachaise i za pozwoleniem hrabiego de Saint Alyre dotrze do jego domu (Château de la Carque) około dziesiątej wieczorem następnego dnia celem przewiezienia go tam w karawanie, z towarzyszeniem tych członków rodziny, którzy mogą zechcieć wziąć udział w uroczystościach pogrzebowych.

— Nie wiem, czy widziałem nieszczęśnika dwa razy w życiu — westchnął hrabia — ale wypełnienia tego zadania, jako że człowiek ten nie ma innych krewnych, jakkolwiek byłoby to niewdzięczne, nie mogę odmówić, i tak chcę być obecny na cmentarzu, żeby podpisać księgi i wprowadzić zlecenie do kartoteki. Ale oto i kolejne nieszczęście. Nadwyrężyłem sobie kciuk i nie jestem w stanie się podpisać przez najbliższy tydzień. Jednakże dowolny podpis będzie wystarczający. Pana czy mój. A ponieważ jest pan tak miły i pójdzie ze mną, wszystko będzie dobrze.

I pojechaliśmy. Hrabia wręczył mi notatkę z imieniem i nazwiskami zmarłego, jego wiekiem, chorobą, która była przyczyną śmierci, i innymi zwyczajowymi szczegółami, dał mi również zapiski na temat dokładnego miejsca, w jakim grób, którego rozmiary były podane, zwykłego prostego rodzaju, ma zostać wykopany, pomiędzy dwoma grobowcami należącymi do rodziny Saint Amand. Kondukt, brzmiała informacja, przybędzie o wpół do drugiej (nie najbliższej, ale kolejnej nocy) i hrabia wręczył

mi pieniądze, z dodatkową sumą na pogrzeb w porze nocnej. Kwota była spora, więc zapytałem go, jako że zawierzał całą sprawę mnie, na czyje nazwisko powinien zostać wystawiony kwit.

— Nie na moje, dobry przyjacielu. Chcieli, żebym był wykonawcą testamentu, ale wczoraj napisałem do nich, że nie podejmę się tej roli, a dowiedziałem się, że jeśli kwit będzie na moje nazwisko, w oczach prawa uczyni mnie to wykonawcą testamentu i takim się stanę. Proszę go wziąć, jeżeli nie ma pan nic przeciw temu, na swoje nazwisko.

I tak też uczyniłem.

Już wkrótce przekonacie się, dlaczego muszę wspomnieć o tych szczegółach.

Hrabia tymczasem siedział oparty na tyle powozu, z czarnym szalem zakrywającym nos i w kapeluszu osłaniającym oczy, drzemiąc w rogu, i tak zastałem go po powrocie.

Paryż stracił dla mnie cały urok. Pospiesznie załatwiłem wszystkie drobne sprawy, które tego wymagały, tęskniąc za moim cichym pokojem w Le Dragon Volant, melancholijnymi lasami Château de la Carque oraz burzliwym i ekscytującym wpływem bliskości obiektu mojego szalonego, ale niegodziwego romansu.

Zatrzymał mnie na chwilę mój makler. Posiadałem bardzo dużą sumę, jak wam mówiłem, u mojego bankiera, niezainwestowaną. Zależało mi bardzo niewiele na kilkudniowych odsetkach — jak również i na całej sumie, w porównaniu do obrazu, który zajmował moje myśli i przywoływał białą dłonią poprzez ciemność w kierunku bujnych lip i kasztanów Château de la Carque. Ale umówiłem się z nim na spotkanie w tym dniu i poczułem ulgę, gdy powiedział mi, że będzie lepiej, jeśli pozwolę, aby pieniądze te pozostały w jego rękach jeszcze przez kilka dni, ponieważ fundusze z pewnością natychmiast spadną. To zdarzenie również nie pozostało bez bezpośredniego wpływu na moje przygody, które następnie się wydarzyły.

Gdy dotarłem do Le Dragon Volant, zastałem w moim salonie, w dużej mierze ku memu rozczarowaniu, dwóch gości, o których zupełnie zapomniałem. Pomstowałem w duchu na własną nieodpowiedzialność, że sprowadziłem na siebie ich przyjemne towarzystwo. Nie było jednak na to teraz rady i słówko zamienione z kelnerami uruchomiło przygotowania do obiadu.

Tom Whistlewick był w świetnej formie i nieomal natychmiast zaczął opowiadać bardzo dziwną historię.

Powiedział mi, że nie tylko Wersal, ale i cały Paryż jest oburzony z powodu odrażającego i nieomal świętokradzkiego figla spłatanego poprzedniej nocy.

Pagoda, jak nieodmiennie nazywał lektykę, została w miejscu, w którym widzieliśmy ją ostatnio. Ani czarnoksiężnik, ani odźwierny, ani tragarze już się nie pojawili. Gdy bal się zakończył, a towarzystwo w końcu rozeszło, służący, którzy gasili świece i zamykali drzwi, odkryli, że nadal tam jest.

Postanowiono jednak, że lektyka może pozostać, gdzie jest, do następnego ranka, kiedy to, przypuszczano, właściciele przyślą posłańców, żeby ją stamtąd zabrali.

Nikt się nie zjawił. Polecono wtedy służącym, aby ją wynieśli, i jej wyjątkowy ciężar po raz pierwszy przypomniał im o jej pasażerze. Na siłę otworzyli drzwi i wyobraźcie sobie, jakie było ich obrzydzenie, gdy w środku znaleźli nie żywego człowieka, ale trupa! Trzy albo cztery dni musiały minąć od śmierci krzepkiego mężczyzny w chińskiej tunice i kolorowej czapce. Niektórzy uważali, że był to trik zamierzony, aby obrazić sojuszników, na których cześć bal został zorganizowany. Inni byli zdania, że nie było to nic gorszego, jak tylko śmiała i cyniczna wesołość, którą — mimo że była szokująca — można było wybaczyć, jako wynikającą z dowcipu i nieposkromionej błazenady młodości. Inni znowu, mniej liczni i o skłonnościach mistycznych, nalegali, że trup był *bona fide* niezbędny dla spektaklu i że stwierdzenia oraz aluzje, które zadziwiły tak wielu ludzi, wyraźnie wzięły się z nekromancji.

— Sprawa jednak jest teraz w rękach policji — zauważył monsieur Carmaignac — a my nie bylibyśmy siłą sprzed dwóch czy trzech miesięcy, gdyby ci, którzy występują przeciwko własności i uczuciom społecznym, nie zostali wyśledzeni i oskarżeni, chyba że w istocie okażą się dużo sprytniejsi, niż tacy głupcy zazwyczaj bywają.

Rozważałem w duchu, jak całkowicie niewytłumaczalna była moja rozmowa z czarnoksiężnikiem, tak nonszalancko nazwanym przez monsieur Carmaignaca „głupcem", a im więcej o tym myślałem, tym bardziej cudowne mi się to wydawało.

— Z pewnością był to oryginalny żart, chociaż nie do końca jasny — stwierdził Whistlewick.

— Nawet nie oryginalny — zaprzeczył Carmaignac. — Nieomal dokładnie taka sama rzecz zdarzyła się sto albo więcej lat temu na balu stanowym w Paryżu, a łobuzów, którzy to zrobili, nigdy nie znaleziono.

W tej kwestii monsieur Carmaignac, jak później odkryłem, się nie mylił, jako że wśród znajdujących się u mnie, wydanych w formie książek, anegdot i wspomnień dokładnie takie zdarzenie jest wyróżnione moją własną ręką.

Gdy tak rozmawialiśmy, kelner powiedział nam, że podano obiad, na który się udaliśmy. W czasie posiłku moi goście więcej niż zrekompensowali moją stosunkową małomówność.

18

Cmentarz

Nasz obiad był naprawdę dobry, tak jak i wina, lepsze zapewne w tej znajdującej się na uboczu gospodzie niż w którymś z bardziej pretensjonalnych hoteli w Paryżu. Moralny efekt naprawdę dobrego obiadu jest ogromny — wszyscy to czuliśmy. Spokój i dobroć, które po nim przychodzą, są bardziej solidne i przyjemne niż burzliwe dobrodziejstwa Bachusa.

Moi przyjaciele byli szczęśliwi i dlatego bardzo gadatliwi; to drugie uwolniło mnie od kłopotu mówienia i skłoniło ich do zabawiania mnie i siebie nawzajem nieustannie sympatycznymi opowieściami i rozmową, z których — dopóki nagle nie pojawił się temat, jaki mnie mocno zainteresował, przyznaję, tak bardzo moje myśli były zaabsorbowane czym innym — prawie nic nie słyszałem.

— Tak — powiedział Carmaignac, kontynuując rozmowę, która mi umknęła — była jeszcze inna sprawa, oprócz tego rosyjskiego szlachcica, jeszcze dziwniejsza. Przypomniała mi się dzisiaj rano, ale nie pamiętam nazwiska tego człowieka. Mieszkał dokładnie w tym samym pokoju. A tak przy okazji, monsieur, czy nie byłoby dobrze — dodał, zwracając się do mnie ze śmiechem, pół żartem, pół serio, jak to się mówi — gdyby przeniósł się pan do innego apar-

tamentu, teraz gdy dom nie jest już taki zatłoczony? To znaczy, jeśli zamierza się pan tu dłużej zatrzymać.

— Stokrotne dzięki, nie. Zamierzam zmienić hotel i mogę szybko dojechać do miasta nocą, a mimo że tutaj zostaję na tę noc, nie spodziewam się, że zniknę jak tamci. Ale mówi pan, że jest inna przygoda, tego samego rodzaju, związana z tymże pokojem. Proszę pozwolić nam jej wysłuchać. Ale najpierw proszę poczęstować się jeszcze winem.

Historia, którą opowiedział, była dziwna.

— Zdarzyło się to — powiedział Carmaignac — na ile dobrze pamiętam, przed którymkolwiek z owych dwóch przypadków. Francuski dżentelmen — żałuję, że nie mogę przypomnieć sobie jego nazwiska — syn kupca, przybył do tej gospody (Le Dragon Volant) i został ulokowany przez gospodarza w tym samym pokoju, o którym mówiliśmy. Pana apartament, monsieur. Nie był żadną miarą młody — miał po czterdziestce — i zdecydowanie nie był przystojny. Ludzie tutaj mówili, że był to najbrzydszy i najbardziej dobroduszny człowiek na świecie. Grał na skrzypcach, śpiewał i pisał poezję. Jego nawyki były dziwne i samotnicze. Czasami potrafił przesiedzieć cały dzień w swoim pokoju, pisząc, śpiewając i grając na skrzypcach, i wyjść na spacer nocą. Był ekscentrykiem! Nie był żadną miarą milionerem, ale posiadał *modicum bonum**, rozumiecie, „odrobinkę

---

* *Modicum bonum* (łac.) — tu: niewielka sumka.

ponad pół miliona franków". Rozmawiał ze swoim maklerem o zainwestowaniu tych pieniędzy w zagraniczne akcje i wypłacił całą kwotę od swojego bankiera. Tak miały się sprawy, gdy wydarzyła się katastrofa.

— Proszę dolać sobie wina — zachęciłem.

— Trzeba napić się dla kurażu, monsieur, by stawić czoło katastrofie! — zawołał Whistlewick, dolewając sobie.

— Właśnie wtedy po raz ostatni ktokolwiek słyszał o jego pieniądzach — kontynuował Carmaignac. — A zaraz usłyszycie o wydarzeniach. W noc po tych finansowych operacjach dostał przypływu weny twórczej. Posłał po ówczesnego gospodarza tego domu i powiedział mu, że od dawna rozważał napisanie poematu epickiego i zamierzał zacząć dzisiaj w nocy i że pod żadnym pozorem nie należy mu przeszkadzać do godziny dziewiątej rano. Miał dwie pary świec woskowych, niedużą kolację na zimno na bocznym stoliku, otwarte biurko, dość papieru, by pomieścić całą *Henriadę**, i proporcjonalny zapas piór i atramentu. Siedzącego przy tym biurku widział go kelner, który przyniósł mu filiżankę kawy o dziewiątej wieczorem, o której to porze — oświadczył intruz — mężczyzna pisał z taką prędkością, że niewiele brakowało, a papier zająłby się ogniem —

* *Henriada* (franc. *La Henriade*) — poemat epicki z 1728 roku autorstwa Woltera.

takie były jego słowa, nie podniósł wzroku, wyglądał na tak pochłoniętego pracą. Ale gdy kelner wrócił pół godziny później, drzwi były zamknięte na klucz, a poeta z wewnątrz polecił, żeby mu nie przeszkadzać. Toteż *garçon* sobie poszedł. Następnego ranka o godzinie dziewiątej zapukał do drzwi, a ponieważ nie usłyszał żadnej odpowiedzi, zajrzał przez dziurkę od klucza. Świece nadal się paliły, okiennice wciąż były zamknięte, tak jak je zostawił. Ponowił pukanie, pukał jeszcze głośniej, ale nie było żadnej odpowiedzi. Poinformował o tej przedłużającej się i niepokojącej ciszy gospodarza, który zauważając, że jego gość nie zostawił klucza w zamku, znalazł zapasowy i otworzył drzwi. Świece właśnie dopalały się w świecznikach, ale było dość światła, by stwierdzić, że lokator zniknął! Łóżko było zasłane, okiennica zabezpieczona sztabą. Musiał wyjść z pokoju, zamknąć drzwi na klucz od zewnątrz, schować klucz do kieszeni i tak opuścić dom. Tu jednak pojawiała się kolejna trudność. Wszystkie drzwi w Le Dragon Volant zostały zamknięte na klucz o dwunastej w nocy, po tej godzinie nikt nie mógł wyjść z domu, chyba że najpierw zdobyłby klucz i otworzył drzwi, zostawiając je z konieczności niezamknięte, lub gdyby działał w zmowie i z pomocą kogoś w domu. Zdarzyło się też, że jakiś czas po tym, jak drzwi zostały zamknięte, o wpół do pierwszej służący, który nie wiedział o poleceniu, żeby nie przeszkadzać poecie, widząc światło wydobywające się przez dziurkę od

klucza, zapukał do drzwi, żeby zapytać, czy gość niczego nie potrzebuje. Mężczyzna był bardzo zły na służącego i odprawił go, znów polecając, żeby mu już więcej nie przeszkadzać tej nocy. To wydarzenie potwierdziło, że mężczyzna był w domu, po tym jak drzwi zostały zamknięte i zabezpieczone sztabą. Gospodarz osobiście pilnował kluczy i przysięgał, że wisiały na ścianie nad jego łóżkiem rano i że nikt nie mógł ich wziąć, nie budząc go przy tym. To wszystko, co byliśmy w stanie ustalić. Hrabia de Saint Alyre był bardzo zaangażowany i bardzo rozgoryczony. Ale nic nie udało się ustalić.

— I od tamtej pory nikt nic nie słyszał o poecie? — zapytałem.

— Nic... najdrobniejszego tropu... nigdy się już nie pojawił. Przypuszczam, że nie żyje, a jeśli żyje, myślę, że musiał wpaść w jakieś diabelsko parszywe tarapaty, o których nic nie wiedzieliśmy, a które zmusiły go do ucieczki w największej tajemnicy i w największym pośpiechu, na jakie było go stać. Wszystko, co wiemy na pewno, to że zajmując pokój, w którym pan śpi, zniknął, nikt nie wie jak, i nigdy o nim więcej nie słyszano.

— Wspomniał pan teraz o trzech przypadkach — powiedziałem — i wszystkie dotyczą tego samego pokoju.

— Trzy. Tak, wszystkie równie niezrozumiałe. Gdy mordowani są ludzie, ogromnym i natychmiast pojawiającym się problemem jest, jak ukryć ciało. Bardzo

trudno uwierzyć, że trzy osoby mogły zostać kolejno po sobie zamordowane w tym samym pokoju, a ich ciał pozbyto się tak skutecznie, że nie został po nich żaden ślad.

Od tego tematu przeszliśmy do innych, a poważny monsieur Carmaignac zabawiał nas prawdziwie ogromną kolekcją skandalicznych anegdot, w których zgromadzeniu pomogły mu jego możliwości w wydziale policji.

Moi goście na szczęście mieli zobowiązania w Paryżu i opuścili mnie koło dziesiątej.

Poszedłem na górę do mojego pokoju i wyjrzałem na ziemie Château de la Carque. Światło księżyca przecinały chmury, a wygląd parku w tym skąpym świetle nabierał melancholijnego i fantastycznego charakteru.

Dziwne historie, opowiedziane o pokoju, w którym stałem, przez monsieur Carmaignaca, przyszły mi na myśl, topiąc w nagłym mroku wesołość bardziej frywolnych anegdot, które nastąpiły po nich. Rozejrzałem się po pokoju, który spowijała ciemność, nieomal ze strachem. Wziąłem pistolety z nieokreślonym przeczuciem, że mogą być naprawdę potrzebne przed moim powrotem dzisiejszej nocy. Uczucie owo, niech to będzie jasne, w żaden sposób nie schłodziło mego zapału. Mój entuzjazm nigdy nie był tak gorący. Przygoda porwała mnie i uniosła; złe przeczucie dodało jednak dziwnego dreszczu emocji całej ekspedycji.

Spędziłem jeszcze trochę czasu w pokoju. Upewniłem się co do dokładnego położenia małego cmentarzyka. Był oddalony o jakieś półtora kilometra. Nie chciałem znaleźć się na nim wcześniej niż to konieczne.

Wydostałem się cicho na zewnątrz i powędrowałem drogą po lewej stronie, a potem wszedłem na węższą ścieżkę, nadal po mojej lewej stronie, która okrążając mur parku i wiodąc krętą linią przez całą drogę, pod wspaniałymi starymi drzewami, biegnie obok starego cmentarza. Cmentarz ten jest otoczony gęstwiną drzew i zajmuje niewiele ponad pół akra ziemi po lewej stronie drogi biegnącej pomiędzy nim i parkiem Château de la Carque.

Tutaj, w tym nawiedzonym miejscu, zatrzymałem się i nasłuchiwałem. Cisza była absolutna. Gruba chmura przesłoniła księżyc i w efekcie nie byłem w stanie dostrzec nic oprócz zarysów najbliższych przedmiotów, a i to dość słabo. Od czasu do czasu, jakby płynąc w czarnej mgle, wynurzały się białe powierzchnie nagrobków.

Pośród kształtów, które rozróżniało moje oko na tle szarego jak stal horyzontu, znajdowały się niektóre z tych krzewów czy drzew, jakie rosną na podobieństwo naszych jałowców, niektóre na wysokość metra osiemdziesiąt, kształtem przypominając miniaturowe topole, z ciemniejszym igliwiem cisa. Nie znam nazwy tej rośliny, ale często widywałem ją w takich pogrzebowych miejscach.

Wiedząc, że jestem trochę za wcześnie, usiadłem

na krawędzi nagrobka, żeby poczekać, bo z tego co wiedziałem, piękna hrabina miała rozsądne powody, dla których nie chciała, abym wchodził na teren zamku wcześniej, niż mi poleciła. W tym niespokojnym stanie ducha wywołanym przez oczekiwanie siedziałem tam, ze wzrokiem utkwionym w obiekcie na wprost przede mną, którym okazał się niewyraźny czarny zarys drzewa, jakie właśnie opisałem. Było tuż przede mną, oddalone o około pół tuzina kroków.

Księżyc zaczął teraz wymykać się spod zasłony chmur, które ukrywały jego oblicze przez tak długi czas, i w miarę jak światło stawało się coraz mocniejsze, drzewo, w które leniwie się wpatrywałem, zaczęło przybierać nowy kształt. Nie było już drzewem, ale mężczyzną stojącym nieruchomo. Księżyc stawał się coraz jaśniejszy, obraz stawał się coraz wyraźniejszy, aż w końcu ukazał się idealnie wyraźnie. Był to pułkownik Gaillarde.

Na szczęście nie patrzył na mnie. Widziałem jedynie jego profil, ale nie było możliwości, abym pomylił jego białe wąsy, *farouche**oblicze i jego tyczkowatą postać o wzroście metr osiemdziesiąt. Oto stał, obrócony ramieniem w moją stronę, nasłuchując i wyglądając wyraźnie jakiegoś sygnału lub oczekiwanej osoby wprost przed sobą.

Gdyby miał przez przypadek skierować na mnie swoje spojrzenie, wiedziałem, że muszę liczyć się

* *Farouche* (franc.) — dzikie.

z natychmiastowym wznowieniem walki, którą rozpoczęliśmy w holu Belle Etoile. W każdym razie, czyż złośliwa fortuna mogła umieścić w tym miejscu i o tej godzinie bardziej niebezpiecznego obserwatora? Jakaż byłaby to radość dla niego, spotkawszy nas jednocześnie, znokautować mnie i rozprawić się z hrabiną de Saint Alyre, której zdawał się nienawidzić.

Uniósł rękę i zagwizdał cicho, usłyszałem w odpowiedzi równie niskie gwizdnięcie i ku mojej uldze pułkownik ruszył w stronę, z jakiej nadchodził głos, zwiększając z każdym krokiem odległość pomiędzy nami; natychmiast usłyszałem rozmowę, ale cichą i ostrożną.

Rozpoznałem, wydawało mi się, mimo to charakterystyczny głos Gaillarde'a.

Ostrożnie posunąłem się w stronę, z której dochodziły te głosy. Czyniąc to, oczywiście musiałem być wyjątkowo ostrożny.

Wydawało mi się, że ujrzałem kapelusz nad nierówną częścią sypiącego się muru, a potem drugi — tak, widziałem dwa kapelusze rozmawiające ze sobą, głosy dobiegały spod nich. Zaczęli się oddalać, nie w stronę parku, ale drogi, a ja leżałem w trawie, wyglądając ponad grobem, niczym wojownik obserwujący wroga. Jedna po drugiej, postacie ukazały się w pełni, wychodząc na przełaz przy poboczu. Pułkownik stał na murku przez chwilę, rozglądając się dookoła, a potem zeskoczył na drogę. Słyszałem ich kroki i rozmowę, gdy oddalali się razem, plecami do

mnie, coraz dalej i dalej od Le Dragon Volant, zmierzając w przeciwnym kierunku.

Czekałem, aż dźwięki te umilkną całkiem w oddali, zanim wszedłem do parku. Postępowałem zgodnie z instrukcjami, które otrzymałem od hrabiny de Saint Alyre, i szedłem pomiędzy zaroślami i gąszczem do miejsca najbliższego zaniedbanej świątyni, a potem szybko przemierzyłem krótki odcinek otwartej przestrzeni.

Znajdowałem się teraz ponownie pod gigantycznymi konarami starych lip i kasztanów, cicho i z mocno bijącym sercem zbliżałem się do małej budowli.

Księżyc świecił nieprzerwanie, zalewając swoją jasnością delikatne listowie, i tu, i tam pokrywając plamami bujną roślinność pod moimi stopami.

Doszedłem do schodów i znalazłem się w środku zniszczonej marmurowej konstrukcji. Nie było jej tam ani w wewnętrznej świątyni, której okna z wysokimi łukami nieomal całkowicie zasłaniała gęstwina bluszczu. Dama jeszcze nie przybyła.

19

Klucz

Stałem teraz na schodach, obserwując i nasłuchując. Po minucie czy dwóch usłyszałem trzask łamanych pod stopą suchych gałęzi i spoglądając w tamtym kierunku, ujrzałem pośród drzew zbliżającą się postać otuloną peleryną.

Podszedłem bez zwłoki. To była hrabina. Nic nie mówiła, ale podała mi dłoń i zaprowadziłem ją na miejsce naszej ostatniej rozmowy. Stłumiła wylewność mojego namiętnego powitania delikatną, ale zdecydowaną stanowczością. Zsunęła z głowy kaptur, odrzuciła do tyłu swoje piękne włosy i spoglądając na mnie smutnymi i jaśniejącymi oczami, westchnęła głęboko. Zdawała się ją dręczyć jakaś okropna myśl.

— Richard, muszę mówić jasno. Kryzys w moim życiu nadszedł. Jestem pewna, że stanąłbyś w mojej obronie. Myślę, że mi współczujesz, może nawet mnie kochasz.

Słysząc te słowa, zrobiłem się bardzo elokwentny, jak młodzi szaleńcy w mojej sytuacji. Uciszyła mnie jednak z tą samą melancholijną stanowczością.

— Słuchaj, drogi przyjacielu, a potem powiedz, czy możesz mi pomóc. Jaka jestem szalona, ufając ci, a mimo to moje serce mówi mi jaka mądra! Spo-

tykać się tutaj z tobą, jak to czynię... jakim szaleństwem się to wydaje! Jak źle musisz o mnie myśleć! Ale gdy będziesz wiedział wszystko, osądzisz mnie sprawiedliwie. Bez twojej pomocy nie osiągnę swojego celu. Jeśli nie osiągnę tego celu, umrę. Jestem przywiązana do mężczyzny, którym gardzę... którego nienawidzę. Postanowiłam uciec. Mam klejnoty, głównie diamenty, za które oferują mi trzydzieści tysięcy funtów, waszych angielskich pieniędzy. Są moją odrębną własnością na mocy kontraktu małżeńskiego, zabiorę je z sobą. Znasz się bez wątpienia na klejnotach. Szacowałam moje, gdy nadeszła pora, i przyniosłam w ręce, żeby ci pokazać. Patrz!

— Jest cudowny! — wykrzyknąłem, gdy naszyjnik z diamentów zamigotał i błysnął w świetle księżyca, zwisając z jej ładnych palców.

Pomyślałem, że nawet w tej tragicznej chwili przedłuża pokaz z kobiecym zachwytem dla tych olśniewających błyskotek.

— Tak — powiedziała — rozstanę się z nimi wszystkimi. Zamienię je na pieniądze i zerwę na zawsze te sztuczne i okrutne więzi, które przywiązały mnie w imię sakramentu do tyrana. Mężczyzna młody, przystojny, hojny, dzielny jak ty nie może być bogaty. Richard, mówisz, że mnie kochasz, będziesz dzielił to wszystko ze mną. Uciekniemy razem do Szwajcarii, umkniemy przed pościgiem, moi wpływowi przyjaciele przyjdą z pomocą i zaaranżują separację, i będę w końcu szczęśliwa, i nagrodzę mojego bohatera.

Możecie sobie wyobrazić styl, kwiecisty i ognisty, mojej wypowiedzi, w której wyraziłem całą swoją wdzięczność, poprzysiągłem wieczne oddanie i oddałem się absolutnie do jej dyspozycji.

— Jutro w nocy — powiedziała — mój mąż będzie odprowadzał doczesne szczątki swojego kuzyna, monsieur de Saint Amanda, na Père Lachaise. Kondukt żałobny, mówi, wyruszy stąd o wpół do dziesiątej. Musisz być tutaj, gdzie stoimy, o dziewiątej.

Obiecałem punktualne przybycie.

— Nie spotkam cię tutaj, ale czy widzisz czerwone światło w oknie wieży, patrząc w stronę *château*?

Potwierdziłem.

— Umieściłam je tam, żebyś jutro w nocy, gdy już nadejdzie, mógł je rozpoznać. Jak tylko to różowe światło pojawi się w oknie, będzie to sygnał dla ciebie, że kondukt opuścił już *château* i że możesz bezpiecznie przyjść. Podejdź wtedy do tego okna, otworzę je i wpuszczę cię do środka. Pięć minut później powóz podróżny z czterema końmi będzie stał gotowy w *porte-cochère*. Przekażę ci swoje diamenty i w chwili wejścia do powozu zaczniemy ucieczkę. Będziemy mieć przynajmniej pięć godzin przewagi, a z naszą energią, strategią i zasobami niczego się nie boję. Czy jesteś gotowy podjąć się tego wszystkiego dla mojego dobra?

Ponownie przysiągłem, iż jestem jej niewolnikiem.

— Martwię się jedynie o to — powiedziała — jak się uda nam dość szybko zamienić diamenty na pieniądze. Nie śmiem się ich pozbyć, dopóki mój mąż jest w domu.

Oto była szansa, na którą czekałem. Powiedziałem jej teraz, że posiadam u mojego bankiera kwotę nie mniejszą niż trzydzieści tysięcy funtów, w które zaopatrzony pod postacią złota i banknotów przyjdę i w ten sposób unikniemy ryzyka i strat związanych ze zbyt pośpiesznym pozbyciem się jej diamentów.

— Wielkie nieba! — wykrzyknęła jakby z rozczarowaniem. — Jesteś więc bogaty? A ja straciłam radość uczynienia mojego hojnego przyjaciela bardziej szczęśliwym. Niech tak będzie, skoro być musi. Wnieśmy obydwoje po równo do naszego wspólnego funduszu. Przynieś ty swoje pieniądze, a ja wezmę klejnoty. Znajduję szczęście nawet w połączeniu swoich zasobów z twoimi.

Po tych słowach nastąpiła romantyczna rozmowa, sama poezja i namiętność, którą na próżno starałbym się odtworzyć.

Potem przyszła pora na bardzo szczególne instrukcje.

— Jestem również zaopatrzona w klucz, którego przeznaczenie muszę wyjaśnić.

Był to podwójny klucz — długi, z wąskim trzonem, z kluczami po obydwu stronach: jednym wielkości klucza do otwierania zwykłych drzwi pokojowych, drugim nieomal tak małym jak kluczyk do walizki.

— Jutro w nocy musisz być wyjątkowo ostrożny. Jakiekolwiek nieprzewidziane zdarzenie zniszczyłoby wszelkie moje nadzieje. Dowiedziałam się, że zajmujesz w Le Dragon Volant pokój, w którym straszy. Lepiej nie mogłabym sobie tego wymarzyć. Powiem ci dlaczego. Istnieje opowieść o mężczyźnie, który zamknąwszy się w tym pokoju pewnej nocy, zniknął nad ranem. Prawda jest taka, że chciał on, myślę, uciec przed wierzycielami i gospodarz Le Dragon Volant w tamtym czasie, będąc nieprawym człowiekiem, pomógł mu w ucieczce. Mój mąż zbadał tę sprawę i odkrył, jak udało mu się uciec. Stało się to za sprawą tego właśnie klucza. Oto informacja i plan, jak należy z niego korzystać. Zabrałam go z sekretarzyka hrabiego. A teraz po raz kolejny muszę powierzyć twojej pomysłowości oszukanie ludzi w Le Dragon Volant. Pamiętaj, żeby najpierw wypróbować klucz i sprawdzić, czy da się go obrócić swobodnie w zamku. Będę miała ze sobą diamenty. Ty bez względu na nasz równy wkład przynieś lepiej ze sobą pieniądze, bo może upłynąć wiele miesięcy, zanim będziesz mógł ponownie przyjechać do Paryża i zdradzić komukolwiek swoje miejsce pobytu, a także nasze paszporty — załatw to wszystko, sam zdecyduj, na jakie nazwiska i dokąd. A teraz, drogi Richardzie — oparła rękę czule na moim ramieniu i spojrzała mi z niewypowiedzianą namiętnością w oczy, trzymając drugą rękę w moim uścisku — mo-

je życie jest w twoich rękach, zawierzyłam wszystko twojej wierności.

Gdy wymówiła ostatnie słowo, nagle zrobiła się śmiertelnie blada i jęknęła:

— Dobry Boże! Kto tam jest?

W tej samej chwili wycofała się przez drzwi, w pobliżu których stała i za którymi znajdowała się mała komnata bez sufitu, mała jak kapliczka, której okno zasłonięte było wijącą się masą bluszczu, tak gęstą, że nieomal żaden promień światła nie przedostawał się przez jej liście.

Stałem na progu, przez który właśnie przeszła, spoglądając w kierunku, w jakim rzuciła to jedno wystraszone spojrzenie. Nic dziwnego, że była przerażona. Dość blisko nas, oddaleni o niecałe dwadzieścia metrów i zbliżający się szybkim krokiem, bardzo wyraźnie oświetleni światłem księżyca, widoczni byli pułkownik Gaillarde i jego towarzysz. Osłaniał mnie cień gzymsu i ściany. Nie będąc tego świadom, oczekiwałem chwili, gdy z jednym ze swoich szalonych okrzyków pułkownik wyskoczy do przodu, by mnie zaatakować.

Zrobiłem krok w tył, wyjąłem jeden z pistoletów z kieszeni i odbezpieczyłem go. Było oczywiste, że mnie nie zauważył.

Stałem, z palcem na spuście, zdecydowany go zastrzelić, gdyby próbował wejść do pomieszczenia, gdzie znajdowała się hrabina. Byłoby to bez wątpienia morderstwo, ale w moim umyśle nie miałem co

do niego żadnych wątpliwości ani skrupułów. Gdy raz zaangażujemy się w sekretne i przestępcze działania, stajemy się bliżsi innych i większych zbrodni, niż się nam wydaje.

— Oto rzeźba — powiedział pułkownik głosem o krótkich i nierównych nutach. — Oto posąg.

— O którym mowa w poemacie? — dopytywał towarzysz.

— Dokładnie ten sam. Zobaczymy więcej następnym razem. Naprzód, monsieur, maszerujmy.

Ku mojej ogromnej uldze waleczny pułkownik odwrócił głowę i pomaszerował między drzewami, plecami do *château*, krocząc po trawie, jak szybko dojrzałem, do muru parku, który przekroczyli niedaleko od łamanego dachu Le Dragon Volant.

Hrabina, jak zauważyłem, wcale nie udawała i drżała z prawdziwego strachu. Nie chciała słyszeć o tym, abym towarzyszył jej w drodze do *château*. Ale powiedziałem, że zapobiegnę powrotowi szalonego pułkownika i przynajmniej w tym względzie nie musi się niczego obawiać. Szybko doszła do siebie, ponownie czule i długo życzyła mi dobrej nocy i zostawiła mnie, spoglądającego za nią, z kluczem w dłoni i z fantasmagorią w głowie, która graniczyła nieomal z szaleństwem.

Oto byłem gotów stawić czoło wszystkim niebezpieczeństwom, wszystkiemu, co słuszne i rozsądne, posunąć się do samego morderstwa i uwikłać w konsekwencje niewyjaśnione i straszne — cóż mnie to

obchodziło? — na pierwsze skinienie kobiety, o której nic nie wiedziałem, z wyjątkiem tego, że jest piękna i szalona!

Często dziękowałem niebiosom za ich łaskawość w przeprowadzeniu mnie przez ten labirynt, w którym nieomal się zagubiłem.

20

Kobieta w czepku

Znajdowałem się teraz na drodze, w odległości dwustu czy trzystu metrów od Le Dragon Volant. Wyruszałem na spotkanie z przygodą, a przyświecała mi zemsta! W ramach wstępu, bardzo możliwe, oczekiwało mnie w gospodzie inne spotkanie, być może tym razem nie tak szczęśliwe, z groteskowym fechmistrzem.

Byłem zadowolony, że miałem pistolety. Z pewnością żadne prawo nie nakazywało mi pozwolić, aby gbur obciął mi głowę bez stawienia mu oporu.

Zwisające ukośnie konary drzew starego parku, gigantyczne topole po drugiej stronie drogi i światło księżyca oświetlające to wszystko czyniły wąską drogę do gospody bardzo malowniczą.

Nie byłem w stanie myśleć teraz jasno, wydarzenia następowały jedno po drugim tak szybko, a ja, uwikłany w zdarzenia dramatu tak niewyobrażalnego i grzesznego, sam siebie nie poznawałem ani nie wierzyłem w to, co się działo, zbliżając się wolno do wciąż otwartych drzwi gospody.

Żadnego śladu pułkownika, widocznego czy słyszalnego, nie było. W holu zapytałem o niego. Żaden dżentelmen nie przybył do gospody przez ostatnie pół godziny. Zajrzałem do wspólnego pokoju. Był pu-

sty. Zegar wybił dwunastą i usłyszałem, jak służący rygluje duże drzwi. Wziąłem świecę. Światła w tym wiejskim hotelu były o tej porze zgaszone, a budynek sprawiał wrażenie pogrążonego we śnie od wielu godzin. Zimne światło księżyca wpadało przez okno na półpiętrze, gdy wchodziłem po szerokich schodach i zatrzymałem się na chwilę, żeby spojrzeć na porośnięte lasem ziemie, w stronę *château*, z jego wieżyczkami, dla mnie tak interesującego. Pomyślałem sobie jednak, że czujne oczy mogły odczytać jakieś znaczenie w tym spoglądaniu o północy i być może zazdrosny hrabia mógłby doszukać się sygnału w tym niespodziewanym świetle w oknie w kształcie gwiazdy w Le Dragon Volant.

Otwierając drzwi do swojego pokoju, trochę zaskoczony, natknąłem się na bardzo starą kobietę, z najdłuższą twarzą, jaką kiedykolwiek widziałem. Miała na sobie czepek, którego białe wykończenie kontrastowało z jej brązowożółtą skórą i czyniło jej pomarszczoną twarz jeszcze brzydszą. Uniosła przygarbione ramiona i spojrzała mi w twarz oczami nienaturalnie czarnymi i błyszczącymi.

— Rozpaliłam mały ogień, monsieur, ponieważ noc jest chłodna.

Podziękowałem jej, ale ona nie odeszła. Stała, trzymając w drżących palcach świecę.

— Proszę wybaczyć starej kobiecie, monsieur — powiedziała — ale co może interesować młodego angielskiego milorda, z Paryżem u stóp, w Le Dragon Volant?

Gdybym był w wieku słuchania bajek i rozmawiał codziennie z czarującą hrabiną d'Aulnoy*, dostrzegłbym w tej wysuszonej zjawie *genius loci*, złośliwą wróżkę, na której tupnięcie wszyscy nieszczęśni mieszkańcy tego właśnie pokoju od czasu do czasu znikali. Te czasy jednak bezpowrotnie minęły, ale ciemne oczy starej kobiety wpatrywały się we mnie przenikliwie, a ja wyraźnie czytałem w nich, że mój sekret jest jej znany. Byłem zawstydzony i zaniepokojony. Nie pomyślałem nawet, żeby spytać, co ją to obchodzi.

— Te stare oczy widziały pana w parku *château* tej nocy.

— Mnie! — zacząłem z całym pogardliwym zaskoczeniem, na jakie było mnie stać.

— To nic nie da, monsieur. Wiem, dlaczego pan się tu zatrzymał, i mówię panu, żeby pan wyjechał. Proszę opuścić ten dom jutro rano i nigdy więcej tu nie wracać.

Uniosła wolną rękę, przyglądając mi się z ogromnym przerażeniem w oczach.

— Nie ma żadnego powodu... nie wiem, o co pani chodzi — odparłem — i dlaczego martwi się pani o mnie?

— Nie martwię się o pana, monsieur, troszczę się

---

* Marie-Catherine Le Jumel de Barneville, baronowa d'Aulnoy (1650/1651-1705) — znana również jako hrabina d'Aulnoy, była francuską pisarką, która zasłynęła jako autorka bajek [przyp. tłum.].

o honor starożytnej rodziny, której służyłam w lepszych czasach, kiedy być szlachetnie urodzonym znaczyło być szanowanym. Ale moje słowa padają na wiatr, monsieur, jest pan arogancki. Ja zachowam swoją tajemnicę, a pan swoją, to wszystko. Zobaczy pan, że wkrótce nie będzie pan w stanie wyjawić swojej.

Stara kobieta wyszła powoli z pokoju i zamknęła drzwi, zanim zdążyłem coś powiedzieć. Stałem w miejscu, w którym mnie zostawiła, jeszcze blisko pięć minut. Zazdrość hrabiego, doszedłem do wniosku, wydaje się tej starej kobiecie najstraszniejszą rzeczą na świecie. Bez względu na to, z jaką pogardą mogłem traktować niebezpieczeństwa, które w tak ponurych barwach malowała ta starsza dama, nie było wcale przyjemne, możecie mnie zrozumieć, że obca osoba, a na dodatek będąca stronnikiem hrabiego de Saint Alyre, może domyślać się takiego niebezpiecznego sekretu.

Czy nie powinienem, bez względu na ryzyko, powiadomić hrabiny, która zaufała mi tak bezgranicznie czy, jak sama to ujęła, szaleńczo, o tym, że naszego sekretu co najmniej domyślała się inna osoba? Ale czy nie było większego niebezpieczeństwa w próbie kontaktu? Co miała na myśli ta starucha, mówiąc: „Ja zachowam swoją tajemnicę, a pan swoją"?

Męczyła mnie setka niepokojących pytań. Moja droga wydawała się niczym podróż przez Spessart*,

* Spessart — pasmo górskie w środkowych Niemczech (Bawaria i Hesja) w sąsiedztwie doliny rzeki Men [przyp. tłum.].

gdzie na każdym kroku jakiś nowy karzeł albo potwór podrywa się z ziemi lub wychodzi zza drzewa.

Stanowczo odsunąłem od siebie te krzywdzące i przerażające wątpliwości. Zamknąłem drzwi, usiadłem przy stole i świecach stojących po jednej i drugiej stronie, umieściłem przed sobą kawałek welinu zawierającego rysunki i notatki, z których miałem wyczytać pełną instrukcję, jak używać klucza.

Gdy już zapoznałem się z nimi, po krótkiej chwili przeprowadziłem badanie. Róg pokoju po prawej stronie okna był odcięty przez ukośnie biegnący drewniany panel. Przyjrzałem mu się dokładnie i pod naciskiem mały fragment jego krawędzi przesunął się na bok i ukazał dziurkę od klucza. Gdy podniosłem palec, wskoczył na swoje miejsce. Jak do tej pory zinterpretowałem swoje instrukcje pomyślnie. Podobne poszukiwania, obok drzwi i dokładnie ponad nimi, zostały nagrodzone podobnym odkryciem. Mniejszy koniec klucza pasował do tej, jak i do górnej dziurki, a teraz po dwóch czy trzech mocnych szarpnięciach kluczem drzwi w drewnianym panelu otworzyły się, ukazując płat nagiej ściany i wąski otwór wykończony łukiem, w którym ujrzałem kręte kamienne schody.

Ze świecą w ręce wyszedłem na schody. Nie wiem, czy zastałe powietrze jest wyjątkowe, mnie się zawsze takie wydawało; wyczułem w nim wilgotny zapach muru. Świeca słabo oświetlała nagą kamienną ścianę, tworzącą sklepienie nad schoda-

mi, których końca nie widziałem. Ruszyłem w dół i kilka zakrętów doprowadziło mnie do kamiennej posadzki. Tutaj były kolejne drzwi, ze zwykłego starego dębu, głęboko zatopione w murze. Duży koniec klucza do nich pasował. Ale zamek nie chciał drgnąć. Postawiłem świecę na schodach i przyłożyłem obydwie dłonie — obrócił się z trudem, wydając z siebie zgrzytnięcie, które zaniepokoiło mnie ze względu na sekret.

Przez pięć minut trwałem w bezruchu. Potem jednak odważyłem się i otwarłem drzwi. Nocne powietrze, wpadając do środka, zdmuchnęło świecę. Gąszcz ostrokrzewu i zarośli, gęsty jak dżungla, sięgał do drzwi. Otaczałaby mnie całkowita ciemność, gdyby nie to, że przez listowie na samej górze połyskiwało tu i tam srebro księżyca.

Cicho, na wypadek gdyby ktoś otworzył okno wskutek dźwięku zardzewiałego zamka, przedostałem się przez zarośla i wyszedłem na otwarty teren. Tutaj odkryłem, że zarośla ciągną się jeszcze przez spory kawałek w stronę parku, łącząc się z lasem dochodzącym do małej świątyni, jaką wcześniej opisałem.

Generał nie mógłby wybrać bardziej ukrytego przejścia od Le Dragon Volant do miejsca schadzki, gdzie uprzednio konferowałem z obiektem mej zakazanej adoracji.

Spoglądając do tyłu na gospodę, odkryłem, że schody, po których zszedłem, mieściły się w jednej

z tych smukłych wieżyczek, jakie ozdabiają tego typu budynki. Umieszczona była w tym rogu, który odpowiadał fragmentowi drewnianych paneli na ścianach mojego pokoju, wskazanego na planie, który studiowałem.

Całkowicie usatysfakcjonowany eksperymentem wróciłem, z pewną trudnością wszedłem na górę do pokoju, zamknąłem ponownie sekretne drzwi, pocałowałem tajemniczy klucz, który ściskała jej dłoń tej nocy, i wsunąłem go pod poduszkę, gdzie wkrótce potem spoczęła z kotłowaniną myśli moja głowa, którą dopiero po dłuższym czasie zmorzył głęboki sen.

21

Widzę trzech mężczyzn w lustrze

Obudziłem się bardzo wcześnie następnego ranka i byłem zbyt podekscytowany, żeby zasnąć ponownie. Jak tylko było to możliwe, bez budzenia podejrzeń, spotkałem się z gospodarzem. Powiedziałem mu, że wyjeżdżam do miasta dzisiaj wieczorem, a stamtąd do Rouen, gdzie miałem spotkać się z kilkoma osobami w interesach, i poprosiłem, aby powiedział o tym wszystkim moim znajomym, którzy mogliby o mnie pytać; że spodziewam się wrócić za jakiś tydzień i że w tym czasie mój służący, Saint Clair, będzie opiekował się pokojem i moimi rzeczami.

Skończywszy mistyfikację dla gospodarza, pojechałem do Paryża i tam sfinalizowałem finansową część przedsięwzięcia. Problem polegał na zamienieniu mojego majątku, blisko trzydziestu tysięcy funtów, w postać, która nie tylko będzie łatwa do przewiezienia, ale również dostępna, gdziekolwiek bym pojechał, bez konieczności prowadzenia korespondencji czy jakiegokolwiek innego działania, które ujawniłoby moje miejsce pobytu. Wszystkie te kwestie zostały załatwione w najwyższym stopniu. Nie muszę zaprzątać wam głowy szczegółami dotyczącymi paszportów. Dość powiedzieć, że miejsce, które wybrałem na naszą ucieczkę, było, zgodnie

z duchem romansu, jednym z najpiękniejszych i najbardziej odludnych zakątków Szwajcarii.

Bagażu nie powinienem zabierać żadnego. Pierwsze większe miasto, do którego dojedziemy jutro rano, powinno zapewnić tymczasową garderobę. Była teraz godzina druga, zaledwie druga! Jak, u licha, mam zagospodarować resztę dnia?

Nie widziałem jeszcze katedry Notre Dame i tam też pojechałem. Spędziłem w niej godzinę lub trochę więcej, poszedłem do Conciergerie, Palais de Justice i pięknej Sainte Chapelle. Nadal jednak pozostało mi trochę czasu do zagospodarowania i wyruszyłem na spacer wąskimi uliczkami w pobliżu katedry. Pamiętam, że widziałem na jednej z nich stary dom z napisem na murze informującym, że był kiedyś rezydencją kanonika Fulberta, wuja Heloizy — ukochanej Abélarda*. Nie wiem, czy te dziwne stare uliczki, przy których widziałem fragmenty starożytnych gotyckich kościołów, służących za magazyny, nadal tam są. Natknąłem się pośród innych obskurnych i dziwacznych sklepów na jeden, który wydawał się należeć do handlarza przeróżnych starych dekoracji, zbroi, porcelany i mebli. Wszedłem do sklepu, który był ciemny, zakurzony i niski. Właściciel był zajęty czyszczeniem fragmentu inkrustowanej zbroi

---

* Heloiza — francuska zakonnica, opatka, jedna z najbardziej znanych kobiet swoich czasów i całego średniowiecza. Zawarła małżeństwo z filozofem Piotrem Abélardem [przyp. tłum.].

i pozwolił mi wędrować po wnętrzu i przyglądać się dziwnym rzeczom tam zgromadzonym, wedle mojego życzenia. Stopniowo doszedłem do jego przeciwległego końca, gdzie znajdowało się zaledwie jedno okno z wieloma kwaterami, każda z wypukłym nadlewem, niewyobrażalnie brudne. Gdy doszedłem do tego okna, odwróciłem się, a we wnęce, na prawo od ściany sklepu, znajdowało się duże stojące lustro w staromodnej obskurnej ramie. Ujrzałem w nim odbicie czegoś, co w starych domach, jak słyszałem, jest nazywane „alkową", w której pośród rupieci i różnych zakurzonych przedmiotów wiszących na ścianach stał stół, a przy nim siedziały trzy osoby, jak mi się wydawało, pogrążone w rozmowie. Dwie z tych osób natychmiast rozpoznałem — jedną był pułkownik Gaillarde, drugą markiz d'Harmonville. Trzecia, która zajęta była piórem, to szczupły, blady mężczyzna, o twarzy usianej plamami po ospie, z prostymi czarnymi włosami i o wyjątkowo wrogim wyglądzie. Markiz podniósł wzrok, a za nim natychmiast podążyli obaj jego towarzysze. Przez chwilę nie wiedziałem, co robić. Było jednak oczywiste, że mnie nie rozpoznali, co w istocie byłoby bardzo mało prawdopodobne, jako że światło z okna padało za mną, a część sklepu bezpośrednio przede mną była pogrążona w ciemności.

Widząc to, zachowałem dość przytomności, aby udawać, że jestem całkowicie zaabsorbowany przedmiotami przede mną, i powędrowałem wolno po-

nownie w dół sklepu. Zatrzymałem się na chwilę, żeby nasłuchiwać, czy nikt za mną nie idzie, i z ulgą odnotowałem, że nie słyszę żadnych kroków. Możecie być pewni, że nie marnowałem więcej czasu w tym sklepie, gdzie właśnie dokonałem odkrycia tak dziwnego i niespodziewanego.

To nie był mój interes dociekać, co sprowadziło pułkownika Gaillarde'a i markiza do takiego podłego, a nawet podejrzanego miejsca, albo kim mogła być ta złowroga, gryząca koniec pióra osoba. Takie zadania, których podjął się markiz, czasami zmuszają nas do zadawania się z dziwnymi osobami.

Z zadowoleniem wyszedłem stamtąd i w chwili gdy zachodziło słońce, zajechałem pod schody Le Dragon Volant i oddaliłem powóz, którym właśnie przyjechałem, niosąc w ręce sejf cudownie małych rozmiarów, zważywszy na to, co zawierał, owinięty skórzanym pokrowcem, jaki maskował jego prawdziwy charakter.

Gdy dotarłem do swojego pokoju, wezwałem Saint Claira. Opowiedziałem mu nieomal tę samą historię, którą już przekazałem gospodarzowi. Dałem mu pięćdziesiąt funtów z poleceniem, aby wydał wszystko, co konieczne, na siebie i na opłatę pokojów do czasu mego powrotu. Zjadłem potem lekki i pospieszny obiad. Moje oczy często spoczywały na dostojnym starym zegarze na półce nad kominkiem, który był moim jedynym współtowarzyszem w przygotowaniach do schadzki prowadzącej do tej strasznej przygody. Niebo sprzyjało mojej wyprawie i morze chmur spowiło ciemnością cały krajobraz.

Gospodarz zatrzymał mnie w holu, żeby zapytać, czy będę potrzebował pojazdu do Paryża. Byłem przygotowany na to pytanie i natychmiast odpowiedziałem, że zamierzam przejść się do Wersalu i stamtąd pojechać powozem. Wezwałem Saint Claira.

— Idź — powiedziałem — i wypij butelkę wina z przyjaciółmi. Wezwę cię, jeśli będę czegoś potrzebował, tymczasem... oto klucz do mojego pokoju, będę pisał pewne listy, więc nie pozwól, żeby ktoś mi przeszkadzał co najmniej przez pół godziny. Po tym czasie najprawdopodobniej zobaczysz, że wyjechałem do Wersalu. Jeśli nie znajdziesz mnie w pokoju, możesz być tego pewien, wtedy zajmij się wszystkim i zamknij drzwi, rozumiesz?

Saint Clair wyszedł, życząc mi wszelkiego szczęścia i bez wątpienia obiecując sobie trochę rozrywki za moje pieniądze. Ze świecą w ręce pospieszyłem na górę. Do umówionego czasu pozostawało już tylko pięć minut. Nie wydaje mi się, żeby w mojej naturze było coś z tchórza, ale przyznaję, że w miarę jak zbliżał się punkt kulminacyjny, czułem coś na kształt niepokoju i onieśmielenia żołnierza idącego na wojnę. Czy mógłbym zrezygnować? Nie, za nic na tym świecie.

Zaryglowałem drzwi, nałożyłem płaszcz i włożyłem pistolety po jednym do kieszeni. Teraz otworzyłem kluczem sekretne zamki, uchyliłem lekko drzwi

w drewnianym panelu, umieściłem sejf pod pachą, zgasiłem świecę, odryglowałem drzwi, nasłuchiwałem pod nimi przez kilka chwil, żeby upewnić się, iż nikt nie nadchodzi, a potem przemierzyłem szybko pokój, przekroczyłem sekretne drzwi i zamknąłem za sobą sprężynowy zamek. Znajdowałem się na krętych schodach, w całkowitej ciemności, z kluczem w palcach. Jak na razie przedsięwzięcie było udane.

22

Uniesienie

Ruszyłem po krętych schodach w całkowitej ciemności i znalazłszy się na kamiennej posadzce, dostrzegłem drzwi i namacałem dziurkę od klucza. Z większą ostrożnością i robiąc mniej hałasu niż poprzedniej nocy, otworzyłem drzwi i wszedłem w gęste zarośla. W tej dżungli było nieomal równie ciemno.

Zamknąwszy drzwi, ruszyłem wolno przez krzaki, które niebawem stały się rzadsze. Potem, z trochę większą swobodą, ale nadal pod gęstą zasłoną, kontynuowałem wędrówkę lasem, trzymając się jego krawędzi.

W końcu, w ciemności, po około pięćdziesięciu metrach wyrosły przede mną niczym zjawy łuki marmurowej świątyni, widoczne poprzez pnie starych drzew. Wszystko sprzyjało memu przedsięwzięciu. Skutecznie wyprowadziłem w pole służącego i ludzi z Le Dragon Volant, a noc była tak ciemna, że nawet gdybym wzbudził podejrzenia wszystkich mieszkańców gospody, mógłbym zupełnie spokojnie zadać kłam ich zjednoczonej ciekawości, nawet gdyby wyglądali przez wszystkie okna domu.

Wędrując pomiędzy pniami i po korzeniach starych drzew, doszedłem do umówionego miejsca obserwacji. Umieściłem mój skarb ze skórzanej torby w glifie i opierając na nim ramiona, spoglądałem w kierunku *château*. Zarys budynku był ledwie widoczny, zlewając się niewyraźnie z niebem. W żadnym oknie nie było światła. Najwyraźniej miałem czekać, ale jak długo?

Gdy tak opierałem się na szkatułce ze skarbami, spoglądając na ogromny cień, który oznaczał *château*, pośród żarliwych i wzniosłych tęsknot nagle przyszła mi do głowy dziwna myśl, na którą, pomyślicie, mogłem wpaść dużo wcześniej. Pojawiła się nagle, a gdy przyszła, ciemność zrobiła się jeszcze głębsza, a powietrze wokół mnie stało się chłodniejsze. A gdybym miał na koniec zniknąć, jak ci inni mężczyźni, o których słuchałem opowieści? Czyż nie dołożyłem wszelkich starań, będących w mocy śmiertelnika, żeby zatrzeć wszelkie ślady moich rzeczywistych działań i wyprowadzić w pole każdego, z kim rozmawiałem, co do kierunku, w jakim wyruszyłem?

Ta lodowata myśl niczym wąż przemknęła mi przez głowę i zniknęła.

Czyż nie cieszyłem się właśnie najlepszym okresem młodości, świadomej siły, gwałtowności, namiętności, poszukiwań i przygody? Oto była para dwulufowych pistoletów, cztery życia w moich rękach? Cóż mogło się wydarzyć? Hrabia — gdyby nie moja Dulcynea, jakie to miało dla mnie znaczenie, czy ten stary tchórz, którego widziałem w akcie przerażenia przed awanturującym się pułkownikiem, przeszkodzi nam, czy nie? Zakładałem najgorszą możliwość. Ale z sojusznikiem tak sprytnym i odważnym, jak moja piękna hrabina, czy mogło przytrafić mi się jakieś nieszczęście? Fe! Zaśmiałem się z takich wymysłów.

I gdy tak rozmawiałem sam ze sobą, pojawił się sygnał. Światło w kolorze różu, *couleur de rose*, emblemat optymistycznej nadziei i wschodu szczęśliwego dnia.

Światło w oknie płonęło wyraźnie, delikatnie i nieprzerwanie. Kamienne łuki wydawały się czarne na jego tle. Szepcząc słowa namiętnej miłości, gdy patrzyłem na znak, umieściłem pod pachą mój sejf i szybkim krokiem zbliżyłem się do Château de la Carque. Żaden znak światła czy życia, żaden ludzki głos, żaden odgłos kroków, żadne szczekanie psa nie wskazywało na groźbę zdemaskowania. Żaluzja była opuszczona i gdy zbliżyłem się do wysokiego okna, odkryłem, że prowadzi do niego pół tuzina stopni i że duża kratownica, pełniąca funkcję drzwi, jest otwarta.

Z wewnątrz padał na żaluzję cień, była odsunięta i gdy wchodziłem po schodach, delikatny głos wyszeptał:

— Richard, najdroższy Richard, chodź, ach, chodź! Jakże tęskniłam za tą chwilą!

Nigdy nie wyglądała tak pięknie. Moja miłość urosła do namiętnego entuzjazmu. Pragnąłem jedynie, żeby pojawiło się jakieś prawdziwe ryzyko w przygodzie wartej takiego cudownego stworzenia. Gdy pierwsze entuzjastyczne powitanie mieliśmy już za sobą, poprosiła, abym usiadł obok niej na sofie. Tam rozmawialiśmy przez minutę czy dwie. Powiedziała mi, że hrabia opuścił zamek i że teraz jest już jakieś półtora kilometra stąd, z konduktem zmierzającym na Père Lachaise. Oto są jej diamenty. Pokazała mi pośpiesznie otwartą szkatułę zawierającą mnóstwo największych brylantów.

— Co to jest? — zapytała.

— Szkatuła zawierająca pieniądze w kwocie trzydziestu tysięcy funtów — odparłem.

— Co?! Aż tyle pieniędzy? — wykrzyknęła.

— Co do sou.

— Czyż nie było to niepotrzebne przynosić tak wiele, widząc to? — zauważyła, dotykając diamentów. — Byłoby to uprzejme z twojej strony pozwolić mi, abym to ja zapewniła nam byt, przynajmniej przez jakiś czas. Uczyniłoby mnie to jeszcze szczęśliwszą niż teraz.

— Najdroższy, hojny aniele! — tak brzmiała moja górnolotna deklamacja. — Zapominasz, że przez długi czas może być konieczne utrzymanie w tajemnicy miejsca naszego pobytu i bezpieczna komunikacja z kimkolwiek może być niemożliwa.

— Masz zatem tutaj tę wielką kwotę... jesteś pewien, przeliczyłeś ją?

— Tak, z pewnością, otrzymałem ją dzisiaj — odparłem, być może z widocznym na twarzy zdziwieniem. — Przeliczyłem ją oczywiście, pobierając od moich bankierów.

— Trochę się denerwuję, że będziemy podróżować z taką sumą pieniędzy, ale skoro te klejnoty narażają nas na duże niebezpieczeństwo, one mogą jedynie nieznacznie je zwiększyć. Umieść je obok siebie, zdejmiesz swój płaszcz, gdy będziemy gotowi do drogi, i będziesz mógł ukryć pod nim obydwie szkatuły. Nie chciałabym, aby powożący podejrzewali, że przewozimy taki skarb. Muszę cię teraz poprosić, żebyś zasunął kotary w tym oknie i zaryglował okiennice.

Zaledwie zdołałem to uczynić, gdy rozległo się pukanie do drzwi pokoju.

— Wiem, kto to jest — powiedziała do mnie szeptem.

Zauważyłem, że nie jest zaniepokojona. Podeszła bezszelestnie do drzwi i przez minutę trwała cicha rozmowa.

— Moja zaufana służąca, która pojedzie z nami. Mówi, że nie możemy wyjść bezpiecznie wcześniej niż za dziesięć minut. Poda kawę w sąsiednim pokoju.

Otworzyła drzwi i zajrzała do środka.

— Muszę powiedzieć jej, żeby nie brała za dużo bagażu. Jest taka dziwna! Nie idź za mną... zostań tu, gdzie jesteś... lepiej będzie, jeśli cię nie zobaczy.

Wyszła z pokoju, nakazując mi gestem ostrożność.

W zachowaniu tej pięknej kobiety nastąpiła zmiana. Przez ostatnie kilka minut stopniowo robiła się

coraz smutniejsza, bardziej nieobecna, jakby nabierała jakiegoś podejrzenia. Dlaczego była blada? Dlaczego w jej spojrzeniu zagościła taka groza? Dlaczego zmienił się jej głos? Czy nagle coś się nie powiodło? Czy groziło nam jakieś niebezpieczeństwo?

Ta wątpliwość jednak szybko znikła. Gdyby działo się coś tego rodzaju, oczywiście powiedziałaby mi o tym. Było naturalne, że w miarę jak nadchodził punkt kulminacyjny, stawała się coraz bardziej nerwowa. Nie wróciła tak szybko, jak oczekiwałem. Dla mężczyzny w moim położeniu absolutny spokój jest prawie niemożliwy do osiągnięcia. Krążyłem nerwowo po pokoju. Był nieduży. Na obydwu jego końcach znajdowały się drzwi. Otworzyłem je dość gwałtownie. Nasłuchiwałem — panowała absolutna cisza. Znajdowałem się w stanie podniecenia, gotowości, a każdy mój zmysł koncentrował się na tym, co leżało przed nami, i w tym sensie byłem oderwany od bezpośredniego otoczenia. Nie umiem wyjaśnić w żaden inny sposób, dlaczego popełniłem tej nocy tak wiele głupstw, bo normalnie nie brakowało mi żadną miarą sprytu. Chyba największym z tych głupstw było to, że zamiast natychmiast zamknąć drzwi, których nigdy nie powinienem był otwierać, po prostu wziąłem świecę i wszedłem do pokoju.

Tam dokonałem, dość nieoczekiwanie, raczej zadziwiającego odkrycia.

23

Filiżanka kawy

W pokoju nie było dywanu. Na podłodze znajdowało się mnóstwo wiórów i kilkadziesiąt cegieł. Za nimi, na wąskim stole stał przedmiot, w którego obecność w tym miejscu nie mogłem uwierzyć.

Podszedłem do niego i ściągnąłem prześcieradło, które jedynie odrobinę kryło jego kształt. Nie było co do tego żadnych wątpliwości. To była trumna, a na wieku znajdowała się płytka z napisem po francusku:

PIERRE DE LA ROCHE SAINT AMAND
AGÉ DE XXIII ANS*.

Cofnąłem się, doznawszy podwójnego szoku. Więc w takim razie kondukt jeszcze nie wyruszył! Oto leżało ciało. Zostałem oszukany. To bez wątpienia było powodem zażenowania tak widocznego w zachowaniu hrabiny. Postąpiłaby dużo rozsądniej, gdyby powiedziała mi o faktycznym stanie rzeczy.

Wyszedłem z tego przygnębiającego pokoju i zamknąłem drzwi. Jej brak zaufania do mnie był największym błędem, jaki mogła popełnić. Nie ma nic gorszego niż niewłaściwie przedsięwzięte środki

---

* *AGÉ DE XXIII ANS* (franc.) — w wieku 23 lat.

ostrożności. Całkowicie nieświadom faktów wszedłem do pokoju i tam mogłem natknąć się na część osób, na których uniknięciu tak szczególnie nam zależało.

Te refleksje przerwał, nieomal natychmiast po ich pojawieniu się, powrót hrabiny de Saint Alyre. Od razu zauważyłem, że wykryła w mojej twarzy jakiś dowód tego, co się stało, ponieważ rzuciła pośpieszne spojrzenie w stronę drzwi.

— Czy widziałeś coś... coś, co cię zaniepokoiło, drogi Richardzie? Czy wychodziłeś z tego pokoju?

Odpowiedziałem szybko „tak" i zrelacjonowałem szczerze, co się wydarzyło.

— Cóż, nie chciałam cię martwić więcej, niż to było konieczne. Poza tym to odrażające i straszne. Ciało jest tutaj, ale hrabia opuścił dom na kwadrans, zanim zapaliłam kolorową lampę i przygotowałam się na twoje przyjście. Ciało dostarczono dopiero osiem czy dziesięć minut po tym, jak on wyruszył. Obawiał się, żeby ludzie na Père Lachaise nie pomyśleli, że pogrzeb został przełożony na później. Wiedział, że szczątki biednego Pierre'a dotrą tutaj najpóźniej dzisiaj w nocy, mimo że pojawiło się nieoczekiwane opóźnienie i są powody, dla których chce, aby pogrzeb odbył się przed jutrzejszym dniem. Kondukt z ciałem musi wyjść stąd za dziesięć minut. Jak tylko opuści dom, będziemy wolni, by wyruszyć w naszą szaloną i szczęśliwą podróż. Konie są przy powozie w *porte-cochère*. Co do tego *funeste* horroru — wzdrygnęła się bardzo ładnie — nie myślmy już o tym.

Zaryglowała drzwi, a gdy się odwróciła, na jej twarzy i w zachowaniu była widoczna taka śliczna skrucha, że mógłbym rzucić się do jej stóp.

— To był ostatni raz — zwróciła się do mnie w słodkim, smutnym, błagalnym geście — gdy zdobyłam się na oszustwo wobec mojego dzielnego i pięknego Richarda... mojego bohatera! Czy mi wybaczysz?

Nastąpiła kolejna scena namiętnych uniesień, miłosnych porywów i deklamacji, ale wszystko to szeptem, na wypadek gdyby ciekawskie uszy podsłuchiwały.

W końcu nagle uniosła dłoń, jakby chciała mi dać do zrozumienia, żebym się nie ruszał, z oczami utkwionymi we mnie i uchem nasłuchującym odgłosów za drzwiami do pokoju, w którym była umieszczona trumna, i pozostała bez oddechu w tej pozie przez kilka chwil. Potem, z lekkim skinieniem, podeszła na palcach do drzwi i nasłuchiwała, z ręką wyprostowaną w moim kierunku, jakby chciała mnie ostrzec przed zbliżeniem się do niej, a po krótkiej chwili wróciła, wciąż na palcach, i szepnęła do mnie:

— Zabierają trumnę... chodź ze mną.

Poszedłem z nią do pokoju, w którym, jak mi powiedziała, rozmawiała z nią służąca. Kawa i kilka starych chińskich filiżanek, które wydawały mi się całkiem piękne, stało na srebrnej tacy, a kilka kie-

liszków do likieru, z butelką trunku, który okazał się pestkówką, na tacce obok niej.

— Będę ci usługiwać. Tutaj jestem twoją służącą, wszystko będzie po mojej myśli. Uznam, że moje kochanie mi nie wybaczyło, jeśli nie pozwolisz mi się uraczyć czymkolwiek.

Napełniła filiżankę kawą i podała mi ją lewą ręką, prawą zaś oparła na moim ramieniu i wsunąwszy czule palce między moje loki, szepnęła:

— Wypij to, ja też się zaraz napiję.

Kawa była doskonała, a gdy skończyłem, podała mi likier, który również wypiłem.

— Wróćmy, najdroższy, do sąsiedniego pokoju — powiedziała. — Ci straszni ludzie musieli już pójść i będziemy tam bezpieczniejsi na razie niż tutaj.

— Ty będziesz wydawała polecenia, ja będę je wykonywał; ty będziesz mną dowodzić, nie tylko teraz, ale zawsze i we wszystkim, moja piękna królowo! — wyszeptałem.

Moje heroiczne zachowanie nieświadomie, śmiem twierdzić, wywodziło się z mojego fałszywego rozumienia francuskiej szkoły uwodzenia. Nawet teraz ze wstydem wspominam patos, którym uraczyłem hrabinę de Saint Alyre.

— Proszę, wypijesz jeszcze jeden miniaturowy kieliszek... naparstek... pestkówki — zawołała wesoło.

W tej delikatnej istocie pogrzebowy smutek sprzed chwili i cała niepewność przygody, od której

zależała jej przyszłość, zniknęły w jednym momencie. Pobiegła i wróciła z jeszcze jednym malutkim kieliszeczkiem, który z płynną czy też czułą małą przemową przyłożyłem do ust i wychyliłem.

Pocałowałem jej rękę, pocałowałem jej usta, spojrzałem w jej piękne oczy i znowu ją pocałowałem, a ona nie stawiała oporu.

— Nazywasz mnie Richardem, jakimże imieniem ja mam się zwracać do mojej pięknej bogini? — zapytałem.

— Musisz nazywać mnie Eugénie, tak mam na imię. Róbmy wszystko na serio, oczywiście jeśli kochasz mnie tak całkowicie, jak ja ciebie.

— Eugénie! — wykrzyknąłem i wygłosiłem kolejną tyradę na temat imienia.

Tyrada kończyła się zapewnieniem, jak bardzo chciałbym już wyruszyć w naszą podróż, a gdy to mówiłem, nagle poczułem się bardzo dziwnie. W najmniejszym stopniu nie przypominało to zasłabnięcia. Nie znajduję innego słowa, aby opisać to wrażenie, jak nagłe zatrzymanie umysłu — jakby membrana, w której się znajduję, jeśli jest coś takiego, skurczyła się i zrobiła sztywna.

— Drogi Richardzie! Co się dzieje? — krzyknęła, wyglądając na przerażoną. — Wielkie nieba! Czy jesteś chory? Zaklinam cię, usiądź, usiądź na tym krześle.

Nieomal zmusiła mnie, żebym usiadł — nie byłem zdolny do stawienia najmniejszego oporu. Rozpo-

znałem aż zbyt dobrze objawy, które nastąpiły. Leżałem oparty na krześle, pozbawiony teraz siły, by wypowiedzieć jedną sylabę, by zamknąć powieki, by poruszyć oczami, choćby jednym mięśniem. W kilka sekund popadłem w dokładnie ten sam stan, w którym przeżyłem tyle okropnych godzin, gdy zbliżałem się do Paryża w czasie nocnej podróży z markizem d'Harmonville'em.

Żałość damy była ogromna i głośna. Zdawała się wyzbyta zupełnie strachu. Wołała do mnie po imieniu, potrząsała za ramię, unosiła moją rękę do góry i upuszczała, żeby ta spadła bezwładnie, przez cały czas błagając mnie w szalonych słowach, żebym dał najmniejszy znak życia, i przysięgając, że jeśli tego nie uczynię, skończy ze sobą.

Te krzyki po minucie czy dwóch nagle ucichły. Dama była idealnie milcząca i chłodna. Bardzo spokojnie ujęła świecę i stanęła przede mną, blada, w istocie bardzo blada, ale na jej twarzy malował się jedynie wyraz intensywnej obserwacji z nutą przerażenia. Przesuwała świecę wolno przed moimi oczami, wyraźnie przyglądając się efektowi. Potem postawiła ją i zadzwoniła mocno dzwonkiem dwa lub trzy razy. Umieściła obydwie szkatuły (mam na myśli jej zawierającą klejnoty i mój sejf) obok siebie na stole i widziałem, jak dokładnie zamyka na klucz drzwi prowadzące do pokoju, w którym właśnie wypiłem kawę.

24

Nadzieja

Zaledwie zdążyła postawić moją ciężką kasetkę, którą podniosła z wyraźną trudnością, na stole, gdy drzwi pokoju, w którym widziałem otwartą trumnę, otworzyły się i do środka weszła złowroga i nieoczekiwana zjawa.

Był to hrabia de Saint Alyre, odnośnie do którego zostałem poinformowany, że już od dłuższego czasu jest w drodze na Père Lachaise. Stał przede mną przez chwilę, niczym obraz na tle otaczającej go ciemności, w ramie, którą tworzyła futryna drzwi. Jego szczupła, nikczemna postać była spowita w głęboką czerń. W dłoniach trzymał parę czarnych rękawiczek i kapelusz przewiązany czarną krepą.

Gdy nic nie mówił, jego twarz zdradzała oznaki zdenerwowania, usta krzywiły się i poruszały. Wyglądał nikczemnie i przerażająco.

— I cóż, moja droga Eugénie? I cóż, dziecko… ha? No cóż, wszystko idzie świetnie?

— Tak — odparła niskim, twardym głosem. — Ale ty i Planard nie powinniście byli zostawiać tych drzwi otwartych. Poszedł tam i zajrzał, gdzie mu się podobało, mieliśmy szczęście, że nie odsunął wieka trumny.

— Planard powinien był tego dopilnować — od-

parł ostro hrabia. — *Ma foi!* Przecież nie mogę być wszędzie!

Ruszył w moją stronę, wykonując pół tuzina krótkich szybkich kroków, i nałożył na oczy okulary.

— Monsieur Beckett — zawołał ostro dwa albo trzy razy. — Witam! Poznaje mnie pan?

Zbliżył się do mnie i przyjrzał bardziej uważnie mej twarzy, podniósł moją rękę i potrząsnął nią, wołając do mnie ponownie, potem ją upuścił i powiedział:

— Zadziałało cudownie, moja ładna *mignonne**. Kiedy to się zaczęło?

Hrabina podeszła, stanęła obok niego, przyglądając mi się uważnie przez kilka sekund.

Nie potraficie sobie wyobrazić, jakie wrażenie robi milczące spojrzenie dwóch par złych oczu.

Dama spojrzała w kierunku, gdzie, jak pamiętałem, znajdowała się półka nad kominkiem, a na niej zegar, którego regularne tykanie słyszałem wyraźnie.

— Cztery... pięć... sześć i pół minuty — odparła wolno, w zimny i twardy sposób.

— *Brava! Bravissima!* Moja piękne królowa! Moja mała Wenus! Moja Joanna d'Arc. Moja bohaterka! Moje wcielenie kobiecych cnót!

Przyglądał mi się z dziwnym zaciekawieniem, jednocześnie usiłując dotknąć swoimi brązowymi palcami dłoni damy, która znajdowała się za nim, ale jej

---

* *Mignonne* (franc.) — pieszczoszka.

(śmiem twierdzić) nie zależało na jego pieszczotach i odsunęła się odrobinę.

— Pójdź, *ma chère*, policzmy jego rzeczy. Co to będzie? Notes? Czy... czy... co?

— To będzie to! — zawołała dama, wskazując z wyrazem obrzydzenia na szkatułę, która stała w skórzanym pokrowcu na stole.

— Ach! No zobaczmy... policzmy... zobaczmy — powiedział, odpinając paski drżącymi palcami. — Musimy wszystko przeliczyć... musimy tego dopilnować. Mam ołówek i notes... ale... gdzie jest klucz? Widzisz ten przeklęty zamek? Do licha! Co to jest? Gdzie jest kluczyk?!

Stał przed hrabiną, przesuwając nerwowo stopy, z wyciągniętymi rękami, których wszystkie palce drżały.

— Nie mam, skąd miałabym go mieć? Jest w kieszeni, oczywiście — powiedziała dama.

Nieomal w tej samej sekundzie palce starego szubrawca znalazły się w moich kieszeniach. Wyłuskał wszystko, co się w nich znajdowało, i jakieś klucze między innymi.

Leżałem dokładnie w tym samym stanie, w jakim się znajdowałem podczas podróży z markizem do Paryża. Ten nędznik, wiedziałem, chciał mnie obrabować. Całego dramatu i roli hrabiny jeszcze nie rozumiałem. Nie mogłem być pewien — kobiety posiadają dużo więcej rozsądku i melodramatycznych umiejętności, które umykają naszej nieporadnej płci

— czy powrót hrabiego nie był, w istocie, zaskoczeniem dla niej, a ta lustracja zawartości mojego sejfu — zrodzonym w tym momencie przedsięwzięciem hrabiego. Wszystko jednak stawało się bardziej zrozumiałe z każdą kolejną chwilą, a już wkrótce miałem pojąć w najdrobniejszych szczegółach moją przerażającą sytuację.

Nie miałem dość siły, żeby obrócić oczy nawet o ułamek włosa w tę czy tamtą stronę. Ale niech każdy umieszczony tak jak ja, na końcu pokoju, ustali sam dla siebie poprzez eksperyment, jak szerokie jest pole widzenia bez najmniejszej zmiany kąta, a zobaczy, że obejmuje wzrokiem całą szerokość dużego pokoju na niedużą odległość tuż przed sobą i niedokładnie, dzięki refrakcji, jak myślę, oka, fragment tuż przy sobie. Nieomal nic, co działo się w pokoju, nie było dla mnie tajemnicą.

Stary mężczyzna w końcu znalazł klucz. Skórzana torba została otwarta, a następnie odemknięta szkatuła wypchana monetami. Wyrzucił jej zawartość na stół.

— *Rouleaux** po sto napoleonów każdy. Jeden, dwa, trzy. Tak, szybko. Zapisz tysiąc napoleonów. Jeden, dwa, tak, dobrze. Jeszcze jeden tysiąc, pisz!

I tak dalej, i dalej, wciąż szybko liczył. Potem przyszedł czas na banknoty.

— Dziesięć tysięcy franków. Zapisz. Kolejne dziesięć tysięcy franków. Zapisałaś? Mniejsze nominały

---

* *Rouleau* (franc.) — rulon; lm — rouleaux.

byłyby lepsze. Powinny być mniejsze. Te są strasznie krępujące. Zarygluj znowu te drzwi, Planard zacząłby stawiać nierozsądne warunki, gdyby znał kwotę. Dlaczego nie powiedziałaś mu, żeby zdobył je w mniejszym nominałach? Nie ma to teraz znaczenia... no dalej... nic na to nie poradzimy... zapisz... kolejne dziesięć tysięcy franków... kolejne... kolejne.

I tak dalej, aż mój skarb został przeliczony na moich oczach, podczas gdy ja widziałem i słyszałem wszystko, co się działo, z największą dokładnością, a precyzja mojego umysłu była przerażająco żywa. Ale pod wszystkimi innymi względami byłem martwy.

Umieścił na powrót w szkatule każdy banknot i *rouleau*, w miarę jak je liczył, a teraz oszacowawszy pełną kwotę, zamknął ją i umieścił, bardzo metodycznie, w skórzanym pokrowcu, otworzył kredens w drewnianym panelu i umieściwszy w nim szkatułkę z klejnotami hrabiny i mój sejf, zamknął go na klucz i natychmiast po zakończeniu tych czynności zaczął narzekać ze świeżą zajadłością i nowymi przekleństwami na opóźnienie Planarda.

Odryglował drzwi, zajrzał do ciemnego pokoju za nimi i nasłuchiwał. Zamknął ponownie drzwi i wrócił. Stary mężczyzna był w gorączce niepewności.

— Zatrzymałem dziesięć tysięcy funtów dla Planarda — powiedział hrabia, dotykając kieszeni kamizelki.

— Czy to mu wystarczy? — zapytała dama.

— Ależ, do licha! — wykrzyknął hrabia. — Czyż

on nie ma sumienia? Przysięgnę mu, że to połowa całej kwoty.

On i dama znowu podeszli i przyglądali mi się niespokojnie przez chwilę w ciszy, a potem stary hrabia ponownie zaczął narzekać na Planarda i porównywać czas na swoim zegarku z zegarem nad kominkiem. Dama wydawała się mniej niecierpliwa, siedziała, patrząc już nie na mnie, ale w przeciwległy koniec pokoju, zwrócona do mnie profilem, który wydawał się dziwnie zmieniony, pochmurny, zupełnie jak u wiedźmy. Moja ostatnia nadzieja umarła, gdy zobaczyłem tę znużoną twarz, z której opadła maska. Byłem pewien, że zamierzają zwieńczyć swój rabunek morderstwem. Dlaczego nie pozbyli się mnie natychmiast? Jakiż mogli mieć cel w odwlekaniu katastrofy, która mogła przyśpieszyć zapewnienie im bezpieczeństwa? Nie mogę sobie przypomnieć dokładnie tych niewypowiedzianych horrorów, przez które przeszedłem. Musicie wyobrazić sobie prawdziwy koszmar — chodzi mi o koszmar, w którym przedmioty i niebezpieczeństwo są prawdziwe, a widmo cielesnej śmierci utrzymuje się, uzależnione od łaski osób zadających ci katusze. Nie mogłem mieć wątpliwości co do powodu, dla jakiego znalazłem się w tym stanie.

I tak pogrążony w udręce, z którą nie mogłem w żaden sposób się zdradzić, zobaczyłem, jak otwierają się wolno drzwi pokoju, w którym znajdowała się trumna, i do środka wchodzi markiz d'Harmonville.

25

Rozpacz

Chwila nadziei, nadziei gwałtownej i chybotliwej, nadziei, która była nieomal torturą, poprzedziła rozmowę, po której nastąpiła rozpacz.

— Dzięki Bogu, Planard, w końcu przyszedłeś — powiedział hrabia, ujmując go obydwoma dłońmi za ramię i przyciągając do mnie. — Patrz, spojrzyj na niego. Wszystko poszło doskonale, doskonale, doskonale do tej chwili. Czy przytrzymać ci świecę?

Mój przyjaciel d'Harmonville, Planard, kimkolwiek był, podszedł do mnie, zdejmując rękawiczki, które następnie wsunął do kieszeni.

— Świeca trochę bardziej w tę stronę — polecił i pochylając się nade mną, spojrzał mi wnikliwie w twarz.

Dotknął mojego czoła, przesunął po nim dłonią, a potem zaglądał mi w oczy przez dłuższy czas.

— Cóż, doktorze, co pan myśli? — szepnął hrabia.

— Ile mu daliście? — zapytał markiz, w ten sposób zredukowany nagle do doktora.

— Siedemdziesiąt kropli — odparła dama.

— W gorącej kawie?

— Tak, sześćdziesiąt kropli w filiżance gorącej kawy i dziesięć w likierze.

Wydawało mi się, że jej głos, niski i twardy, drżał odrobinę. Potrzeba długich lat złych uczynków, aby

poddać naturę całkowicie i unicestwić te zewnętrzne oznaki zdenerwowania, które pokonają wszelkie dobro.

Doktor jednak traktował mnie z takim chłodem, z jakim mógłby odnosić się do obiektu, który ma zaraz umieścić na stole operacyjnym w celu przeprowadzenia wykładu.

Spoglądał mi w oczy jeszcze przez chwilę, ujął mnie za nadgarstek i zbadał mi palcami tętno.

— Akcja zawieszona — powiedział sam do siebie.

Następnie znowu przyłożył mi do ust coś, co przez chwilę, gdy to widziałem, wyglądało jak kawałek złotego listka, trzymając własną głowę tak daleko, żeby nie zakłócić obrazu.

— Tak — powiedział bardzo niskim głosem.

Następnie rozpiął mi koszulę, odsłaniając piersi, i przyłożył słuchawkę stetoskopu, przesuwając ją z miejsca na miejsce, nasłuchując z uchem przyłożonym do jej drugiego końca, jakby jakiegoś bardzo odległego dźwięku, a potem uniósł głowę i powiedział w podobny sposób, cicho, sam do siebie:

— Wszelka wyczuwalna akcja płuc ustąpiła.

Następnie, odwracając się od źródła dźwięku, jak przypuszczam, powiedział:

— Siedemdziesiąt kropli, przyjmując dziesięć na zapas, powinno utrzymać go w tym stanie przez sześć i pół godziny... to wystarczy w zupełności. Eksperyment, który przeprowadziłem w powozie, uwzględniał tylko trzydzieści kropli i wskazał na

bardzo wrażliwy umysł. Nie byłoby dobrze, gdybyśmy go zabili, wiecie o tym. Jest pani pewna, że nie przekroczyła pani siedemdziesięciu kropli?

— Absolutnie pewna — odparła dama.

— Gdyby miał umrzeć, ewaporacja zostałaby wstrzymana i obca substancja, część z niej trująca, zostałaby znaleziona w żołądku, rozumiecie? Jeśli nie jest pani pewna, byłoby dobrze zastosować płukanie żołądka.

— Najdroższa Eugénie, bądź szczera, bądź szczera, proszę, bądź szczera — nalegał hrabia.

— Jestem absolutnie pewna, nie mam żadnych wątpliwości — odparła.

— Jak dawno temu, dokładnie? Mówiłem, żeby sprawdziła pani godzinę.

— Sprawdziłam, wskazówka minutowa była dokładnie tam, pod tą stopą kupidyna.

— Wystarczy w takim razie prawdopodobnie na siedem godzin. Później się obudzi, ewaporacja będzie zakończona i ani jedna cząsteczka płynu nie zostanie w jego żołądku.

Poczułem się lepiej, słysząc, że nie mają zamiaru mnie zamordować. Nikt, kto tego nie doświadczył, nie zna koszmaru zbliżającej się śmierci, gdy umysł jest jasny, instynkty życiowe nieuszkodzone i nie ma żadnych bodźców, które przeszkadzałyby w przeżywaniu tego zupełnie nowego horroru.

Cel tej czułości był bardzo, bardzo osobliwy i w tamtej chwili jeszcze nic nie podejrzewałem.

— Wyjeżdża zatem hrabia z Francji, przypuszczam? — zapytał eksmarkiz.

— Tak, na pewno, jutro — odparł hrabia.

— I gdzie zamierza się hrabia udać?

— Jeszcze nie zdecydowałem — odpowiedział szybko.

— Nie powie hrabia przyjacielowi, co?

— Nie mogę, dopóki nie będę wiedział. Okazało się to niezbyt zyskownym przedsięwzięciem.

— Dojdziemy do tego.

— Czy to nie czas, żebyśmy ułożyli go w pozycji leżącej? — rzekł hrabia, pokazując na mnie palcem.

— Tak, musimy teraz działać szybko. Czy jego koszula nocna i czepek... rozumie hrabia... są tutaj?

— Wszystko przygotowane — odparł hrabia.

— A teraz, madame — powiedział doktor, zwracając się do damy i wykonując w jej stronę, pomimo pośpiechu, ukłon — już czas, aby pani nas opuściła.

Dama wyszła do pokoju, w którym wypiłem filiżankę zdradliwej kawy, i już jej nie widziałem.

Hrabia wziął świecę i wyszedł przez drzwi na drugim końcu pokoju, wracając ze zwojem lnu w ręce. Zaryglował najpierw jedne drzwi, potem drugie.

Teraz, w ciszy, zaczęli mnie szybko rozbierać. Zajęło im to ledwie kilka minut.

To, co doktor nazwał koszulą nocną, długi strój, który sięgał mi poniżej stóp, miałem już na sobie, a czepek, który przypominał bardziej damski nocny czepek niż nakrycie głowy mężczyzny, został nałożony na moją głowę i zawiązany pod podbródkiem.

A teraz, pomyślałem, zostanę umieszczony w łóżku, żeby odzyskać siły, a w tym czasie konspiratorzy uciekną ze swoim łupem i jakikolwiek pościg będzie bezcelowy.

Na to miałem nadzieję w tamtej chwili, ale wkrótce okazało się, że ich plany są zupełnie inne.

Hrabia i Planard weszli teraz do pokoju, który znajdował się wprost przede mną. Słyszałem, jak rozmawiają cicho, potem szuranie stóp, potem długi, głuchy odgłos, cisza, znowu ten sam odgłos i tak dalej, aż obaj dotarli do drzwi, plecami odwróceni do mnie. Ciągnęli coś po podłodze, co czyniło ciągły hałas i huk, ale że znajdowali się pomiędzy mną i tym czymś, więc nie widziałem tego przedmiotu, aż dociągnęli go nieomal do mnie, a potem... niech niebiosa mają nade mną litość! Zobaczyłem to dość wyraźnie. Była to trumna, którą widziałem w sąsiednim pokoju. Leżała teraz płasko na podłodze, krawędzią opierając się o krzesło, na którym siedziałem. Planard zdjął wieko. Trumna była pusta.

26

Katastrofa

— Wydaje się, że to dobre konie, zmienimy je po drodze — powiedział Planard. — Proszę dać ludziom napoleona albo dwa, musimy pokonać drogę w trzy godziny piętnaście minut. A teraz działajmy, podniosę go prosto, żeby umieścić jego stopy w odpowiednim miejscu, a hrabia musi trzymać je razem i owinąć białą koszulę wokół nich.

W kolejnej chwili zostałem postawiony, tak jak opisywał to Planard, który teraz podtrzymywał mnie w ramionach, w nogach trumny i opuszczony stopniowo, aż całe moje ciało w niej spoczęło. Następnie mężczyzna, którego hrabia nazywał Planardem, ułożył mi ręce wzdłuż ciała i starannie uporządkował falbanki na piersi i fałdy szaty, a potem stając w nogach trumny, przyjrzał mi się dokładnie — wyglądał na zadowolonego.

Hrabia, będąc bardzo metodyczny, wziął moje ubrania, które właśnie mi zdjęli, zwinął je szybko razem i zamknął, jak później usłyszałem, w jednym z trzech kredensów, które znajdowały się obok drzwi w drewnianym panelu.

Rozumiałem teraz ich przerażający plan. Trumna była przygotowana dla mnie — pogrzeb Saint Amanda był upozorowany, żeby zmylić osoby prowadzące

dochodzenie. Osobiście wydałem polecenie zarządcom Père Lachaise, podpisałem je i wniosłem opłaty za pochówek fikcyjnego Pierre'a de Saint Amanda, którego miejsce miałem zająć, leżąc w jego trumnie, z jego nazwiskiem na płytce nad moją piersią i z toną gliny upakowaną nade mną, żeby obudzić się z katalepsji po czterech godzinach w grobie i zginąć śmiercią straszniejszą, niż można sobie wyobrazić.

Jeśli potem, z jakiegoś kaprysu podyktowanego ciekawością lub podejrzeniem, trumna miałaby zostać poddana ekshumacji, a ciało, które zawierała, zbadane, żadna chemia nie wykryłaby śladów trucizny, a najdokładniejsze nawet badanie — najmniejszych śladów przemocy.

Osobiście dołożyłem wszelkich starań, aby zmylić prowadzących potencjalne dochodzenie, gdyby moje zniknięcie miało wywołać jakieś podejrzenia, i napisałem nawet do kilku osób, z którymi korespondowałem w Anglii, informując ich, żeby nie oczekiwali listu ode mnie przez co najmniej trzy tygodnie.

W chwili mojego grzesznego uniesienia zaskoczyła mnie śmierć i nie było ucieczki. Próbowałem modlić się do Boga w mojej nieziemskiej panice, ale jedynie myśli o strachu, sądzie i wiecznym cierpieniu przerywały na chwilę świadomość nadciągającej zguby.

Nie będę próbował przypominać sobie tego, co zaiste jest nie do opisania — mnogości horrorów kotłujących się w moich myślach. Opiszę po prostu,

co się wydarzyło, każdy szczegół tego, co pozostało wyraźnie w mojej pamięci jak wycięte w stali.

— Ludzie przedsiębiorcy pogrzebowego są w holu — oznajmił hrabia.

— Nie mogą tu wejść, dopóki tego nie przymocujemy — odparł Planard. — Proszę być tak dobrym i ująć dolną część, podczas gdy ja wezmę ten koniec.

Nie musiałem domyślać się długo, co nadchodziło, ponieważ po kilku sekundach coś zostało nasunięte na trumnę, kilka centymetrów nad moją twarzą, i całkowicie odcięło dopływ światła i stłumiło głosy, w wyniku czego nic, co docierało do moich uszu potem, nie było wyraźne, ale za to bardzo wyraźnie słychać było działanie śrubokręta i wkręcanie kolejnych śrub. Żadna zguba zwiastowana uderzeniem pioruna nie może być donośniejsza niż te grubiańskie dźwięki.

Resztę muszę opisać nie tak, jak docierała do moich uszu, zbyt niedoskonała i niepełna, aby dostarczyć spójnej opowieści, ale jak potem została mi przekazana przez innych ludzi.

Gdy wieko trumny zostało już przykręcone, dwaj dżentelmeni uporządkowali pokój i poprawili trumnę, tak że leżała idealnie wzdłuż desek podłogi, jako że hrabi szczególnie zależało na tym, żeby pokój nie nosił śladów pośpiechu lub nieporządku, co mogłoby zwrócić czyjąś uwagę i wywołać spekulacje.

Gdy to zostało uczynione, doktor Planard powiedział, że wyjdzie do holu, żeby wezwać mężczyzn,

którzy mieli wynieść trumnę i umieścić ją w karawanie. Hrabia naciągnął swoje czarne rękawiczki i wziął do ręki białą chusteczkę, w ten sposób wyglądając wyjątkowo wzruszająco w roli głównego żałobnika. Stanął nieco za głową trumny, oczekując na przybycie osób, które towarzyszyły Planardowi i których szybkie kroki wkrótce usłyszał, gdy się zbliżali.

Planard szedł pierwszy. Wszedł do pokoju przez apartament, w którym początkowo była umieszczona trumna. Jego zachowanie się zmieniło, było w nim coś na kształt buty.

— Panie hrabio — zaczął, pojawiając się w drzwiach w towarzystwie pół tuzina ludzi. — Z żalem muszę obwieścić wielce zaskakujące komplikacje. Oto monsieur Carmaignac, dżentelmen piastujący urząd w wydziale policji, który otrzymał informację, że duże ilości przeszmuglowanych angielskich i innych towarów rozprowadzono w sąsiedztwie i że ich część została ukryta w pana domu. Pozwoliłem sobie zapewnić go, że... według mego stanu wiedzy... nic nie mogłoby być bardziej fałszywe niż ta informacja i że hrabia z największą przyjemnością udostępni na potrzeby jego inspekcji, bez chwili zwłoki, każdy pokój, alkowę i szafę w swoim domu.

— Z pewnością — wykrzyknął hrabia gromkim głosem, ale z bardzo białą twarzą. — Dziękuję, przyjacielu, że mnie uprzedziłeś. Oddam mój dom i klucze do jego dyspozycji w celu rewizji, jak tylko będzie tak dobry i poinformuje mnie, jakich to konkretnych towarów z kontrabandy poszukuje.

— Hrabia de Saint Alyre wybaczy — odparł Carmaignac odrobinę oschle — ale moje instrukcje zakazują mi ujawnienia tego, a o tym, że otrzymałem polecenie przeprowadzenia ogólnej rewizji, przekona hrabiego ten nakaz.

— Monsieur Carmaignac, czy możemy mieć nadzieję — wkroczył Planard — że pozwoli pan hrabiemu de Saint Alyre wziąć udział w pogrzebie swojego krewnego, który leży tutaj, jak pan widzi — wskazał płytkę na trumnie — i na którego przewiezienie na Père Lachaise oczekuje w tej chwili przy drzwiach karawan?

— Na to, muszę przyznać z żalem, nie mogę pozwolić. Moje instrukcje są precyzyjne, ale opóźnienie, ufam, będzie minimalne. Proszę, aby pan hrabia nie myślał, że podejrzewam go o cokolwiek, lecz mamy obowiązek do wypełnienia i muszę postępować tak, jakbym go podejrzewał. Gdy otrzymuję nakaz przeszukania, przeszukuję, rzeczy są czasami ukryte w tak dziwnych miejscach... Nie byłbym w stanie, na przykład, powiedzieć, co zawiera ta trumna.

— Ciało mojego krewnego, monsieur Pierre'a de Saint Amanda — odparł hrabia wyniośle.

— Ach! Więc widział go hrabia?

— Widziałem go? Często, zbyt często!

Hrabia był najwyraźniej bardzo poruszony.

— To znaczy ciało?

Hrabia spojrzał pośpiesznie ukradkiem na Planarda.

— N-nie, monsieur... to znaczy, tylko przez chwilę.

Kolejne szybkie spojrzenie na Planarda.

— Ale na tyle długą, myślę, by go rozpoznać? — zasugerował dżentelmen.

— Oczywiście... oczywiście... natychmiast... doskonale. Co?! Pierre de Saint Amand?! Nie rozpoznać go po jednym spojrzeniu? Nie, nie, biedny gość, znam go zbyt dobrze, żeby tak się mogło zdarzyć.

— Rzeczy, których szukam — powiedział monsieur Carmaignac — zmieściłyby się na małej przestrzeni... służący są czasami tak pomysłowi. Podnieśmy wieko.

— Przepraszam, monsieur — zaoponował hrabia stanowczo, stając z boku trumny i osłaniając ją ramieniem. — Nie mogę pozwolić na tak niegodną rzecz... to profanacja!

— Nie dojdzie do niej, sir... jedynie podniesienie wieka, pozostanie pan w pokoju. Jeśli okaże się, że jest tak, jak wszyscy mamy nadzieję, będzie miał pan przyjemność spojrzeć ten jeszcze jeden, ostatni raz, naprawdę ostatni, na swojego ukochanego krewniaka.

— Ale, sir, ja nie mogę.

— Ale, monsieur, ja muszę.

— Ale, oprócz tego, śrubokręt złamał się, gdy była przykręcana ostatnia śruba i przysięgam na mój święty honor, że w tej trumnie nie ma nic prócz ciała.

— Oczywiście hrabia jest o tym przekonany, ale

nie zna tak dobrze jak ja sztuczek praktykowanych przez służących, którzy parają się szmuglem. Proszę, Philippe, musisz ściągnąć wieko tej trumny.

Hrabia zaprotestował, ale Philippe — mężczyzna z łysą głową i pobrudzoną twarzą, który wyglądał jak kowal — położył na podłodze skórzaną torbę z narzędziami, z której, spojrzawszy na trumnę i przesunąwszy paznokciem po główkach, wybrał śrubokręt, następnie obrócił zręcznie kilka razy każdą śrubę, aż wszystkie stanęły w rzędzie jak grzyby po deszczu i wieko zostało podniesione. Ujrzałem światło, o którym myślałem, że już nigdy go nie ujrzę, ale moje pole widzenia pozostało niezmienione. Ponieważ pozostawałem w stanie katalepsji, w pozycji niemal poziomej, nadal patrzyłem wprost przed siebie i mój wzrok był utkwiony w suficie. Ujrzałem twarz Carmaignaca nachylającą się nade mną z dziwnym grymasem. Wydawało mi się, iż w jego oczach nie było widać, że mnie rozpoznał. Na niebiosa! Gdybym mógł wydać z siebie chociaż jeden krzyk! Ujrzałem ciemną, podłą maskę małego hrabiego wpatrującego się we mnie z drugiej strony, twarz pseudomarkiza również spoglądającego na mnie, ale częściowo poza moją linią widzenia, były też inne twarze.

— Widzę, widzę — stwierdził Carmaignac, wycofując się. — Nie ma tu nic tego rodzaju.

— Będzie pan tak miły i poleci swojemu człowiekowi, żeby nałożył ponownie wieko trumny i przykręcił śruby — powiedział hrabia, nabierając odwagi — i... i naprawdę musimy zacząć pogrzeb. To nie fair w stosunku do ludzi, którzy otrzymują skromne wynagrodzenie za pracę w nocy, żeby trzymać ich godzina za godziną po czasie.

— Hrabio de Saint Alyre, pójdzie pan za kilka minut. Wydam teraz polecenia co do trumny.

Hrabia spojrzał w kierunku drzwi i ujrzał tam żandarma, a jeszcze dwóch czy trzech posępnych przedstawicieli tych samych sił znajdowało się również w pokoju. Hrabia był bardzo nieprzyjemnie zdenerwowany — sytuacja stawała się nie do zniesienia.

— Skoro ten dżentelmen utrudnia mi udział w uroczystościach żałobnych mojego krewniaka, poproszę pana, Planard, o udział w pogrzebie w moim imieniu.

— Za kilka minut — odparł niepoprawny Carmaignac. — Najpierw muszę poprosić pana o klucze do tego kredensu.

Wskazał dokładnie na kredens, w którym właśnie zostały zamknięte moje ubrania.

— Nie mam nic przeciw temu — odparł hrabia — nic, oczywiście, tyle że klucz nie był używany od wieków. Polecę, żeby ktoś go poszukał.

— Jeśli nie ma go pan przy sobie, nie jest to konieczne. Philippe, spróbuj otworzyć swoim uniwersalnym kluczem ten kredens. Chcę do niego zajrzeć. Czyje to ubrania? — zapytał Carmaignac, gdy po otwarciu kredensu wyjął z niego mój strój, który został tam umieszczony zaledwie przed dwiema minutami.

— Nie wiem — odparł hrabia. — Nic nie wiem o zawartości tego kredensu. Pewien służący, łajdak o nazwisku Lablais, którego zwolniłem około roku temu, miał ten klucz. Nie widziałem, żeby ktoś go otwierał co najmniej od dziesięciu lat. Ubrania są prawdopodobnie jego.

— Tutaj są wizytówki, zobaczmy, i chusteczka z monogramem… widnieją na niej litery „R.B.". Musiał ukraść je osobie o nazwisku Beckett. „Pan Becket, Berkeley Square", napisane jest na wizytówce i… niech mnie licho! Jest zegarek i kilka sygnetów, na jednym z nich wygrawerowane są inicjały „R.B.". Ten służący, Lablais, musiał być skończonym łajdakiem!

— W rzeczy samej, ma pan rację, sir.

— Przychodzi mi na myśl, że być może ukradł te ubrania — kontynuował Carmaignac — człowiekowi w trumnie, który w tej sytuacji byłby monsieur Beckettem, a nie monsieur de Saint Amandem. Bo, co mogę z radością oznajmić, monsieur, zegarek nadal chodzi! Ten mężczyzna w trumnie, myślę, żyje, lecz został po prostu odurzony. A za obrabowanie go i chęć zamordowania aresztuję pana, Nicolasie de la Marque, hrabio de Saint Alyre.

W kolejnej sekundzie stary łotr został aresztowany. Słyszałem, jak jego nierówny głos przechodzi drżąco w nagłą gwałtowność i wielosłowie, to załamując się, to sycząc, w czasie gdy on oscylował pomiędzy protestami, groźbami i bezbożnymi apelami do Boga, który „osądzi sekrety ludzi!". I tak kłamiąc i złorzecząc, został usunięty z pokoju i umieszczony w jednym powozie ze swoją piękną i porzuconą wspólniczką, już aresztowaną, i z dwoma żandarmami siedzącymi obok nich. Natychmiast wyruszyli w szybkim tempie w kierunku Conciergerie.

Do ogólnego chóru dołączyły teraz dwa głosy, bardzo odmienne. Jednym z nich był głos walecznego pułkownika Gaillarde'a, którego jedynie z ogromną trudnością udało się zatrzymać na zapleczu aż do tej chwili, a drugim głos mojego wesołego przyjaciela, Whistlewicka, który przybył, żeby mnie zidentyfikować.

Powiem wam teraz, jak ten projekt przeciwko mojej własności i życiu, taki sprytny i monstrualny, został przeprowadzony. Najpierw muszę powiedzieć słowo o sobie. Zostałem umieszczony w gorącej kąpieli pod kierunkiem Planarda, tak skończonego łotra, jak każdy w tym gangu, ale teraz pozostającego całkowicie do dyspozycji oskarżyciela. Następnie zostałem położony do ciepłego łóżka w pokoju, w którym otwarto okno. Te proste zabiegi przywróciły mnie do życia w około trzy godziny, w przeciwnym razie, prawdopodobnie, pozostawałbym w tym stanie przez blisko siedem.

Działalność tych nikczemnych konspiratorów była prowadzona z idealną zręcznością i w największej tajemnicy. Ich ofiary były doprowadzane, tak jak i ja, do tego, by osobiście stać się sprawcami tajemnicy, która czyniła ich własną zagładę zarówno bezpieczną, jak i pewną.

Dochodzenie zostało oczywiście wszczęte. Otwarto groby na Père Lachaise. Ciała, które ekshumowano, leżały tam zbyt długo i były zbyt mocno rozłożone, żeby mogły zostać rozpoznane. Tylko jedno udało się zidentyfikować. Zawiadomienie o pochówku, w tym konkretnym przypadku, zostało podpisane, zlecenie wydane i opłata wniesiona przez Gabriela Gaillarde'a, znanego urzędnikowi, załatwiającemu z nim sprawę związaną z pogrzebem. Dokładnie ta sama sztuczka, jaką przygotowano dla mnie, była z sukcesem praktykowana w każdym przypadku. Osoba, dla której zamówiono ten grób, była całkowicie fikcyjna i Gabriel Gaillarde osobiście zajął trumnę, na wieku której, tak jak i na nagrobku, zostało umieszczone to samo fałszywe nazwisko. Prawdopodobnie ten sam honor, pod moim „pseudonimem", był przewidziany również dla mnie.

Identyfikacja była dziwna. Gabriel Gaillarde przeżył ciężki upadek z konia, który go poniósł, około pięciu lat przed swoim tajemniczym zniknięciem. Stracił oko i kilka zębów podczas tego wypadku, oprócz złamania prawej nogi, bezpośrednio nad kostką. Obrażenia twarzy, których doznał, utrzymywał w wielkiej tajemnicy. Efekt był taki, że szklane oko, które zastąpiło to, jakie stracił, wciąż leżało w oczodole, lekko przemieszczone oczywiście, ale zostało rozpoznane przez „artystę", który je dostarczył.

Jeszcze łatwiejsze do rozpoznania były zęby, bardzo charakterystycznie wykonane, które dopasował jeden z najznakomitszych dentystów w Paryżu i których odcisk, ze względu na bardzo szczególne cechy wypadku, zachował. Ten odcisk idealnie pasował do złotej płytki znalezionej w szczęce. Również ślad powyżej kostki, w miejscu, w którym kość się połączyła, odpowiadał dokładnie temu, w jakim zrosła się złamana kończyna Gabriela Gaillarde'a.

Pułkownik, jego młodszy brat, był wściekły z powodu zniknięcia Gabriela, a jeszcze bardziej z powodu zniknięcia pieniędzy, które od dawna uważał za swoje zabezpieczenie, gdyby śmierć miała wybawić jego brata od udręk życia doczesnego. Od dłuższego czasu podejrzewał, z pewnych sprytnie odkrytych powodów, że hrabia de Saint Alyre i piękna dama, jego towarzyszka, hrabina, czy kimkolwiek była, oszukali go. Do tych podejrzeń doszły inne, jeszcze bardziej mroczne — ale w swojej pierwotnej postaci będące raczej wyolbrzymionym odbiciem jego furii gotowej uwierzyć we wszystko niż dobrze sformułowanymi zarzutami.

W końcu pewna okoliczność skierowała pułkownika na właściwy trop. Przypadek, być może szczęśliwy dla zainteresowanego, sprawił, że do łotra Planarda dotarła wiadomość, iż konspiratorzy — on sam też, jako jeden z nich — są w niebezpieczeństwie. Rezultat był taki, że postanowił on wejść w układ, został donosicielem i zaplanował z policją tę wizytę złożoną w Château de la Carque w krytycznym momencie, gdy zostały zakończone wszystkie działania niezbędne do przygotowania doskonałego oskarżenia przeciwko jego wspólnikom.

Nie muszę opisywać drobiazgowej pieczołowitości czy też przemyślności, z jaką policyjni agenci gromadzili wszystkie szczegóły niezbędne do założenia sprawy. Przywieźli biegłego lekarza, który, nawet gdyby Planard ich zawiódł, dostarczyłby niezbędnych medycznych dowodów.

Moja wycieczka do Paryża, jak rozumiecie, nie okazała się tak przyjemna, jak przewidywałem. Zostałem głównym świadkiem oskarżyciela w tym *cause célèbre**, ze wszystkimi *agréments***, które towarzyszą tej godnej pozazdroszczenia roli. Jako że „o mały włos", jak nazwał to mój przyjaciel Whistlewick, nie straciłem życia, naiwnie sądziłem, że będę obiektem znacznego zainteresowania wśród paryskiej elity, ale ku swojemu ogromnemu rozczarowaniu odkryłem, że byłem obiektem dobrotliwej, ale pogardliwej wesołości. Zostałem *balourd****, *benêt*****, *un âne****** i stałem się nawet bohate-

---

* *Cause célèbre* (franc.) — słynny proces.

** *Agréments* (franc.) — uroki.

*** *Balourd* (franc.) — bałwan.

**** *Benêt* (franc.) — głupiec.

***** *Âne* (franc.) — osioł.

rem karykatur. Kimś w rodzaju osoby publicznej, wyśmiewanej postaci, która to rola zupełnie mi nie pasowała i od której uciekłem, jak tylko to było możliwe, nie składając nawet mojemu przyjacielowi, markizowi d'Harmonville'owi, wizyty w gościnnym *château*.

Markiz wymigał się całkowicie od kary. Jego wspólnik, hrabia, został stracony. Piękna Eugénie, ze względu na okoliczności łagodzące — polegające, na ile byłem to w stanie ustalić, na jej ładnym wyglądzie — wyszła z tego z wyrokiem zaledwie sześciu lat więzienia.

Pułkownik Gaillarde odzyskał część pieniędzy swojego brata — z niezbyt zamożnej posiadłości hrabiego i *soi-disant** hrabiny. To i stracenie hrabiego wprawiło go w świetny humor. Bardzo daleki od domagania się zadośćuczynienia, uścisnął mi z ogromną wdzięcznością dłoń i powiedział, że postrzega ranę, jaką zadałem mu w głowę moją laską, jako odniesioną w honorowym, chociaż nietypowym pojedynku, w którym nie może narzekać na nierówne szanse bądź nieuczciwość.

Wydaje mi się, że zostały do podania jeszcze dwa dodatkowe szczegóły. Cegły znalezione w pokoju z trumną zostały załadowane do niej w słomie, aby upozorować ciężar martwego ciała i zapobiec po-

* *Soi-disant* (franc.) — rzekomy.

dejrzeniom i obiekcjom, które mogłyby się zrodzić, gdyby do *château* dotarła pusta trumna.

Po drugie, olśniewające brylanty hrabiny zostały zbadane przez szlifierza, który stwierdził, że byłyby warte około pięciu funtów dla jakiejś aktorki, która potrzebowałaby właśnie sztucznych klejnotów.

Hrabina występowała kilka lat temu jako jedna z najbystrzejszych aktorek na mniejszych scenach Paryża, gdzie znalazł ją hrabia i wykorzystywał jako swojego głównego wspólnika.

To ona, doskonale przebrana, przeszukała moje dokumenty w powozie podczas pamiętnej nocnej podróży do Paryża. Ona również wystąpiła jako interpretujący magik w lektyce na balu w Wersalu. Jeśli chodzi o mnie, to celem tej misternej mistyfikacji miało być ożywienie mojego zainteresowania piękną hrabiną, które, jak się obawiali, mogło wygasnąć. Miało również swój cel i rolę do odegrania w odniesieniu do pozostałych ofiar, ale o nich obecnie nie ma powodu mówić. Wprowadzenie prawdziwego trupa — zdobytego od osoby, która zaopatrywała paryskich anatomistów — nie niosło ze sobą realnego zagrożenia, podczas gdy podsycało tajemniczość i sprawiło, że prorok żył w plotkach miasta i myślach głupców, z którymi rozmawiał.

Pozostałą część lata i jesieni spędziłem po połowie w Szwajcarii i we Włoszech.

Jak mówi stare przysłowie, byłem mądry po szkodzie. Ogromna część strasznych wrażeń pozostałych

w moim umyśle była oczywiście spowodowana działaniem nerwów i mózgu. Ale poważne uczucia innego i głębszego rodzaju pozostały. Moje dalsze życie zostało ostatecznie ukształtowane przez szok, którego wtedy doznałem. Te wrażenia doprowadziły mnie — ale dopiero po wielu latach — do szczęśliwszych, chociaż nie mniej poważnych myśli i mam głębokie powody, aby dziękować łaskawemu Sprawcy Rzeczy za wczesną i straszną naukę o drogach grzechu.

CARMILLA

PROLOG

Na dokumencie towarzyszącym opowieści, która następuje poniżej, doktor Hesselius zamieścił obszerną notatkę, która zawiera odniesienie do jego eseju na dziwny temat, o którym traktuje ów manuskrypt.

Ten tajemniczy temat porusza on we wspomnianym eseju z właściwym sobie znawstwem i wnikliwością, wyjątkową bezpośredniością i lapidarnością. Będzie on stanowił zaledwie jeden tom z cyklu dzieł zebranych tego wyjątkowego człowieka.

Ponieważ publikuję ten przypadek w niniejszym tomie, by po prostu zainteresować „laików", w niczym nie ubiegnę inteligentnej damy, która go relacjonuje, i po odpowiednim namyśle postanowiłem również zrezygnować z prezentowania jakiegokolwiek streszczenia dedukcji uczonego doktora albo wyciągu z jego oceny przypadku, który określa jako „dotyczący, wysoce prawdopodobnie, jednego z najbardziej tajemnych arkanów naszej podwójnej egzystencji i jej pośredników".

Chciałem po odkryciu tego dokumentu wznowić korespondencję, którą rozpoczął doktor Hesselius wiele lat temu z osobą tak bystrą i dokładną, jaką

wydawała się jego informatorka. Z żalem jednak dowiedziałem się, że zmarła. Prawdopodobnie nie mogłaby dodać wiele do opowieści, którą przedstawia na kolejnych stronach, na ile mogę to ocenić, z pedantyczną starannością.

1

Przygoda w dzieciństwie

W Styrii, chociaż żadną miarą nie jesteśmy zamożni, zamieszkujemy zamek, *schloss*. Niewielki dochód w tej części świata wystarcza na wiele. Osiemset czy dziewięćset rocznie czyni tu cuda, podczas gdy wielu ludziom w domu zapewniłoby to zaledwie głodową egzystencję. Mój ojciec jest Anglikiem, i ja noszę angielskie nazwisko, chociaż nigdy nie widziałam Anglii. Ale tutaj, w tym samotnym i pierwotnym miejscu, gdzie wszystko jest tak cudownie tanie, naprawdę nie widzę, jak dużo więcej pieniędzy mogłoby materialnie przyczynić się do podwyższenia komfortu czy nawet uczynienia naszego życia bardziej luksusowym.

Mój ojciec był w armii austriackiej i zakończył czynną służbę; żyjąc teraz z emerytury i spadku, nabył tę feudalną rezydencję i mały majątek ziemski, na którym stoi, po okazyjnej cenie.

Trudno wyobrazić sobie coś bardziej malowniczego czy odludnego. Rezydencja stoi na niewielkim wzniesieniu w lesie. Droga, bardzo stara i wąska, biegnie przed zwodzonym mostem, który za moich czasów nie był nigdy podnoszony. W fosie jest pełno okoni, pływają po niej liczne łabędzie, a na jej powierzchni unoszą się białe floty lilii wodnych.

Nad tym wszystkim *schloss* pyszni się swoją frontową ścianą z licznymi oknami, wieżyczkami i gotycką kaplicą.

Tuż przed bramą las ustępuje miejsca nieregularnej i bardzo malowniczej polanie, a na prawo stromy gotycki most biegnie nad strumieniem, który wije się w głębokim cieniu lasu.

Powiedziałam, że to bardzo samotne miejsce. Osądźcie sami, czy mówię prawdę. Patrząc od strony drzwi w holu, las, w którym stoi nasz zamek, rozciąga się dwadzieścia cztery kilometry na prawo i prawie dwadzieścia na lewo. Najbliższa zamieszkana wioska znajduje się około dwunastu kilometrów na lewo. Najbliższy zamieszkany *schloss* o historycznych tradycjach należy do generała Spielsdorfa i znajduje się przeszło trzydzieści kilometrów na prawo.

Powiedziałam „najbliższa zamieszkana wioska", ponieważ zaledwie pięć kilometrów na zachód, to znaczy w kierunku zamku generała Spielsdorfa, są ruiny wioski z oryginalnym małym kościołem, pozbawionym dachu, w którego nawie bocznej znajdują się podniszczone nagrobki dumnej rodziny Karnsteinów, już wymarłej, która kiedyś posiadała równie odludny *château*, jaki w gęstwinie lasu króluje nad cichymi ruinami miasteczka.

Istnieje legenda, którą — szanując powód porzucenia tego niezwykłego i melancholijnego miejsca — opowiem wam innym razem.

Muszę natomiast powiedzieć, jak nieliczny jest

typowy skład mieszkańców naszego zamku. Nie biorę pod uwagę służby albo osób na utrzymaniu, którzy zajmują pokoje w budynkach przylegających do *schlossu*. Słuchajcie i dziwcie się! Mój ojciec, który jest najuprzejmiejszym człowiekiem na świecie, ale który się starzeje, i ja, wtedy dziewiętnastoletnia, stanowiliśmy rodzinę w zamku w dniu, gdy zaczyna się moja historia. Od tamtej pory minęło osiem lat. Moja mama, pochodząca ze Styrii, zmarła, gdy byłam dzieckiem, ale miałam dobrą guwernantkę, która była ze mną od czasów, mogę powiedzieć, wczesnego dzieciństwa. Nie przypominam sobie okresu, gdy jej pulchna, dobrotliwa twarz nie była znajomym obrazem w mojej pamięci. Była to madame Perrodon, pochodząca z Berna. Jej troska i dobra natura częściowo kompensowały mi stratę matki, której nawet nie pamiętam, tak wcześnie ją straciłam. Była trzecią osobą podczas naszych małych kolacji. Była też czwarta, mademoiselle De Lafontaine, dama, którą nazywa się — jak mi się wydaje — „kończącą guwernantką". Mówiła po francusku i niemiecku — po francusku na sposób madame Perrodon — i łamanym angielskim, a mój ojciec i ja, częściowo aby nie zapomnieć języka i częściowo z patriotycznych pobudek, rozmawialiśmy codziennie po angielsku. Konsekwencją była istna wieża Babel, z której obcy się śmiali i której ja nie podejmę się odwzorować w tej opowieści. Były też dwie lub trzy zaprzyjaźnione młode damy, niemal w moim wieku, które odwiedzały nas od czasu

do czasu, na krócej lub dłużej, i te wizyty czasami odwzajemniałam.

To były nasze zwyczajowe zasoby towarzyskie, ale oczywiście były też przypadkowe wizyty naszych „sąsiadów" oddalonych od nas o dwadzieścia pięć czy trzydzieści kilometrów. Moje życie jednak było raczej samotne, mogę was zapewnić.

Moje *gouvernantes** miały nade mną tyle kontroli, ile — możecie sobie wyobrazić — takie dostojne osoby mogły mieć w przypadku raczej rozpieszczonej dziewczyny, której jedyny rodzic pozwalał na to, aby nieomal wszystko robiła wedle własnego uznania.

Pierwsze zdarzenie w moim życiu, które pozostawiło straszny ślad w mej pamięci — i który nigdy nie został zatarty — dotyczy jednej z najwcześniejszych historii, jakie pamiętam. Niektórzy uznają, iż jest tak nieistotna, że w ogóle nie powinnam o niej tutaj pisać. Zrozumiecie jednak z czasem, dlaczego ją wspominam.

Pokój dziecinny, jak był nazywany, mimo że miałam go tylko dla siebie, był dużym pomieszczeniem na piętrze zamku, z ukośnym dębowym sufitem. Nie mogłam mieć więcej niż sześć lat, gdy pewnej nocy obudziłam się i spoglądając z łóżka, nie zauważyłam pokojówki. Mojej niani też nie było i wydawało mi się, że jestem sama. Nie bałam się, ponieważ byłam jednym z tych szczęśliwych dzieci, które pieczo-

---

* *Gouvernantes* (franc.) — guwernantki.

łowicie chroni się przed opowieściami o duchach, bajkami i całą taką mądrością, jaka sprawia, że zakrywamy głowę, gdy nagle skrzypną drzwi, albo nieoczekiwane migotanie dogasającej świecy sprawi, że cień filaru łóżka zatańczy na ścianie, obok naszej twarzy. Byłam niezadowolona i urażona, gdy odkryłam, jak mi się wydawało, że zostałam zlekceważona, i zaczęłam kwilić, co było wstępem do solidnej porcji wrzasku, kiedy ku mojemu zdziwieniu ujrzałam poważną, ale bardzo ładną twarz spoglądającą na mnie z boku łóżka. Była to twarz młodej damy, która klęczała z dłońmi wsuniętymi pod nakrycie. Spojrzałam na nią z zadowoleniem i zainteresowaniem i przestałam kwilić. Głaskała mnie, położyła się obok na łóżku i przyciągnęła do siebie z uśmiechem; natychmiast poczułam się rozkosznie utulona i ponownie zasnęłam. Obudziło mnie wrażenie, jakby dwie igły przeszyły moją pierś tuż pod gardłem, bardzo głęboko, w jednej chwili, i zapłakałam głośno. Dama odsunęła się gwałtownie, przyglądając mi się uważnie, a potem ześlizgnęła się na podłogę i jak mi się wydawało, ukryła pod łóżkiem.

Teraz byłam po raz pierwszy przerażona i krzyczałam z całych sił. Niania, pokojówka, gospodyni — wszystkie przybiegły, wysłuchały mojej opowieści i zlekceważyły ją, pocieszając mnie, jak tylko potrafiły. Ale mimo że byłam dzieckiem, widziałam, że ich twarze były blade i malował się na nich wyraz wyjątkowego zaniepokojenia. Widziałam też, jak zaglądały pod łóżko, rozglądały się po pokoju, zaglądały pod stoły i otwierały szafy. Gospodyni szepnęła do niani:

— Przyłóż dłoń do tego zagłębienia w łóżku, ktoś tu naprawdę leżał, nie ma cienia wątpliwości, miejsce jest wciąż ciepłe.

Pamiętam, jak pokojówka mnie pieściła i cała trójka przyglądała się mojej piersi w miejscu, gdzie, jak im powiedziałam, czułam ukłucie, i stwierdziła, że nie ma żadnego śladu, który by potwierdzał, że coś takiego się stało.

Gospodyni i dwie inne służące, które były odpowiedzialne za pokój dziecinny, czuwały przy mnie przez całą noc i od tego czasu służąca zawsze siedziała w pokoju dziecinnym do czasu, gdy miałam około czternastu lat.

Długo po tym zdarzeniu byłam bardzo nerwowa. Wezwano lekarza, który był blady i stary. Jak dobrze pamiętam jego pociągłą, posępną twarz, pokrytą śladami po ospie i jego kasztanową perukę! Przez dłuższy czas co drugi dzień przychodził i podawał mi lekarstwo, którego oczywiście nie cierpiałam.

Następnego dnia rano po tym, jak ujrzałam tę zjawę, byłam przerażona i ani na chwilę nie pozwoliłam się zostawić sama, mimo że był dzień.

Pamiętam, że ojciec przyszedł i stanął przy łóżku, i mówił do mnie wesoło, i zadawał niani wiele pytań, i śmiał się serdecznie z jednej odpowiedzi. Pogłaskał mnie też po ramieniu, pocałował i powiedział, żebym

się nie bała, że to nie było nic innego, tylko sen, i że nie mogła mi się stać żadna krzywda.

Byłam jednak niepocieszona, ponieważ wiedziałam, że wizyta tej dziwnej kobiety nie była snem, i byłam straszliwie przerażona.

Trochę mnie pocieszyło zapewnienie pokojówki, że to ona przyszła, spojrzała na mnie i położyła się obok na łóżku, i że musiałam na wpół śnić, skoro nie rozpoznałam jej twarzy. Ale te słowa, mimo że potwierdziła to niania, nie do końca mnie przekonały.

Pamiętam, że w tym dniu szacowny starszy mężczyzna w czarnej sutannie przyszedł do mojego pokoju z nianią i gospodynią i rozmawiał z nimi i ze mną bardzo uprzejmie. Miał bardzo słodką, łagodną twarz i powiedział mi, że będą się modlić; złączył moje dłonie i poprosił, żebym powtarzała cicho, w czasie gdy oni będą się modlić: „Panie, wysłuchaj wszystkich dobrych modlitw za nas, w imię Jezusa". Wydaje mi się, że to były dokładnie te słowa, bo często je sobie powtarzałam, a moja niania przez lata nakazywała mi wymawiać je podczas każdej modlitwy.

Pamiętam tak dobrze zatroskaną, słodką twarz tego siwego, starego mężczyzny, w jego czarnej sutannie, gdy stał w tym prostym, wysokim, brązowym pokoju, otoczony niezgrabnymi meblami sprzed trzystu lat i niewielką ilością światła, wpadającą do cienistego wnętrza przez małą kratownicę. Ukląkł, a trzy kobiety razem z nim, i modlił się na głos, żar-

liwym, drżącym głosem przez, jak mi się wydawało, długi czas. Nie pamiętam całego mojego życia poprzedzającego to zdarzenie i przez jakiś czas potem, wszystko też jest zamazane, ale sceny, które opisałam, stoją żywo przed moimi oczami jak pojedyncze obrazy fantasmagorii otoczonej ciemnością.

2

Gość

Zamierzam teraz opowiedzieć wam coś tak dziwnego, że uwierzenie w tę historię będzie wymagało całej waszej wiary w moją prawdomówność. Jest to jednak nie tylko prawda, ale prawda, której byłam naocznym świadkiem.

Był słodki letni wieczór i ojciec poprosił mnie, jak to miał czasami w zwyczaju, żebym poszła z nim na przechadzkę wzdłuż tego pięknego lasu, o którym wspominałam, roztaczającego się naprzeciwko *schlossu*.

— Generał Spielsdorf nie może do nas przyjechać tak szybko, jak miałem nadzieję — oznajmił mi ojciec, gdy kontynuowaliśmy naszą wędrówkę.

Miał złożyć nam kilkutygodniową wizytę — oczekiwaliśmy jego przyjazdu następnego dnia — i przywieźć ze sobą młodą damę, jego siostrzenicę i podopieczną, mademoiselle Rheinfeldt, której nigdy nie widziałam, ale o której słyszałam, że jest bardzo czarującą dziewczyną, i w której towarzystwie obiecywałam sobie wiele szczęśliwych dni. Byłam rozczarowana bardziej, niż młoda dama mieszkająca w mieście albo w tętniącym życiem sąsiedztwie może sobie wyobrazić. Ta wizyta i nowa znajomość wypełniała moje marzenia od wielu tygodni.

— A kiedy przyjedzie? — zapytałam.

— Nie wcześniej niż jesienią. Nie wcześniej niż za dwa miesiące, powiedziałbym — odparł. — I bardzo się teraz cieszę, moja droga, że nigdy nie znałaś mademoiselle Rheinfeldt.

— A to dlaczego? — zapytałam, zarówno zmartwiona, jak i ciekawa.

— Bo biedna dama nie żyje — odparł. — Zupełnie zapomniałem, że ci nie powiedziałem, ale nie było cię w pokoju, gdy otrzymałem list od generała dzisiaj wieczorem.

Byłam bardzo zdziwiona. Generał Spielsdorf wspominał w swoim pierwszym liście, sześć albo siedem tygodni wcześniej, że młoda dama nie czuje się tak dobrze, jak by sobie tego życzył, ale nie było nic, co mogłoby sugerować najmniejsze podejrzenie niebezpieczeństwa.

— Oto list generała — powiedział i podał mi go. — Obawiam się, że bardzo cierpi... wydaje mi się, że list ten został napisany w stanie bliskim szaleństwa.

Usiedliśmy na prostej ławce pod kępą wspaniałych lip. Słońce zachodziło z całym swoim melancholijnym splendorem za leśnym horyzontem i strumień, który płynie obok naszego domu i przepływa pod stromym starym mostem, o którym wspominałam, wił się pomiędzy licznymi kępami szacownych drzew, nieomal u naszych stóp, odbijając w swoim nurcie blednącą purpurę nieba. List generała Spieldorfa był tak wyjątkowy, tak gwałtowny, a w niektórych miejscach tak niespójny, że przeczytałam go

dwa razy — drugim razem na głos mojemu ojcu — i nadal nie byłam w stanie go zrozumieć, chyba że zakładając, iż smutek pomieszał mu rozum. Pisał:

> Straciłem ukochaną córkę, bo kochałem ją, jakby była moim rodzonym dzieckiem. W czasie ostatnich dni choroby drogiej Berthy nie byłem w stanie do ciebie napisać. Przedtem nie zdawałem sobie sprawy z niebezpieczeństwa, w jakim się znajdowała. Straciłem ją i teraz dowiaduję się wszystkiego, za późno. Zmarła w spokoju niewinności i z cudowną nadzieją na szczęśliwą przyszłość. Wróg, który nadużył naszej zaślepionej gościnności, sprawił to wszystko. Wydawało mi się, że przyjmuję do domu niewinność, wesołość, czarującą towarzyszkę dla mojej utraconej Berthy. Na niebiosa! Jakimże głupcem byłem! Dziękuję Bogu, że moje dziecko zmarło, nie podejrzewając powodów swojego cierpienia. Odeszła, nie domyślając się nawet natury swojej choroby i przeklętej namiętności sprawcy całego tego nieszczęścia. Poświęcam dni, które mi pozostały, na wytropienie i zlikwidowanie potwora. Powiedziano mi, że mogę mieć nadzieję na osiągnięcie mojego sprawiedliwego i łaskawego celu. Obecnie nie ma nawet promyka światła, który by mnie poprowadził. Przeklinam moją zarozumiałą łatwowierność, moje podłe poczucie wyższości, moją ślepotę, mój upór — wszystko — za późno. Nie

jestem w stanie pisać ani mówić teraz składnie. Szaleję z rozpaczy. Jak tylko dojdę do siebie odrobinę, zamierzam poświęcić się przez jakiś czas śledztwu, które może mnie zaprowadzić aż do Wiednia. Gdzieś na jesieni, za około dwa miesiące albo wcześniej, jeśli będę żył, zobaczę Cię — to znaczy, jeśli mi pozwolisz, opowiem Ci wszystko, czego nie mam odwagi przelać na papier. Żegnaj. Módl się za mnie, Drogi Przyjacielu.

Tymi słowami kończył się ten dziwny list. Mimo że nigdy nie widziałam Berthy Rheinfeldt, do oczu napłynęły mi łzy, gdy przeczytałam tę nagłą wiadomość. Byłam zaszokowana, jak również głęboko rozczarowana.

Słońce już zaszło i zapadał zmierzch, gdy oddawałam ojcu list generała. Był to ciepły, pogodny wieczór, a my spacerowaliśmy, zastanawiając się nad możliwym znaczeniem gwałtownych i chaotycznych zdań, które właśnie przeczytałam. Mieliśmy jeszcze do pokonania blisko półtora kilometra do drogi, która mija *schloss* z przodu, i gdy się tam znaleźliśmy, księżyc świecił już srebrzyście. Przy moście zwodzonym spotkaliśmy madame Perrodon i mademoiselle De Lafontaine, które wyszły bez kapeluszy, aby podziwiać wspaniałe światło księżyca.

Słyszeliśmy ich głosy perorujące w ożywionej dyskusji, gdy się zbliżaliśmy. Dołączyliśmy do nich na zwodzonym moście i odwróciliśmy się, żeby podziwiać piękną scenę.

Polana, przez którą właśnie przeszliśmy, rozciągała się przed nami. Po naszej lewej stronie wąska droga wiła się pod kępami wyniosłych drzew i ginęła pośród gęstniejącego lasu. Po prawej stronie ta sama droga przecina stromy i malowniczy most, w pobliżu którego wznoszą się ruiny wieży, stojącej kiedyś na straży tego przejścia, a za mostem pojawia się wzniesienie, pokryte drzewami i ukazujące w cieniu kilka pokrytych kępami bluszczu szarych skał.

Nad porośniętą murawą płaską ziemią snuła się cienka warstwa mgły, niczym dym, znacząc odległości przezroczystym woalem, a tu i tam widzieliśmy rzekę błyszczącą słabo w świetle księżyca. Trudno było sobie wyobrazić słodszy i delikatniejszy widok. Wiadomości, które właśnie otrzymałam, czyniły go melancholijnym, ale nic nie mogło zmącić jego charakteru głębokiej powagi i zaczarowanej glorii oraz tajemniczości widoku.

Mój ojciec, który doceniał malowniczość, i ja staliśmy, spoglądając w ciszy na bezmiar przestrzeni przed nami. Dwie drogie guwernantki, stojące odrobinę za nami, rozmawiały na temat widoku i wypowiadały się ze swadą na temat księżyca.

Madame Perrodon była pulchna, w średnim wieku i romantyczna; mówiła i wzdychała poetycko. Mademoiselle De Lafontaine — dziedzicząc predyspozycje po ojcu, który był Niemcem i któremu przypisywano skłonności psychologiczne, metafizyczne i częściowo mistyczne — teraz oświadczyła, że jeśli księżyc świeci światłem tak intensywnym, jest powszechnie wiadomo, że wskazuje to na specjalną duchową aktywność. Wpływ księżyca w pełni, tak jasno świecącego, był wieloraki. Wpływał na sny, wpływał na lunatykowanie, wpływał na nerwowych ludzi, miał cudowne fizyczne wpływy związane z życiem. Mademoiselle opowiedziała, że jej kuzyn, który był oficerem na statku handlowym, zdrzemnąwszy się na pokładzie w taką noc, leżąc na plecach, z twarzą wystawioną na pełny blask księżyca, obudził się ze snu, w którym stara kobieta szarpała go pazurami za policzek, z twarzą strasznie przekrzywioną w jedną stronę, i jego twarz nigdy nie odzyskała symetrii.

— Księżyc tej nocy — oświadczyła — posiada magnetyczną moc i wpływa na siły witalne... i gdy spojrzy pani za siebie na front *schlossu*, widać, jak wszystkie jego okna błyszczą i mienią się srebrzyście, jak gdyby niewidoczna dłoń zapaliła światło we wszystkich pokojach na powitanie czarodziejskich gości.

Istnieją leniwe stany ducha, gdy nie jesteśmy skłonni sami rozmawiać, ale z przyjemnością słuchamy rozmowy innych; tak ja wpatrywałam się przed siebie, zadowolona z rozbrzmiewającej rozmowy pań.

— Wpadłem dzisiaj w jeden z moich płaczliwych nastrojów — wyznał mój tato po chwili milczenia, a potem cytując Szekspira, którego zwykł czytać na głos, by w ten sposób podtrzymać naszą znajomość angielskiego, powiedział:

W istocie nie wiem, dlaczegom tak smutny.
Już mam dość tego, i wy też podobno.
Lecz skąd to przyszło, jakem w ten stan popadł...*

— Zapomniałem reszty, ale czuję, jakby wisiało nad nami jakieś ogromne nieszczęście. Przypuszczam, że ten nieszczęśliwy list biednego generała miał z tym coś wspólnego.

W tym momencie niecodzienny odgłos kół karety i wielu kopyt na drodze przyciągnął naszą uwagę.

Ktoś zdawał się nadjeżdżać od wyżej położonej strony nad mostem i bardzo szybko ekwipaż ukazał się w tym miejscu. Dwóch jeźdźców na koniach najpierw przejechało przez most, następnie pojawił się powóz ciągnięty przez cztery konie i dwóch mężczyzn jadących za nim.

Wyglądał jak powóz podróżny jakiejś dystyngowanej osoby i wszyscy natychmiast z uwagą obserwowaliśmy owo niecodzienne widowisko. Po kilku chwilach stało się dużo bardziej interesujące, bo gdy powóz minął szczyt stromego mostu, jeden z prowadzących koni, przestraszywszy się, zaraził paniką pozostałe i po jednym czy dwóch skokach cały zaprzęg zerwał się do dzikiego galopu i wybiegając pomiędzy jeźdźcami, którzy jechali z przodu, puścił się drogą w naszą stronę z prędkością huraganu.

---

* Fragment *Kupca weneckiego* Williama Szekspira, akt I, scena 1, w tłumaczeniu Józefa Paszkowskiego.

Gwałtowność tej sceny przyprawiała o ból, jako że z okna powozu dochodziły wyraźne krzyki kobiecego głosu.

Wszyscy zbliżyliśmy się zaciekawieni i przestraszeni, mój ojciec milcząc, reszta wydając z siebie różne okrzyki przerażenia.

Moment zawieszenia nie trwał długo. Tuż przed zwodzonym mostem, przy drodze, którą pokonywali, rośnie wspaniała lipa, po drugiej stronie stoi starożytny kamienny krzyż, na widok którego konie, teraz pędzące z prędkością, jaka była po prostu przerażająca, skręciły tak, że koło najechało na wystający korzeń drzewa.

Wiedziałam, na co się zanosi. Zakryłam oczy, nie będąc w stanie na to patrzyć, i odwróciłam głowę; w tej samej chwili usłyszałam krzyk moich przyjaciółek, które wyszły trochę dalej.

Ciekawość kazała mi otworzyć oczy i ujrzałam scenę całkowitego chaosu. Dwa konie leżały na ziemi, a powóz na boku, z dwoma kołami w powietrzu, mężczyźni byli zajęci usuwaniem zniszczeń, a dama o władczym zachowaniu i wyglądzie wysiadła i stała ze złożonymi dłońmi, podnosząc chusteczkę, którą w nich trzymała, raz po raz do oczu. Przez drzwi powozu wyniesiono teraz młodą damę, która wyglądała na zupełnie pozbawioną życia. Mój drogi stary ojciec był już obok starszej damy, z kapeluszem w dłoni, najwyraźniej oferując pomoc i zasoby swo-

jego *schlossu*. Dama zdawała się go nie słyszeć ani nie widzieć nic oprócz szczupłej dziewczyny, którą właśnie sadowiono, opierając o wzniesienie.

Podeszłam; młoda dama była najwyraźniej oszołomiona, ale z pewnością nie martwa. Mój ojciec, który chlubił się byciem kimś w rodzaju lekarza, właśnie przyłożył swoje palce do jej nadgarstka i zapewniał damę, która twierdziła, że jest jej matką, iż tętno, mimo że słabe i nieregularne, daje się bez wątpienia nadal wyczuwać. Dama klasnęła w dłonie i spojrzała w górę, jak gdyby w chwili szczęścia czy wdzięczności, ale natychmiast znowu zaczęła lamentować w ten teatralny sposób, który, jak mi się wydaje, jest naturalny jedynie dla niektórych ludzi.

W powszechnej opinii dama uchodziłaby za atrakcyjną kobietę, jak na swoje lata, i musiała być kiedyś przystojna. Była wysoka, ale nie chuda, ubrana w czarny aksamit — wyglądała raczej blado, ale miała dumne i władcze oblicze, chociaż była teraz dziwnie poruszona.

— Czy urodziło się kiedyś stworzenie, któremu było pisane tyle nieszczęścia? — Słyszałam, jak mówiła ze złożonymi dłońmi, gdy podchodziłam. — Oto jestem w podróży, której stawką jest życie lub śmierć, w kontynuowaniu której stracić godzinę to być może stracić wszystko. Moje dziecko nie dojdzie do siebie, żeby podróżować dalej nie wiadomo jak długo. Muszę ją zostawić, nie mogę, nie śmiem wyruszyć z opóźnieniem. Jak daleko, może mi pan po-

wiedzieć, sir, jest najbliższa wioska? Muszę ją tam zostawić i nie będę widzieć mojego kochania ani mieć od niej żadnych wiadomości do mojego powrotu za trzy miesiące.

Szarpnęłam tatę za rękaw i szepnęłam mu błagalnie do ucha:

— Och! Papo, błagam, poproś ją, żeby pozwoliła jej z nami zostać... byłoby tak cudownie. Poproś, błagam!

— Jeżeli madame powierzy swoje dziecko opiece mojej córki i jej dobrej *gouvernante*, madame Perrodon, i pozwoli jej zostać naszym gościem pod moim dachem, do jej powrotu, będzie to dla nas zaszczyt i zobowiązanie i będziemy traktować ją z troską i oddaniem, na jakie zasługuje taki święty depozyt.

— Nie mogę tego zrobić, sir, byłoby to zbytnim nadużyciem waszej uprzejmości i szlachetności — odparła dama z roztargnieniem.

— Byłoby to, wręcz przeciwnie, wyświadczeniem nam ogromnej uprzejmości w chwili, gdy najbardziej tego potrzebujemy. Moja córka dowiedziała się właśnie, że jak chciał okrutny los, nie dojdzie do skutku wizyta, po której od dłuższego czasu obiecywała sobie tyle radości. Gdyby zawierzyła pani tę młodą damę naszej opiece, byłoby to najlepszym pocieszeniem. Najbliższa wioska na pani trasie jest odległa i nie ma w niej gospody, w której mogłaby pani umieścić swoją córkę, nie może pani pozwolić, by kontynuowała podróż na jakimś dłuższym od-

cinku bez narażenia jej na niebezpieczeństwo. Jeśli, jak pani mówi, nie może zawiesić swojej podróży, i musi rozstać się z nią dzisiaj wieczorem, nigdzie nie mogłaby pani tego uczynić, otrzymując uczciwsze zapewnienia troski i czułości, niż tutaj.

W zachowaniu tej damy i jej wyglądzie było coś tak dystyngowanego, a nawet władczego, a w jej sposobie bycia tak atrakcyjnego, że natychmiast nabierało się przekonania, zupełnie niezależnie od elegancji jej ekwipażu, że jest osobą o dużym znaczeniu.

Do tego czasu powóz został postawiony na kołach, a konie, zupełnie sprawne, znowu zapięte w uprząż.

Dama rzuciła na swoją córkę spojrzenie, które wydawało mi się nie tak czułe, jak można było się spodziewać po początku całego zajścia, potem dała znak mojemu ojcu i odeszli parę kroków, by nikt ich nie słyszał, i rozmawiała z nim, mając poważny i surowy wyraz twarzy, zupełnie inny niż ten, który towarzyszył jej do tej pory.

Byłam zaskoczona, że mój ojciec najwyraźniej nie zauważył tej zmiany, i jednocześnie niewypowiedzianie ciekawa, co to mogło być, o czym dama mówiła ojcu, nieomal na ucho, z taką gorliwością i szybkością.

Rozmowa ta zajęła jej, myślę, maksymalnie dwie albo trzy minuty, potem odwróciła się i w kilku krokach zbliżyła do miejsca, gdzie leżała jej córka, podtrzymywana przez madame Perrodon. Uklękła obok niej na chwilę i wyszeptała, jak madame przypuszczała, krótkie błogosławieństwo do jej ucha; potem

ucałowała ją pośpiesznie, weszła do powozu, drzwi zostały zamknięte, lokaje w dostojnej liberii wskoczyli na tył powozu, jeźdźcy spięli konie, woźnice strzelili batami, rumaki skoczyły i ruszyły nagle szalonym pędem, który w każdej chwili mógł się przerodzić znowu w galop, i powóz pomknął dalej, a za nim pojechało tym samym szybkim tempem dwóch jeźdźców zamykających tyły.

3

Porównujemy wrażenia

Śledziliśmy wzrokiem *cortège**, aż prędko zniknął nam z oczu w mglistym lesie, a sam dźwięk kopyt i kół ucichł w cichym nocnym powietrzu.

Nie pozostało nic, co by świadczyło o tym, że przygoda nie była iluzją, z wyjątkiem młodej damy, która właśnie w tej chwili otworzyła oczy. Nie widziałam tego, bo twarz miała odwróconą ode mnie, ale podniosła głowę, wyraźnie rozglądając się dookoła, i słyszałam, jak bardzo słodki głos pyta żałośnie:

— Gdzie jest mama?

Nasza dobra madame Perrodon odpowiedziała czule i dodała kilka pocieszających zapewnień.

Potem usłyszałam, jak pyta:

— Gdzie jestem? Co to za miejsce?

A potem powiedziała:

— Nie widzę powozu, a Matska... gdzie ona jest?

Madame odpowiedziała na wszystkie jej pytania, na tyle, na ile je rozumiała, i stopniowo młoda dama przypomniała sobie, jak doszło do wypadku, i ucieszyła się, słysząc, że nikt z pasażerów powozu ani z jego obsługi nie został ranny, a gdy dowiedziała się, że jej mama zostawiła ją tutaj do swojego powrotu za około trzy miesiące, zapłakała.

---

* *Cortège* (franc.) — orszak.

Zamierzałam dodać własne słowa pocieszenia do słów madame Perrodon, gdy mademoiselle De Lafontaine położyła dłoń na moim ramieniu, mówiąc:

— Nie podchodź do niej, nie jest w stanie rozmawiać w tej chwili z więcej niż jedną osobą, niewielki stres mógłby okazać się dla niej obecnie nie do zniesienia.

Jak tylko znajdzie się bezpiecznie w łóżku, pomyślałam, pobiegnę do jej pokoju i zobaczę się z nią.

Mój ojciec wysłał w tym czasie konno służącego po lekarza, który mieszkał około dziesięciu kilometrów od nas, i rozpoczęto przygotowywanie sypialni na przyjęcie młodej damy.

Nieznajoma wstała teraz i opierając się na ramieniu madame, podeszła wolno do mostu, a potem do bramy zamku.

W holu czekała na jej przyjęcie służba, i gość został następnie zaprowadzony do swojego pokoju.

Pokój, który zazwyczaj traktujemy jak salon, jest długi, ma cztery okna, które wychodzą na fosę i zwodzony most z leśnym widokiem w tle, jaki właśnie opisałam. Meble w tym pokoju są stare, dębowe i rzeźbione, z dużymi szafami, a krzesła wyłożone są purpurowym aksamitem z Utrechtu. Na ścianach wiszą gobeliny w ogromnych złotych ramach, a postaci są nieomal naturalnej wielkości, w starożytnych i bardzo dziwnych kostiumach. Przedstawione osoby polują na zwierzynę z sokołami i są ogólnie w radosnych nastrojach. Salon nie jest na tyle okazały, żeby

nie był bardzo wygodny — tutaj podano herbatę, ponieważ przy swoich typowo patriotycznych skłonnościami mój ojciec utrzymywał, że narodowy napój powinien pojawiać się na naszym stole regularnie, na równi z kawą i czekoladą.

Usiedliśmy tutaj tej nocy i przy zapalonych świecach omawialiśmy przygodę tego wieczoru.

Madame Perrodon i mademoiselle De Lafontaine dotrzymywały nam towarzystwa. Młoda nieznajoma zaledwie położyła się do łóżka, gdy zapadła w głęboki sen, więc damy zostawiły ją pod opieką służącej.

— Jak wam się podoba nasz gość? — zapytałam, gdy tylko madame weszła. — Opowiedzcie mi o niej wszystko.

— Podoba mi się bardzo — odparła madame. — Wydaje mi się chyba najładniejszym stworzeniem, jakie kiedykolwiek widziałam, mniej więcej w panienki wieku, taka delikatna i miła.

— Jest absolutnie piękna — dorzuciła mademoiselle, która zajrzała na chwilę do pokoju nieznajomej.

— I ma taki słodki głos! — dodała madame Perrodon.

— Czy zauważyliście kobietę w powozie, po tym jak go postawili, która nie wysiadła — zapytała mademoiselle — ale która jedynie wyglądała przez okno?

Nie, nie widzieliśmy jej.

Następnie opisała odrażającą czarną kobietę w czymś w rodzaju kolorowego turbanu na głowie, która patrzyła przez cały czas z okna powozu, kiwając głową i uśmiechając się szyderczo w kierunku dam, z błyszczącymi oczami i dużymi białymi gałkami, i z zębami zaciśniętymi jakby z wściekłości.

— Czy zauważyliście, jak źle wyglądali wszyscy ich służący? — zapytała madame.

— Tak — odparł mój ojciec, który właśnie wszedł. — Brzydcy, podejrzani goście, jakich rzadko się widuje. Mam nadzieję, że nie obrabują tej biednej damy w lesie. To jednak bardzo sprytne łobuzy, wszystko naprawili w jedną minutę.

— Może po prostu są zmęczeni długą podróżą — stwierdziła madame. — Poza tym, że wyglądali na rzezimieszków, ich twarze były tak dziwnie chude i ciemne, i ponure. Jestem bardzo ciekawa, przyznaję, ale myślę, że młoda dama opowie nam wszystko jutro, jeśli będzie się na tyle dobrze czuła.

— Nie wydaje mi się — powiedział mój ojciec z tajemniczym uśmiechem i niewielkim skinięciem głowy, jak gdyby wiedział więcej, niż chciał nam powiedzieć.

To jeszcze bardziej rozbudziło moją ciekawość odnośnie do tego, o czym rozmawiał z damą w czarnym aksamicie podczas krótkiej, ale ożywionej rozmowy, która poprzedziła jej odjazd.

Ledwie zostaliśmy sami, gdy poprosiłam go, żeby mi powiedział. Nie musiałam długo nalegać.

— Nie ma szczególnego powodu, żebym nie miał ci powiedzieć. Wyraziła obawy związane z powie-

rzeniem nam opieki nad jej córką, twierdząc, że jest delikatnego zdrowia i nerwowa, ale nie cierpi na żadne ataki... tak to określiła... ani też nie ma żadnych iluzji, będąc w istocie całkowicie zdrowa na umyśle.

— Jakie to dziwne, że tak powiedziała! — przerwałam. — To było zupełnie niepotrzebne.

— W każdym razie zostało to powiedziane — roześmiał się — i skoro chcesz wiedzieć wszystko, co się wydarzyło, a w istocie było tego bardzo niewiele, to ci mówię. Następnie powiedziała: „Jestem w długiej podróży, o żywotnym znaczeniu — kładąc nacisk na to słowo — szybkiej i sekretnej, wrócę po moje dziecko za trzy miesiące, w tym czasie córka nie zdradzi, kim jesteśmy, skąd pochodzimy i gdzie jedziemy". To wszystko, co powiedziała. Mówiła bardzo czystym francuskim. Gdy wymawiała słowo „sekretnej", przerwała na kilka sekund, spoglądając poważnie, z oczami utkwionymi we mnie. Wydaje mi się, że robi z tego wielką sprawę. Widziałaś, jak szybko odjechała. Mam nadzieję, że nie popełniłem ogromnego głupstwa, podejmując się opieki nad tą młodą damą.

Jeśli chodzi o mnie, byłam zachwycona. Marzyłam o tym, żeby ją zobaczyć i z nią porozmawiać; tylko czekałam, aż doktor mi na to pozwoli. Wy, którzy mieszkacie w miastach, nie możecie mieć pojęcia, jakim wielkim wydarzeniem jest wprowadzenie nowego przyjaciela do takiego odludzia, jakie nas otaczało.

Doktor przybył dopiero o pierwszej. Kiedy zszedł do salonu, przekazał bardzo pozytywną opinię o swojej pacjentce. Siedziała teraz, puls miała całkiem regularny, czując się najwyraźniej dobrze. Nie odniosła obrażeń, a mały szok dla jej nerwów minął całkiem bezboleśnie. Moja wizyta u niej nie mogła jej zaszkodzić, jeśli obydwie tego pragnęłyśmy. Za jego zgodą posłałam od razu z pytaniem, czy nasz gość pozwoli mi złożyć kilkuminutową wizytę w jej pokoju.

Służący wrócił natychmiast, mówiąc, że nie pragnie ona niczego bardziej.

Możecie być pewni, że nie czekałam długo, żeby skorzystać z tej zgody.

Nasz gość leżał w jednym z najpiękniejszych pokoi w *schlossie*. Może był trochę zbyt okazały. Naprzeciw nóg łóżka znajdował się ponury gobelin, przedstawiający Kleopatrę ze żmiją na piersi, a na pozostałych ścianach znajdowały się, trochę już wyblakłe, inne poważne sceny antyczne. Były też jednak złote rzeźbienia i różnorodne kolory dekoracji, aby zrekompensować z nawiązką mroczny charakter starych gobelinów.

Przy łóżku stały świece. Nasz gość siedział, a szczupła, ładna postać otulona była miękkim jedwabnym szlafrokiem, haftowanym w kwiaty, podbitym grubym pikowanym jedwabiem, który matka rzuciła na jej stopy, gdy ona leżała na ziemi.

Co sprawiło, że w chwili gdy znalazłam się przy

jej łóżku i właśnie rozpoczęłam krótkie powitanie, zaniemówiłam i cofnęłam się krok czy dwa? Powiem wam. Ujrzałam dokładnie tę samą twarz, która nawiedziła mnie w dzieciństwie nocą, która zapadła mi w pamięć i o której przez tyle lat rozmyślałam z przerażeniem, gdy nikt nie podejrzewał, o czym myślę.

Była ładna, nawet piękna, a w chwili gdy ją ujrzałam, malował się na niej ten sam melancholijny wyraz.

Ale nieomal natychmiast przerodził się on w dziwny krótki uśmiech, jakby mnie rozpoznała.

Zapadła cisza, która trwała pełną minutę, a potem w końcu ona przemówiła, bo ja nie byłam w stanie.

— Jak cudownie! — wykrzyknęła. — Dwanaście lat temu ujrzałam twoją twarz we śnie i prześladowała mnie od tamtego czasu.

— Zaprawdę cudownie! — powtórzyłam, przezwyciężając z trudem strach, który na chwilę zablokował mi mowę. — Dwanaście lat temu, w widzeniu czy w rzeczywistości, z pewnością cię widziałam. Nie mogłam zapomnieć twojej twarzy. Od tamtej pory mam ją cały czas przed oczami.

Jej uśmiech złagodniał. Cokolwiek wydawało mi się w nim dziwne, zniknęło, a on i jej policzki z dołeczkami były teraz rozkosznie ładne i inteligentne.

Poczułam się pewniej i kontynuowałam bardziej w stylu, który nakazywała gościnność, witając ją

i zapewniając, ile radości dał nam jej przypadkowy przyjazd, a zwłaszcza jakim szczęściem był dla mnie.

Ujęłam jej dłoń, gdy tak mówiłam. Byłam trochę nieśmiała, jak często bywają samotni ludzie, ale sytuacja uczyniła mnie elokwentną, a nawet śmiałą. Uścisnęła moją dłoń, położyła na niej swoją, a jej oczy jaśniały, gdy spoglądając pośpiesznie w moje, uśmiechnęła się znowu i zarumieniła.

Odpowiedziała na moje powitanie bardzo ładnie. Usiadłam obok niej, nadal się zastanawiając, a ona powiedziała:

— Muszę opowiedzieć ci swoją wizję o tobie. To dziwne, że ty i ja miałyśmy o sobie wzajemnie taki żywy sen, że każda z nas widziała, ja ciebie, a ty mnie, wyglądającą tak, jak wyglądamy teraz, gdy oczywiście obydwie byłyśmy zaledwie dziećmi. Byłam dzieckiem około sześcioletnim, obudziłam się z niejasnego, męczącego snu i odkryłam, że jestem w pokoju niepodobnym do mojego pokoju dziecinnego, wyłożonym niezdarnie ciemnym drewnem i z szafami, łóżkami, krzesłami i ławkami ustawionymi dookoła. Wszystkie łóżka były, myślałam, puste, a w samym pokoju nie było nikogo prócz mnie; po tym jak przez chwilę rozglądałam się dookoła i podziwiałam szczególnie żelazny świecznik z dwoma ramionami, który z pewnością bym teraz poznała, weszłam pod jedno z łóżek, żeby dojść do okna, ale gdy wydostałam się spod łóżka, usłyszałam, że ktoś płacze, i spoglądając w górę, podczas gdy wciąż byłam na kolanach, zobaczyłam ciebie... jestem pewna, że to byłaś ty... taką, jaką widzę teraz — piękną młodą damę ze złotymi włosami i dużymi błękitnymi oczami, i ustami... twoimi ustami... taką, jak jesteś tutaj. Twój wygląd podbił moje serce, wspięłam się na łóżko i objęłam cię; wydawało mi się, że obydwie zasnęłyśmy. Obudził mnie krzyk, siedziałaś na łóżku i krzyczałaś. Byłam przerażona i ześlizgnęłam się z łóżka na podłogę; wydawało mi się, że straciłam przytomność, a gdy doszłam do siebie, byłam znowu w swoim pokoju w domu. Od tamtej pory nie zapomniałam twojej twarzy. Nie mogłoby mnie zmylić byle podobieństwo. Jesteś damą, którą wtedy widziałam.

Przyszła teraz moja kolej, żeby opowiedzieć o moim widzeniu, co uczyniłam, ku jawnemu zdziwieniu mojej nowej znajomej.

— Nie wiem, która z nas powinna bać się bardziej drugiej — powiedziała, znowu się uśmiechając. — Gdybyś nie była taka ładna, myślę, że bardzo bym się ciebie bała, ale ponieważ jesteś właśnie taka i obydwie jesteśmy młode, wiem tylko, że poznałam cię dwanaście lat temu i mam już prawo do bliskości. W każdym razie zdaje się, jakby to było zaplanowane od naszego wczesnego dzieciństwa, że będziemy przyjaciółkami. Jestem ciekawa, czy odczuwasz taką dziwną fascynację mną, jak ja tobą. Nigdy nie miałam przyjaciółki... czy znajdę ją teraz?

Westchnęła, a jej ciemne oczy spoglądały na mnie z czułością.

Cóż, prawdą jest, że piękna nieznajoma pociągała mnie w niezrozumiały sposób. Czułam w stosunku do niej, jak powiedziała, „dziwną fascynację", ale było w tym też coś z odrazy. W tym niejednoznacznym uczuciu jednak zdecydowanie przeważało poczucie fascynacji. Interesowała mnie i zdobyła, była taka piękna i tak niewypowiedzianie pociągająca.

Zauważyłam teraz, jak coś jakby rozleniwienie i wyczerpanie maluje się na jej twarzy, i pośpieszyłam z życzeniem jej dobrej nocy.

— Lekarz uważa — dodałam — że powinnaś mieć służącą, która będzie siedziała z tobą w nocy, jedna z naszych czeka i przekonasz się, że jest bardzo pożytecznym i cichym stworzeniem.

— Jak to miło z twojej strony, ale nie mogłabym zasnąć... nigdy nie potrafiłam... z osobą czuwającą w pokoju. Nie będę potrzebowała żadnej pomocy, ale czy mogę przyznać się do mojej słabości? Panicznie boję się włamywaczy. Do naszego domu kiedyś włamali się złodzieje i zamordowali dwóch służących, więc zawsze zamykam moje drzwi na klucz. Stało się to nawykiem, a ty wyglądasz tak życzliwie, że wiem, iż mi wybaczysz. Widzę, że w zamku jest klucz.

Objęła mnie na chwilę swoimi ładnymi ramionami i szepnęła mi do ucha:

— Dobranoc, kochana, ciężko jest się z tobą rozstać, ale dobranoc. Jutro, lecz nie bardzo wcześnie, znowu cię zobaczę.

Opadła ponownie z westchnieniem na poduszki,

a jej piękne oczy śledziły mnie czułym i melancholijnym spojrzeniem; znowu wyszeptała:

— Dobranoc, droga przyjaciółko.

Młodzi ludzie lubią, a nawet kochają pod wpływem impulsu. Pochlebiała mi oczywista, mimo że na razie niezasłużona, czułość, jaką mi okazywała. Spodobało mi się zaufanie, z jakim od razu mnie przyjęła. Była zdeterminowana, że zostaniemy bardzo dobrymi przyjaciółkami.

Przyszedł następny dzień i znowu się spotkałyśmy. Byłam zachwycona moją towarzyszką, to znaczy — pod wieloma względami.

Jej wygląd nie tracił nic za dnia — była z pewnością najpiękniejszym stworzeniem, jakie kiedykolwiek widziałam, a nieprzyjemne wspomnienie twarzy z mojego snu w dzieciństwie zatarło się, gubiąc pierwotny efekt niespodziewanego rozpoznania.

Stwierdziła, że doznała podobnego szoku, widząc mnie, i poczuła dokładnie tę samą nieznaczną antypatię, która mieszała się z moim podziwem dla niej. Śmiałyśmy się teraz razem z naszego chwilowego strachu.

4

Jej nawyki — przechadzka

Mówiłam już, że byłam nią oczarowana pod nieomal wszystkimi względami.

Niektóre jednak bardzo mi się nie podobały.

Była wyższa niż średni wzrost kobiety. Zacznę od jej opisania. Szczupła i cudownie zgrabna. Tyle że ruchy miała powolne — bardzo powolne — a mimo to nic w wyglądzie nie wskazywało na chorobę. Jej cera była zdrowa i jasna, rysy twarzy drobne i śliczne, oczy duże, ciemne i lśniące. Cudowne włosy — nigdy nie widziałam włosów tak gęstych i długich, gdy puszczała je luźno na ramiona. Często wsuwałam pod nie dłonie i śmiałam się, nie dowierzając, że są takie ciężkie. Były cudownie delikatne i miękkie — bardzo głębokiego, bardzo ciemnego brązowego koloru, z przebłyskami złota. Uwielbiałam je rozpuszczać, gdy opadały pod własnym ciężarem, kiedy w pokoju siedziała oparta na krześle i rozmawiała swoim słodkim niskim głosem. Zbierałam je i zaplatałam, a potem rozpuszczałam i bawiłam się nimi. Na niebiosa! Gdybym tylko wiedziała!

Mówiłam, że miała pewne cechy, które mi się nie podobały. Wspomniałam wam, że swoim zaufaniem ujęła mnie pierwszej nocy, gdy ją zobaczyłam, ale zauważyłam, że w stosunku do siebie, swojej ma-

my, swojej historii, wszystkiego w istocie, co było związane z jej życiem, zachowywała zawsze czujną rezerwę. Przyznam, że byłam nierozsądna, być może nie miałam racji. Zgadzam się, że powinnam była szanować surowe zobowiązanie, które nałożyła na mojego ojca dostojna dama w czarnym aksamicie. Ale ciekawość jest niespokojną i bezwzględną namiętnością i żadna dziewczyna nie może znieść cierpliwie, aby jej ciekawość była lekceważona przez inną. Jakaż krzywda mogła wyniknąć dla kogokolwiek z powiedzenia mi tego, co tak bardzo chciałam wiedzieć? Czyż nie wierzyła w mój rozsądek i honor? Dlaczego nie chciała mi uwierzyć, gdy zapewniałam ją tak solennie, że nie wyjawię ani jednej sylaby z tego, co mi powie, żadnemu żyjącemu śmiertelnikowi?

Wydawało mi się, że w jej pełnej uśmiechu i melancholii ciągłej odmowie, by rzucić najmniejszy promyk światła na tę tajemnicę, był pewien chłód, zaskakujący jak na jej młode lata.

Nie mogę powiedzieć, że kłóciłyśmy się o to, bo ona nie chciała się kłócić o nic. Było to oczywiście bardzo nieeleganckie, bardzo nietaktowne z mojej strony tak ją naciskać, ale naprawdę nic nie mogłam na to poradzić, chociaż równie dobrze mogłam sobie po prostu dać spokój.

Wszystko to dało się podsumować w trzech niezbyt precyzyjnych informacjach: po pierwsze — miała na imię Carmilla, po drugie — jej rodzina była bardzo starożytna i szacowna, po trzecie — jej dom leżał na zachód od nas.

Nie chciała mi zdradzić nazwiska swojej rodziny ani herbu, ani nazwy ich posiadłości, ani nawet kraju, w którym mieszkali.

Nie myślcie jednak, że cały czas prześladowałam ją pytaniami na ten temat. Czekałam na okazję i raczej sugerowałam, niż zmuszałam ją do udzielania odpowiedzi. Raz lub dwa w istocie zaatakowałam ją bardziej bezpośrednio. Ale bez względu na taktykę wszystko kończyło się nieodmiennie całkowitą porażką. Wyrzuty i czułości nie robiły na niej żadnego wrażenia. Muszę jednak dodać, że uniki były czynione przez nią z taką ładną melancholią i kajaniem się, z tak licznymi, a nawet uczuciowymi deklaracjami jej sympatii wobec mnie i wiary w mój honor, i z tak wieloma obietnicami, że w końcu dowiem się wszystkiego, iż nie byłam w stanie długo się na nią gniewać.

Zwykła otaczać moją szyję swoimi ładnymi ramionami, przyciągać mnie do siebie i przytulając swój policzek do mojego, szeptać z ustami przy moim uchu:

— Najdroższa, twoje małe serce jest zranione, nie myśl, że jestem okrutna, ponieważ jestem posłuszna nieodpartemu prawu moich sił i słabości; jeśli twoje drogie serce jest zranione, moje serce krwawi razem z nim. W akcie ogromnego upokorzenia żyję w twoim gorącym życiu, a ty umrzesz... umrzesz, słodko

umrzesz... w moim. Nie mogę na to nic poradzić, w miarę jak ja zbliżam się do ciebie, ty z kolei zbliżysz się do innych i poznasz zachwyt okrucieństwa, które mimo to jest miłością, więc przez jakiś czas nie staraj się dowiedzieć więcej o mnie i o moim życiu, ale zaufaj mi całym swoim kochającym duchem.

A gdy już wypowiedziała taką rapsodię, przytulała mnie mocniej w swoich drżących objęciach, a jej gorące usta delikatnie całowały mój policzek.

Jej poruszenie i język były dla mnie niezrozumiałe.

Z tych nierozsądnych uścisków, które nie zdarzały się często, muszę przyznać, zawsze chciałam się wyswobodzić, ale moje siły zdawały się mnie opuszczać. Jej szeptane słowa brzmiały jak kołysanka w moim uchu i utulały mój upór w rodzaj transu, z którego najwyraźniej byłam w stanie ocknąć się dopiero, gdy zabrała swoje ramiona.

Nie lubiłam jej w tym dziwnym nastroju. Doznawałam niepojętego i gwałtownego podniecenia, które było przyjemne, ale od czasu do czasu mieszało się z niejasnym poczuciem strachu i obrzydzenia. Nie miałam żadnych konkretnych myśli o niej, gdy te sceny trwały, ale byłam świadoma miłości przeradzającej się w adorację, a także odrazy. Jest to, wiem, paradoks, ale nie umiem w inny sposób opisać tego uczucia.

Piszę teraz, po upływie ponad dziesięciu lat, drżącą ręką, z niejasnymi i strasznymi wspomnieniami pewnych zdarzeń i sytuacji w tej ciężkiej próbie,

przez którą wtedy nieświadomie przechodziłam, ale z żywymi i bardzo wyraźnymi wspomnieniami głównego wątku mojej opowieści. Ale, podejrzewam, w każdym życiu są pewne emocjonalne stany, podczas których nasze namiętności zostały bardzo żywo i silnie rozbudzone, które ze wszystkich innych pamiętamy najmniej wyraźnie i jasno.

Czasami po godzinie apatii moja dziwna i piękna towarzyszka brała mnie za rękę i trzymała ją czule, ściskając mocno od czasu do czasu. Rumieniąc się lekko, spoglądała mi w twarz swoim rozmarzonym i płonącym wzrokiem, oddychając tak szybko, że jej sukienka unosiła się i opadała od tego gwałtownego oddechu. Przypominało to namiętność kochanka i zawstydzało mnie, było niemiłe, a jednocześnie obezwładniające, i z lubieżnym wzrokiem przyciągała mnie do siebie, a jej gorące usta wędrowały po moich policzkach w pocałunkach, gdy ona szeptała, nieomal szlochając:

— Jesteś moja, będziesz moja, a ja i ty jesteśmy jedno na zawsze.

Potem opierała się wygodniej na krześle, przyciskając swoje małe dłonie do oczu, zostawiając mnie drżącą.

— Czy jesteśmy spokrewnione? — pytałam ją. — Co masz na myśli, mówiąc te słowa? Przypominam ci może kogoś, kogo kochasz, ale nie wolno ci, nie cierpię tego. Nie poznaję cię... nie poznaję siebie, gdy tak wyglądasz i mówisz.

Zwykła wzdychać, słysząc moją gwałtowność, potem odwracała się i puszczała moją dłoń.

Szanując te bardzo wyjątkowe demonstracje, na próżno usiłowałam sformułować jakąś satysfakcjonującą teorię — nie mogłam ich przypisać afektacji albo jakiejś sztuczce. Był to bez wątpienia chwilowy wybuch tłumionego instynktu i emocji. Czy była ona — mimo przeczenia matki — ofiarą krótkich przejawów szaleństwa, czy też chodziło tu o mistyfikację i romans? Czytałam o takich rzeczach w starych książkach z opowieściami. A co, jeśli chłopięcy kochanek dostał się do domu i zamierzał kontynuować swoje konkury pod płaszczem maskarady, z pomocą starej, sprytnej awanturnicy? Wiele jednak przemawiało przeciwko tej hipotezie, bez względu na to, jak bardzo schlebiała mojej próżności.

Nie mogłam się pochwalić małymi atencjami, jakie uwielbia oferować męska galanteria. Pomiędzy tymi namiętnymi chwilami następowały długie okresy zwykłych rozmów, wesołości, leniwej melancholii, podczas których, z wyjątkiem tego, że nieraz zauważałam, jak jej oczy, tak pełne melancholijnego ognia, mnie śledzą, mogłam nic dla niej nie znaczyć. Z wyjątkiem tych krótkich okresów tajemniczej ekscytacji zachowywała się dziewczęco i zawsze cechowała ją pewna powolność, zupełnie niepasująca do cech męskiego organizmu.

Pod pewnymi względami jej nawyki były dziwne. Być może nie tak wyjątkowe w opinii kogoś z mia-

sta, jak ty, jak wydawały się nam, mieszkańcom wsi. Schodziła na dół bardzo późno, zazwyczaj nie przed pierwszą, wtedy piła przeważnie filiżankę czekolady, ale nic nie jadła, potem wychodziłyśmy na spacer, który był zaledwie przechadzką; nieomal natychmiast wydawała się wyczerpana i albo wracała do *schlossu*, albo siadała na jednej z ławek, które zostały umieszczone tu i tam, pośród drzew. Była to cielesna niemoc, w której umysł jej w ogóle nie uczestniczył. Zdawała się zawsze ożywioną rozmówczynią i bardzo inteligentną.

Czasami przez chwilę nawiązywała do swojego domu albo wspominała zdarzenie lub sytuację, albo jakieś wczesne wspomnienia, które wskazywały na ludzi o dziwnych nawykach i opisywały zwyczaje, o których nic nie wiedzieliśmy. Na podstawie tych przypadkowych aluzji wywnioskowałam, że jej kraj ojczysty jest dużo bardziej odległy, niż na początku myślałam.

Gdy tak siedziałyśmy jednego popołudnia pod drzewami, mijał nas kondukt żałobny. Był to pogrzeb młodej, ładnej dziewczyny, którą często widywałam, córki jednego ze strażników leśnych. Biedny mężczyzna szedł za trumną swojego kochania — była jego jedynym dzieckiem — i wyglądał na całkiem załamanego. Wieśniacy dwójkami szli za nim i śpiewali hymn pogrzebowy.

Wstałam, żeby okazać mój szacunek, gdy przechodzili, i włączyłam się do hymnu, który bardzo słodko śpiewali.

Moja towarzyszka szarpnęła mną trochę gwałtownie, a ja odwróciłam się zaskoczona.

Powiedziała opryskliwie:

— Czy nie słyszysz, jak fałszują?

— Wręcz przeciwnie, wydaje mi się, że śpiewają bardzo słodko — odparłam niezadowolona z interwencji i bardzo zawstydzona, na wypadek gdyby ludzie, którzy tworzyli małą procesję, zauważyli i potępili to, co się działo.

Natychmiast więc dołączyłam ponownie do śpiewających i znowu mi przerwano.

— Ranisz moje uszy — zawołała Carmilla nieomal ze złością, zakrywając je swoimi malutkimi palcami. — Poza tym, jak możesz mówić, że twoja i moja religia są takie same, wasze formy ranią mnie, a ja nienawidzę pogrzebów. Tyle zamieszania! Cóż, musisz umrzeć... wszyscy muszą umrzeć i wszyscy są szczęśliwsi, gdy to się stanie. Chodźmy do domu.

— Mój ojciec poszedł z duchownym na przykościelny cmentarz. Myślałam, że wiesz, iż ma być dzisiaj pogrzebana.

— Ona? Nie zaprzątam sobie głowy wieśniakami. Nie wiem, kim ona jest — odparła Carmilla z błyskiem w swoich pięknych oczach.

— Jest tą biedną dziewczyną, której się wydawało, że widziała ducha dwa tygodnie temu, i umierała od tamtej pory do wczoraj, kiedy to odeszła.

— Nie mów mi nic o duchach, nie będę spała dzisiaj w nocy, jeśli to zrobisz.

— Mam nadzieję, że nie nadciąga jakaś zaraza czy gorączka, wszystko na to wskazuje — kontynuowałam. — Młoda żona świniarza zmarła zaledwie tydzień temu; wydawało się jej, że coś ją chwyciło za gardło, gdy leżała w łóżku, i nieomal ją udusiło. Papa mówił, że takie straszne przywidzenia towarzyszą czasami niektórym formom gorączki. Poprzedniego dnia czuła się zupełnie dobrze. Zaniemogła po tym zdarzeniu i zmarła, nim upłynął tydzień.

— Cóż, jej pogrzeb już się odbył, mam nadzieję, i hymn został jej odśpiewany, a naszych uszu nie będzie torturował żaden dysonans i żargon. Doprowadziło mnie to do rozstroju. Usiądź tutaj, obok mnie, usiądź blisko, weź mnie za rękę, uściśnij ją mocno… mocno… mocniej.

Cofnęłyśmy się troszkę i znalazłyśmy przy kolejnej ławce.

Usiadła. Jej twarz przeszła taką zmianę, że mnie to zaniepokoiło, a nawet przeraziło na chwilę. Pociemniała i zrobiła się okropnie sina, jej zęby i dłonie były zaciśnięte, krzywiła się i zaciskała usta, i jednocześnie wpatrywała się w swoje stopy, a jej ciałem wstrząsały dreszcze, tak samo nie do opanowania jak drgawki. Wydawało się, że zużywa całą energię, by opanować ten atak, z którym wtedy bez tchu się zmagała, i w końcu wydobył się z niej długi, konwulsyjny krzyk cierpienia, a histeria stopniowo ustąpiła.

— Proszę! Oto, co się dzieje, gdy duszą ludzi hymnami! — zawołała w końcu. — Trzymaj mnie, trzymaj nadal. Przechodzi mi.

W końcu stopniowo przeszło i być może, aby zatrzeć ponure wrażenie, jakie to całe zdarzenie na mnie wywarło, zrobiła się wyjątkowo ożywiona i gadatliwa i tak wróciłyśmy do domu.

To był pierwszy raz, gdy widziałam namacalne oznaki tego słabego zdrowia, o których mówiła jej matka. To był również pierwszy raz, gdy widziałam, jak okazała coś na kształt zdenerwowania.

I jedno, i drugie przeszło jak letnia chmura i jeszcze tylko jeden raz byłam świadkiem zaledwie chwilowego przejawu gniewu z jej strony. Opowiem wam, jak to się stało.

Ona i ja wyglądałyśmy z jednego z okien w długim salonie, gdy na dziedziniec wszedł po zwodzonym moście wędrownik, którego bardzo dobrze znałam. Zazwyczaj odwiedzał *schloss* dwa razy w roku.

Wędrownik był garbusem i miał kanciastą, chudą sylwetkę, która zazwyczaj towarzyszy tego rodzaju deformacji. Miał czarną spiczastą brodę i uśmiechał się od ucha do ucha, pokazując swoje białe kły. Był ubrany w skórę, czarną i szkarłatną, i przepasany niezliczoną ilością pasków i pasów, na których były zawieszone wszelkiego rodzaju rzeczy. Niósł ze sobą latarnię magiczną i dwa pudełka, które dobrze znałam. W jednym z nich znajdowała się salamandra, a w drugim mandragora. Te potwory rozśmieszały mego ojca. Zrobione były z kawałków małp, papug, wiewiórek, ryb i jeży, zasuszonych i pozszywanych razem z ogromną starannością i oszałamiającym

efektem. Miał ze sobą skrzypce, pudełko z przyrządami do sztuczek, parę floretów i masek przytwierdzonych do paska, kilka innych tajemniczych skrzynek wiszących wokół niego i czarny patyk z miedzianymi okuciem w ręce. Jego towarzyszem był hałaśliwy chudy pies, który szedł przy nodze, ale stanął w miejscu podejrzliwie, przed zwodzonym mostem, i po chwili zaczął wyć przerażająco.

W tym czasie garbus, stojąc na środku dziedzińca, uniósł swój groteskowy kapelusz i zrobił w naszym kierunku bardzo uroczysty ukłon, prawiąc nam ze swadą komplementy w łamanym francuskim i niewiele lepszym niemieckim. Następnie dobył swoje skrzypce i zaczął grać skoczną melodię, do której śpiewał w wesołym dysonansie, tańcząc w prześmieszny sposób i wykonując ruchy, które mnie rozśmieszyły pomimo wycia jego psa.

Potem podszedł do okna, posyłając nam uśmiechy i powitania, trzymając kapelusz w lewej ręce, ze skrzypcami pod pachą, i z płynnością mowy, która nigdy nie pozbawiała go tchu, wygłosił długą reklamę wszystkich swoich talentów i mnogich umiejętności, które oddawał do naszych usług, oraz ciekawostek i rozrywek, które było w jego mocy na nasze życzenie przedstawić.

— Czy szacowne damy byłyby łaskawe kupić amulet przeciwko wampirowi, który grasuje niczym wilk, jak słyszę, w tych lasach? — zapytał, upuszczając kapelusz na bruk. — Umierają od tego na prawo i lewo, a tutaj jest urok, który nigdy nie zawodzi, wystarczy przypiąć go do poduszki i możecie śmiać mu się prosto w twarz.

Amulety składały się z prostokątnych pasków welinu z kabalistycznymi szyframi i wykresami.

Carmilla natychmiast kupiła jeden i ja też.

Spoglądał do góry, a my uśmiechałyśmy się do niego rozbawione, przynajmniej mogę to powiedzieć o sobie. Jego przeszywające czarne oko, gdy patrzył w górę na nasze twarze, zdało się dostrzec coś, co przykuło na chwilę jego uwagę.

W jednej chwili rozwinął swoją skórzaną torbę, pełną wszelkiego rodzaju dziwnych małych instrumentów.

— Widzi pani, moja damo — powiedział, pokazując ją i zwracając się do mnie — chlubię się pośród innych rzeczy mniej użytecznych znajomością sztuki dentystycznej. Niech zaraza weźmie tego psa! — wtrącił. — Cisza, bestio! Wyje tak, że jaśnie pani nie usłyszy ani słowa. Pani szacowna przyjaciółka, młoda dama po prawej stronie, ma najostrzejszy ząb — długi, cienki, ostry jak szydło, jak igła, ha, ha! Przy moim doskonałym wzroku, patrząc w górę, widziałem go wyraźnie, teraz, jeśli przypadkiem ząb rani tę młodą damę, a ja myślę, że musi, oto jestem, oto mój pilnik, oto mój szpicak, oto moje kleszcze, zaokrąglę go i stępię, jeśli jaśnie pani będzie sobie życzyć; nie będzie to już ząb ryby, ale pięknej młodej damy, jaką pani jest. Hej? Czy młoda dama jest niezadowolona? Czyżbym był zbyt śmiały? Czy obraziłem panią?

Młoda dama w istocie wyglądała na bardzo złą, gdy odsuwała się od okna.

— Jak ten garbus śmie tak nas obrażać? Gdzie jest twój ojciec? Będę żądać zadośćuczynienia. Mój kazałby przywiązać tego łotra do pompy i wychłostać go batem, przypaliłby go do żywego pałacowym znakiem do wypalania piętna!

Odsunęła się od okna na krok czy dwa i usiadła; zaledwie straciła z oczu tego, który ją obraził, gdy jej gniew opadł tak nagle, jak się zrodził, a ona stopniowo odzyskała swój zwykły głos i zdawała się zapomnieć o małym garbusie i jego głupstwach.

Mój ojciec był bardzo przygnębiony tego wieczoru. Gdy przyszedł do domu, powiedział nam, że zdarzył się kolejny przypadek podobny do tych dwóch śmiertelnych, które miały ostatnio miejsce. Siostra młodego wieśniaka w jego majątku, zaledwie półtora kilometra stąd, była bardzo chora, została, jak to opisała, zaatakowana w nieomal taki sam sposób i teraz wolno, ale nieustępliwie gasła w oczach.

— Wszystko to — powiedział mój ojciec — można odnieść wprost do naturalnych przyczyn. Ci biedni ludzie zarażają się wzajemnie swoimi przesądami i w ten sposób powtarzają w swej wyobraźni wizje grozy, która dotknęła ich sąsiadów.

— Ale sama ta okoliczność napawa człowieka przerażeniem — powiedziała Carmilla.

— Dlaczegóż to? — zapytał mój ojciec.

— Tak bardzo boję się wyobrażania, że widzę takie rzeczy; myślę, że byłoby to tak okropne jak rzeczywistość.

— Jesteśmy w rękach Boga, nic nie może się zdarzyć bez Jego zgody i wszystko skończy się dobrze dla tych, którzy Go kochają. Jest naszym wiernym Stwórcą, stworzył nas wszystkich i zaopiekuje się nami.

— Stwórca? Natura! — zawołała młoda dama, odpowiadając mojemu łagodnemu ojcu. — Cała ta choroba, która atakuje kraj, jest naturalna. Natura! Wszystko ma swój początek w naturze, prawda? Wszystkie rzeczy w niebie, na ziemi i pod ziemią działają i żyją tak, jak każe natura. Tak myślę.

— Doktor mówił, że przyjedzie tu dzisiaj — oznajmił mój ojciec po chwili ciszy. — Chcę wiedzieć, co on o tym myśli i co uważa, że powinniśmy zrobić.

— Doktorzy nigdy nie byli mi w stanie pomóc — oświadczyła Carmilla.

— To znaczy, że byłaś chora? — zainteresowałam się.

— Bardziej niż ty kiedykolwiek — odpowiedziała.

— Dawno temu?

— Tak, dawno temu. Cierpiałam dokładnie na tę chorobę, ale nie pamiętam nic z wyjątkiem bólu i słabości; nie są tak złe jak te, na które cierpi się przy innych chorobach.

— Byłaś wtedy bardzo młoda?

— Tak myślę, nie mówmy już o tym. Chciałabyś zranić przyjaciela?

Spojrzała mi przeciągle w oczy, otoczyła mnie czule w pasie swoim ramieniem i wyprowadziła z pokoju. Mój ojciec był zajęty przeglądaniem jakichś papierów pod oknem.

— Dlaczego twój papa lubi nas straszyć? — zapytała ładna dziewczyna, wzdychając i wzdrygając się.

— Nie lubi, droga Carmillo; to ostatnie, co mógłby chcieć zrobić.

— Boisz się, najdroższa?

— Bałabym się bardzo, gdybym myślała, że istnieje jakiekolwiek realne zagrożenie, iż zostanę zaatakowana jak ci biedni ludzie.

— Boisz się umrzeć?

— Tak, jak każdy.

— Ale umrzeć tak, jak mogliby kochankowie... umrzeć razem, żeby mogli żyć razem. Dziewczęta są poczwarkami, dopóki żyją na świecie, żeby w końcu stać się motylami, gdy nadejdzie lato, ale do tego czasu są robakami i larwami, czy nie widzisz tego? Każda ze swoimi szczególnymi właściwościami, potrzebami i strukturą. Tak mówi monsieur Buffon w obszernej książce z sąsiedniego pokoju.

Później w ciągu dnia przyszedł doktor i zamknął się z tatą na dłuższy czas. Był bardzo wykształconym człowiekiem, miał ponad sześćdziesiąt lat, używał pudru i golił swoją bladą twarz tak gładko jak dynię. On i papa wyłonili się z pokoju razem i słyszałam, jak papa się śmieje i mówi, gdy wychodzili:

— Cóż, dziwi mnie to u takiego mądrego człowieka jak pan. A co pan powie na hipogryfy i smoki?

Doktor uśmiechał się i udzielił odpowiedzi, potrząsając głową:

— Mimo to życie i śmierć są tajemniczymi stanami i niewiele wiemy o atrybutach każdego z nich.

I tak poszli dalej, i już nic więcej nie słyszałam. Nie wiedziałam wtedy, jaki temat poruszył doktor, ale wydaje mi się, że teraz domyślam się tego.

5

Cudowne podobieństwo

Tego wieczoru przybył z Grazu posępny, ciemnolicy syn renowatora obrazów, z koniem i wozem załadowanym dwoma dużymi skrzyniami, z mnóstwem obrazów w każdej z nich. Była to podróż, w czasie której trzeba było pokonać około pięćdziesięciu kilometrów, i zawsze, gdy do naszego *schlossu* przybywał posłaniec z naszej małej stolicy, Grazu, tłoczyliśmy się wokół niego w holu, żeby poznać wszystkie nowiny.

Ta wizyta była w naszych odludnych kwaterach sporym przeżyciem. Skrzynie pozostały w holu, a posłańcem zajęła się służba i podała mu kolację. Potem, ze swoimi asystentami i uzbrojony w młotek, cudowne dłuto i śrubokręt, spotkał się z nami w holu, gdzie zgromadziliśmy się, żeby być świadkami rozpakowywania skrzyń.

Carmilla siedziała, patrząc apatycznie przed siebie, podczas gdy jeden za drugim stare obrazy, niemal wszystkie portrety, które zostały poddane procesowi renowacji, były wyciągane na światło dzienne. Moja matka pochodziła ze starej węgierskiej rodziny i większość obrazów, które miały zająć swoje dawne miejsca, znalazła się w naszej rodzinie dzięki niej.

Mój ojciec miał w ręce listę, którą odczytywał, podczas gdy artysta wyszukiwał odpowiednie numery. Nie wiem, czy obrazy były szczególnie dobre, ale bez wątpienia były bardzo stare, a niektóre z nich również bardzo ciekawe. Miały w większości tę wartość, że widziałam je, mogę powiedzieć, po raz pierwszy, ponieważ dym i wiekowy kurz nieomal zupełnie je zamazały.

— Jest obraz, którego jeszcze nie widziałem — oświadczył mój ojciec. — W jednym rogu, na górze, znajduje się nazwisko, na tyle, na ile byłem w stanie odczytać: „Marcia Karnstein", i data „1698". Jestem ciekaw, jak udała się renowacja.

Pamiętałam go — był to mały obraz, wysoki na około pół metra, nieomal kwadratowy, bez ramy, ale tak poczerniały ze starości, że nic nie byłam w stanie na nim dostrzec.

Renowator zademonstrował go teraz z wyraźną dumą. Był naprawdę piękny, zadziwiający, wydawał się żyć. To była podobizna Carmilli!

— Carmilla, kochanie, to prawdziwy cud. Jesteś tu, żywa, uśmiechnięta, gotowa przemówić z tego obrazu. Czyż nie jest piękny, papo? I zobacz, nawet mały pieprzyk na jej szyi.

Mój ojciec roześmiał się i powiedział:

— Z pewnością to cudowna podobizna.

Ojciec zaraz odwrócił wzrok i ku mojemu zdziwieniu nie wydawał się zbytnio tym poruszony; kontynuował rozmowę z renowatorem obrazów, który był również po części artystą, i omawiał ze znawstwem inne prace, jakim jego zabiegi przywróciły światło i kolor, podczas gdy mnie ogarniał coraz większy podziw, im dłużej patrzyłam na ten obraz.

— Czy pozwoli mi papa powiesić go w moim pokoju? — poprosiłam.

— Oczywiście, kochanie — odparł z uśmiechem. — Jestem bardzo rad, że wydaje ci się taki podobny. Musi być ładniejszy nawet, niż mnie się wydawało.

Młoda dama nie podziękowała za te miłe słowa, jakby ich nie słyszała. Oparła się na krześle, jej piękne oczy z długimi rzęsami spoglądały na mnie w zamyśleniu, a ona uśmiechała się w jakimś uniesieniu.

— A teraz możesz odczytać całkiem dokładnie imię, które znajduje się w rogu. To nie Marcia, wygląda, jakby napis był wykonany złotem. Imię to Mircalla, hrabina Karnstein, nad nim mała korona, a pod nim „A.D. 1698". Pochodzę z rodu Karnsteinów... to znaczy mama pochodziła.

— Ach! — powiedziała dama leniwie. — Ja też, wydaje mi się, w bardzo długiej linii, bardzo starożytnej. Czy jeszcze żyje ktoś z rodu Karnsteinów?

— Nikt, kto nosiłby to nazwisko. Rodzina została zrujnowana w wojnach domowych wiele lat temu, a ruiny zamku znajdują się zaledwie pięć kilometrów stąd.

— Ależ to ciekawe! — powiedziała wolno. — Zobacz, jaki piękny księżyc!

Wyjrzała przez drzwi holu, które były lekko uchylone.

— Może wybierzemy się na małą przechadzkę po dziedzińcu i popatrzymy na drogę i rzekę.

— Jest prawie tak jak tej nocy, gdy do nas przyjechałaś — zauważyłam.

Westchnęła, uśmiechając się.

Wstała i obejmując się wzajemnie w pasie, wyszłyśmy na dziedziniec.

W ciszy wolno podeszłyśmy do mostu zwodzonego, za którym rozciągał się przed nami piękny krajobraz.

— A więc myślałaś o nocy, gdy tu przyjechałam? — nieomal szepnęła. — Czy jesteś zadowolona, że się zjawiłam?

— Zachwycona, droga Carmillo — odparłam.

— I prosisz, żeby obraz, który wygląda jak ja, został powieszony w twoim pokoju — szepnęła z westchnieniem, obejmując mnie ciaśniej w pasie i opierając swoją ładną głowę na moim ramieniu.

— Jesteś taka romantyczna, Carmillo — odparłam. — Gdy już opowiesz mi swoją historię, będzie składała się głównie z jakiegoś wielkiego romansu.

Pocałowała mnie delikatnie.

— Jestem pewna, Carmillo, że byłaś zakochana, że w tej chwili trwają jakieś sercowe zawirowania.

— Nigdy nikogo nie kochałam... i nie będę — szepnęła — chyba że to miałabyś być ty.

Jak pięknie wyglądała w świetle księżyca!

Na jej twarzy malował się nieśmiały i dziwny wyraz, gdy szybko chowała ją w moich włosach i szyi,

wzdychając głęboko, jakby łkała, i wsunęła mi w dłoń swoją drżącą rękę.

Jej miękki policzek płonął obok mojego.

— Kochanie... kochanie — szepnęła — żyję w tobie, a ty oddałabyś za mnie życie. Tak bardzo cię kocham.

Odsunęłam się od niej.

Spoglądała na mnie oczami, z których uszedł cały ogień, całe znaczenie, a twarz miała pozbawioną koloru i apatyczną.

— Czy w powietrzu czuć chłód, kochanie? — zapytała sennie. — Nieomal drżę. Czy śniłam? Wejdźmy do środka. Chodźmy, chodźmy, chodźmy do środka.

— Wyglądasz źle, Carmillo, trochę blado. Musisz z pewnością napić się trochę wina — poradziłam.

— Dobrze, napiję się. Już mi lepiej. Za kilka minut poczuję się dobrze. Tak, daj mi trochę wina — odpowiedziała Carmilla, gdy zbliżałyśmy się do drzwi. — Spójrzmy jeszcze raz, przez chwilę; ostatni raz, być może, będę oglądać światło księżyca z tobą.

— Jak się czujesz teraz, droga Carmillo? Czy już ci lepiej? — zapytałam.

Zaczynałam się niepokoić, że może staje się ofiarą tej dziwnej epidemii, o której mówiono, że nawiedziła tereny wokół nas.

— Papa byłby okrutnie zasmucony — dodałam — gdyby pomyślał, że byłaś nawet odrobinę chora, a nie dałaś nam natychmiast znać. Mamy bardzo dobrego doktora w pobliżu, który odwiedził dzisiaj papę.

— Na pewno jest bardzo dobry. Wiem, jak bardzo wszyscy jesteście mili, ale, drogie dziecko, znowu czuję się całkiem dobrze. Nic się ze mną nie dzieje, jestem tylko trochę słaba. Ludzie mówią, że jestem powolna, niezdolna do wysiłku, nie mogę pójść dalej niż trzyletnie dziecko, i od czasu do czasu ta niewielka siła, którą posiadam, zawodzi i staję się taka, jaką przed chwilą widziałaś. Ale koniec końców bardzo szybko wracam do siebie, jedna chwila i znowu jestem sobą. Widzisz, jak szybko odzyskałam siły.

W istocie tak było, i rozmawiałyśmy długo, a ona była bardzo ożywiona i pozostała część wieczoru minęła bez nawrotu tego, co nazywałam jej kryzysami namiętności. Mam na myśli szalone wypowiedzi i wygląd, które zawstydzały, a mnie nawet przerażały.

Lecz tego wieczoru miało miejsce jeszcze jedno zdarzenie, które kazało mi myśleć zupełnie inaczej i zdawało się ożywić nawet powolną naturę Carmilli.

6

Bardzo dziwna agonia

Gdy znalazłyśmy się w salonie i zasiadłyśmy do kawy i czekolady, chociaż Carmilla nic nie piła, wydawało się, że odzyskała dobre samopoczucie. Madame i mademoiselle dołączyły do nas i zorganizowały grę w karty; wtedy przyszedł papa na, jak to nazywał, „filiżankę herbaty".

Kiedy gra się skończyła, usiadł obok Carmilli na sofie i zapytał ją z lekkim niepokojem, czy po przyjeździe do nas miała jakieś wiadomości od swojej matki.

Odpowiedziała:

— Nie.

Zapytał ją wtedy, czy wie, pod jakim adresem można byłoby do niej napisać obecnie.

— Nie jestem w stanie powiedzieć — odparła dość dwuznacznie — ale myślałam o tym, żeby stąd wyjechać. Do tej pory okazaliście mi już tyle gościnności i uprzejmości, a ja sprawiłam wam tyle kłopotu. Chciałabym zamówić na jutro powóz i udać się na jej poszukiwanie. Wiem, gdzie będę mogła ją znaleźć, chociaż nie śmiem wam tego powiedzieć.

— Nie wolno ci nawet o czymś takim myśleć! — wykrzyknął papa ku mojej ogromnej uldze. — Nie możemy cię stracić i nie zgodzę się na twój wyjazd

inaczej niż pod opieką matki, która była tak dobra i zgodziła się, żebyś z nami została do jej powrotu. Byłbym zadowolony, słysząc, że miałaś od niej jakieś wiadomości, ale tego wieczoru wieści o postępie tajemniczej choroby, która zaatakowała nasze sąsiedztwo, stają się jeszcze bardziej alarmujące, więc, mój piękny gościu, czuję ogromną odpowiedzialność, będąc pozbawionym rady twojej matki. Zrobię jednak, co w mojej mocy, a jedna rzecz jest pewna — nie wolno ci nawet myśleć o opuszczeniu nas bez jej wyraźnego nakazu. Zbytnio byśmy cierpieli, rozstając się z tobą, żebyśmy mieli zgodzić się na to tak łatwo.

— Dziękuję, sir, po stokroć za pana gościnność — odparła, uśmiechając się z zawstydzeniem. — Wszyscy byliście dla mnie tacy uprzejmi, rzadko kiedy bywałam w swoim życiu taka szczęśliwa jak w waszym pięknym *château*, pod waszą opieką i w towarzystwie pana drogiej córki.

I tak papa z galanterią, w swoim starodawnym stylu pocałował ją w dłoń, uśmiechając się, zadowolony z jej krótkiej mowy.

Towarzyszyłam Carmilli jak zwykle do jej sypialni, usiadłam i gawędziłam z nią, w czasie gdy ona przygotowywała się do snu.

— Jak myślisz — powiedziałam w końcu — czy kiedykolwiek zaufasz mi w pełni?

Odwróciła się z uśmiechem, lecz nie dała odpowiedzi — wciąż się do mnie uśmiechała.

— Nie odpowiesz na moje pytanie? — chciałam

wiedzieć. — Nie możesz odpowiedzieć w miły sposób; nie powinnam była zadawać ci tego pytania.

— Miałaś absolutną rację, zadając mi to pytanie... czy jakiekolwiek inne. Nie wiesz, jaka jesteś mi droga, bo inaczej nie myślałabyś, że istnieje sekret zbyt duży, abym ci go mogła wyjawić. Złożyłam jednak przysięgę, dwa razy straszniejszą niż zakonnice, i nie śmiem odkryć mojej historii nawet przed tobą. Niedługo nadejdzie czas, gdy będziesz wiedziała wszystko. Pomyślisz, że jestem okrutna, samolubna, ale miłość zawsze jest samolubna, im silniejsza, tym bardziej samolubna. Nawet nie wiesz, jaka jestem zazdrosna. Musisz pójść ze mną, kochając mnie na śmierć albo nienawidzić, a mimo to pójść ze mną, nienawidząc mnie przez śmierć i potem. Nie istnieje takie słowo jak obojętność w mojej apatycznej naturze.

— Ależ, Carmillo, znów zamierzasz wygłaszać te swoje szalone bzdury — powiedziałam pośpiesznie.

— Nie ja; chociaż jestem małym, głupiutkim dziewczątkiem, pełnym zachcianek i szalonych pomysłów, dla ciebie będę mówić jak mędrzec. Czy byłaś kiedyś na balu?

— Nie, jakże skaczesz z tematu na temat. Jaki jest bal? Musi być uroczy.

— Prawie już zapomniałam, to było tak dawno.

Roześmiałam się.

— Nie jesteś taka stara. Nie mogłaś zapomnieć swojego pierwszego balu.

— Pamiętam prawie wszystko… z pewnym wysiłkiem. Widzę to tak, jak nurkowie widzą, co dzieje się nad nimi, przez materię gęstą, kipiącą, ale przejrzystą. Tej nocy zdarzyło się coś, co zamazało ten obraz, sprawiło, że jego barwy wyblakły. Nieomal zostałam zamordowana w łóżku, zraniona tutaj — dotknęła swej piersi — i od tamtej pory nigdy nie byłam już taka sama.

— Czy byłaś bliska śmierci?

— Tak, bardzo bliska… okrutna miłość… dziwna miłość, która nieomal pozbawiła mnie życia. Miłość wymaga poświęceń. Nie ma poświęcenia bez krwi. Chodźmy już spać, czuję się taka senna. Jakże będę mogła teraz wstać i zamknąć drzwi na klucz?

Leżała ze swoimi drobnymi dłońmi zanurzonymi w gęstych falowanych włosach, pod policzkiem, z małą głową na poduszce, a jej błyszczące oczy śledziły każdy mój ruch, z jakby nieśmiałym uśmiechem, którego nie mogłam rozszyfrować.

Życzyłam jej dobrej nocy i wymknęłam się z pokoju z nieprzyjemnym uczuciem.

Często się zastanawiałam, czy nasz ładny gość odmawiał kiedykolwiek modlitwę. Z pewnością nigdy nie widziałam jej, jak klęczy. Gdy schodziła na dół rano, nasza rodzinna modlitwa już dawno była zakończona, a wieczorem nigdy nie wychodziła z salonu, żeby wziąć udział w naszej krótkiej wieczornej modlitwie w holu.

Gdyby nie fakt, że kiedyś przypadkowo podczas

jednej z naszych swobodnych rozmów ustaliłyśmy, iż została ochrzczona, miałabym wątpliwości co do tego, czy jest chrześcijanką. Religia była tematem, na który nie słyszałam, aby powiedziała kiedykolwiek chociaż jedno słowo. Gdybym znała świat lepiej, to szczególne zaniedbanie czy antypatia nie zdziwiłyby mnie tak bardzo.

Środki bezpieczeństwa ludzi nerwowych są zaraźliwe i osoby o podobnym temperamencie zawsze po pewnym czasie zaczynają ich naśladować. Przejęłam zwyczaj Carmilli zamykania na klucz drzwi do sypialni, wziąwszy sobie do głowy cały jej histeryczny strach przed przybywającymi o północy intruzami i czającymi się mordercami. Przejęłam również jej zwyczaj szybkiego przeszukiwania pokoju, aby ją uspokoić, iż żaden czający się morderca ani złodziej tam się nie zaszył.

Gdy już wykonałam te mądre obowiązki, położyłam się do łóżka i zasnęłam. W moim pokoju paliła się świeca. To był stary nawyk, wywodzący się z bardzo wczesnego dzieciństwa, i nic by mnie nie skusiło, aby z niego zrezygnować.

Tak zabezpieczona mogłam udać się na spoczynek w spokoju. Ale sny przedostają się przez ściany z kamieni, rozjaśniają ciemne pokoje i przyciemniają jasne, a ich aktorzy wchodzą i wychodzą, jak im się podoba, i śmieją się ze ślusarzy.

Tej nocy przyśnił mi się sen, który okazał się początkiem bardzo dziwnej agonii.

Nie mogę nazwać go koszmarnym, bo byłam świadoma tego, że śpię. Lecz byłam równie świadoma tego, że jestem w swoim pokoju i leżę w łóżku, dokładnie tak, jak było w rzeczywistości. Widziałam, albo wydawało mi się, że widzę, pokój i meble, dokładnie tak, jak widziałam je ostatnio, z tym wyjątkiem, że było bardzo ciemno, i widziałam, jak coś porusza się w nogach łóżka, czego na początku nie byłam w stanie dokładnie rozpoznać. Ale wkrótce zobaczyłam, że było to czarne jak sadza zwierzę, które przypominało ogromnego kota. Wydawało mi się długie na około półtora metra, ponieważ miało pełną długość chodnika przed kominkiem, gdy przechodziło po nim i kontynuowało wędrówkę tu i tam ze złowieszczym niepokojem bestii w klatce. Nie byłam w stanie krzyknąć, chociaż, jak możecie przypuszczać, byłam przerażona. Zwierzę chodziło coraz szybciej, a w pokoju robiło się coraz ciemniej, aż w końcu zrobiło się tak ciemno, że nie widziałam już nic z wyjątkiem jego oczu. Poczułam, jak wskakuje lekko na łóżko. Dwoje szerokich oczu zbliżyło się do mojej twarzy i nagle ukłuł mnie ból, jakby dwie duże igły przeszyły w odległości dwóch czy pięciu centymetrów głęboko moją pierś tuż pod gardłem. Obudziłam się z krzykiem. Pokój oświetlony był świecą, która paliła się tam przez całą noc, i zobaczyłam kobiecą postać stojącą u nóg łóżka, nieco po prawej stronie. Była w ciemnej luźnej sukni i miała rozpuszczone włosy, które zakrywały jej ramiona. Posąg z kamienia nie

mógłby być bardziej nieruchomy. Nie było nawet najmniejszego znaku oddechu. Gdy tak się w nią wpatrywałam, postać zdała się zmienić miejsce i była teraz bliżej drzwi, potem tuż przy nich, następnie drzwi się otwarły, a ona wyszła.

Poczułam ulgę — byłam w stanie oddychać i się poruszać. Moją pierwszą myślą było, że Carmilla spłatała mi figla i że zapomniałam zamknąć drzwi. Pośpieszyłam do nich, ale odkryłam, że są zamknięte na klucz, jak zwykle, od wewnątrz. Bałam się je otworzyć — byłam przerażona. Wskoczyłam do łóżka, schowałam głowę pod pościel i leżałam tam bardziej umarła niż żywa do rana.

7

Zstępując do Averno

Na próżno usiłowałabym opisać przerażenie, z jakim nawet teraz wspominam wydarzenia tej nocy. Nie był to taki mijający strach, jaki zostawia po sobie sen. Zdawał się pogłębiać z czasem i udzielił się pokojowi i samym meblom, które otaczały tę zjawę.

Ani przez chwilę nie byłam w stanie zostać sama następnego dnia. Powiedziałabym papie, ale na przeszkodzie stanęły dwa przeciwstawne powody. Raz wydawało mi się, że będzie się śmiał z mojej opowieści, a nie zniosłabym, gdyby została potraktowana jak żart, a potem z kolei, że mógłby pomyśleć, iż padłam ofiarą tego tajemniczego schorzenia, które zaatakowało nasze sąsiedztwo. Ja sama nie miałam tego typu obaw, a jako że od pewnego czasu nie czuł się za dobrze, bałam się go niepokoić.

Ja natomiast czułam się dość komfortowo przy moich dobrodusznych towarzyszkach, madame Perrodon i pełnej życia mademoiselle De Lafontaine. Obydwie zauważyły, że nie byłam w dobrym nastroju, za to zdenerwowana, więc w końcu powiedziałam im, co mi leży na sercu.

Mademoiselle się śmiała, lecz madame Perrodon wyglądała na zaniepokojoną.

— A tak przy okazji — powiedziała mademoiselle,

śmiejąc się — na drodze między lipami, pod oknem sypialni Carmilli straszy!

— Bzdury! — wykrzyknęła madame, która prawdopodobnie uznała temat w tej chwili za dość niefortunny. — A kto opowiedział ci tę historię, moja droga?

— Martin mówił, że szedł tędy dwa razy, gdy naprawiano starą bramę na dziedzińcu, przed wschodem słońca, i dwa razy widział tę samą kobiecą postać idącą aleją pod lipami.

— To bardzo możliwe, dopóki są krowy do wydojenia na polach nad rzeką — stwierdziła madame.

— Pewnie tak, ale Martin bardzo się boi, a ja nigdy nie widziałam, żeby głupiec tak się bał.

— Nie może pani powiedzieć ani słowa o tym Carmilli, ponieważ widzi ona tę drogę z okna w swoim pokoju — wtrąciłam. — Jest ona, jeśli to możliwe, jeszcze większym tchórzem niż ja.

Carmilla zeszła na dół jeszcze później niż zwykle.

— Tak bardzo się przestraszyłam tej nocy — powiedziała, gdy tylko znalazłyśmy się razem. — Jestem pewna, że zobaczyłabym coś strasznego, gdyby nie amulet, który kupiłam od tego biednego małego garbusa, którego tak źle potraktowałam. Śniło mi się, że coś czarnego szło wokół mojego łóżka, i obudziłam się absolutnie przerażona; naprawdę wydawało mi się przez kilka sekund, że widzę ciemną postać w pobliżu kominka, ale namacałam dłonią amulet pod poduszką i kiedy moje palce go dotknęły, po-

stać znikła, a ja byłam całkiem pewna, że gdybym nie miała go przy sobie, pojawiłoby się coś strasznego i może by mnie udusiło, tak jak zrobiło to z tymi biednymi ludźmi, o których słyszałam.

— Cóż, posłuchaj mnie — zaczęłam i opowiedziałam jej o swojej przygodzie, a ona słysząc ją, wyglądała na przerażoną.

— A czy miałaś przy sobie swój amulet? — spytała zaniepokojona.

— Nie, wrzuciłam go do porcelanowego wazonu w salonie, ale na pewno zabiorę go ze sobą dzisiaj wieczorem, skoro ty tak bardzo w niego wierzysz.

Po upływie czasu nie umiem wam powiedzieć ani nawet zrozumieć, jak pokonałam tak skutecznie swój strach, że położyłam się spać sama w swoim pokoju tej nocy. Pamiętam wyraźnie, że przypięłam amulet do poduszki. Zasnęłam niemal natychmiast i spałam tej nocy nawet mocniej niż zazwyczaj.

Następna noc również minęła spokojnie. Spałam cudownie głęboko i nie miałam żadnych snów. Ale obudziłam się z poczuciem znużenia i melancholii, które było jednak zbliżone do stanu przyjemności.

— No widzisz, mówiłam ci — stwierdziła Carmilla, gdy opisałam jej mój spokojny sen. — Ja sama spałam tak cudownie ostatniej nocy, przypięłam amulet na piersi do mojej koszuli nocnej. Był za daleko ode mnie zeszłej nocy. Jestem pewna, że wszystko to wyobraźnia, z wyjątkiem snów. Kiedyś myślałam, że to złe duchy czynią sny, ale nasz doktor powiedział mi, że to nie tak. Jedynie gorączka, gdy przechodzi, albo jakaś inna zaraza, jak się to często dzieje, mówił, puka do drzwi i nie będąc w stanie wejść do środka, idzie dalej, alarmując nas.

— A jak myślisz, czym jest amulet? — zapytałam.

— Został okadzony albo zanurzony w jakimś narkotyku i jest antidotum na malarię — odparła.

— A więc działa tylko na ciało?

— Z pewnością nie myślisz, że złe duchy boją się kawałków wstążki albo zapachów od aptekarza? Nie, te choroby, wędrując w powietrzu, zaczynają od ataku na nerwy i w ten sposób atakują mózg, ale zanim cię opanują, antidotum je odstrasza. Właśnie to, jestem pewna, uczyniły dla nas amulety. To nie jest żadna magia, to sama natura.

Byłabym szczęśliwsza, gdybym mogła się zgodzić z Carmillą, ale zrobiłam, co było w mojej mocy, i złe wrażenie powoli ustępowało.

Przez kilka nocy spałam głęboko, ale nadal każdego ranka czułam to samo znużenie i przez cały dzień towarzyszyło mi rozleniwienie. Czułam się zupełnie inną dziewczyną. Ogarniała mnie dziwna melancholia, melancholia, której nie chciałam się pozbyć. Pojawiły się ponure myśli o śmierci, a myśl, że powoli dogasam, zawładnęła mną delikatnie. Przyjęłam ją bez walki. Jeśli było to smutne, stan umysłu, który wywoływało, był również słodki. Cokolwiek to było, moja dusza była temu przychylna.

Nie chciałam przyznać, że jestem chora; nie zgo-

działabym się powiedzieć o tym papie ani posłać po doktora.

Carmilla była mi oddana bardziej niż do tej pory, a jej dziwne napady powolnej adoracji stały się częstsze. Przyglądała mi się lubieżnie z rosnącą żarliwością, im bardziej moje siły i radość życia przygasały. To zawsze mnie szokowało, jak chwilowy przejaw szaleństwa.

Nie wiedząc tego, znajdowałam się teraz w dość zaawansowanym stadium najdziwniejszej choroby, na jaką kiedykolwiek cierpiał śmiertelnik. Jej wczesne symptomy przyjmowałam z niewyjaśnioną fascynacją, która niemal uzasadniała w moich oczach ten obezwładniający efekt pierwszego stadium zarazy. Ta fascynacja rosła przez jakiś czas, aż sięgnęła pewnego pułapu, gdy stopniowo poczucie okropności wymieszało się z nią i pogłębiło, jak usłyszycie, aż pozbawiło koloru i zniekształciło całe moje życie.

Pierwsza zmiana, jakiej doświadczyłam, była raczej przyjemna. Zdarzyła się bardzo blisko tego punktu zwrotnego, od którego rozpoczęło się zejście do Averno*.

Doświadczałam trudnych do opisania i dziwnych sensacji w trakcie snu. Dominowało wśród nich uczucie pewnego przyjemnego, szczególnego, zimnego

* Averno (wł. Lago d'Averno, Avernus) — jezioro wulkaniczne w okolicach Neapolu o okrągłym kształcie. Miało duże znaczenie dla starożytnych Rzymian — było uważane za wejście do Hadesu [przyp. tłum.].

dreszczu, który czujemy, gdy kąpiąc się, płyniemy pod prąd rzeki. Wkrótce zaczęły mu towarzyszyć sny, które zdawały się nie kończyć i były tak mętne, że nie mogłam przypomnieć sobie ich scenerii i osób czy też jednego sensownego ich fragmentu. Pozostawiały jednak okropne wrażenie i poczucie wyczerpania, jakbym przeżyła długi okres umysłowego wysiłku i niebezpieczeństwa. Po wszystkich tych snach, po przebudzeniu towarzyszyło mi wrażenie, jakbym była w miejscu niemal zupełnie ciemnym i jakbym rozmawiała z ludźmi, których nie widziałam, a szczególnie pamięć jednego wyraźnego głosu, kobiecego, bardzo głębokiego, który mówił jakby z oddali, wolno i wywoływał zawsze to samo wrażenie nieopisanej powagi i strachu. Czasami miałam wrażenie, jakby ręka przesuwała się wolno wzdłuż mojego policzka i szyi. Czasami było tak, jakby całowały mnie gorące usta — dłużej i bardziej czule, gdy zbliżały się do mojego gardła, ale tam pieszczoty zdawały się zatrzymywać. Serce biło mi mocniej, oddech wznosił się i opadał gwałtownie — był głęboki; pojawiało się łkanie, które przeradzało się w poczucie duszenia i zamieniało się w straszne konwulsje, w czasie których zawodziły mnie zmysły i traciłam przytomność.

Mijały już trzy tygodnie od początku tego niewyjaśnionego stanu. Moje cierpienia odbiły się w czasie ostatniego tygodnia na moim wyglądzie. Zrobiłam się blada, źrenice miałam rozszerzone, pod oczami

pojawiły się cienie, a słabość, którą od dawna odczuwałam, zaczęła być widoczna na mojej twarzy.

Ojciec pytał mnie często, czy nie jestem chora, ale ja z uporem, który dzisiaj wydaje mi się niezrozumiały, przekonywałam go, że czuję się dobrze.

W pewnym sensie była to prawda. Nie odczuwałam bólu, nie mogłam narzekać na żaden rozstrój cielesny. Moja dolegliwość zdawała się dotyczyć wyobraźni albo nerwów i mimo że moje cierpienia były straszne, zachowywałam je z makabryczną rezerwą niemal zupełnie dla siebie.

Nie mogła to być ta straszna dolegliwość, którą wieśniacy przypisywali wampirowi, ponieważ ja cierpiałam już od trzech tygodni, a oni rzadko byli chorzy przez więcej niż trzy dni, gdy śmierć kończyła ich cierpienia.

Carmilla skarżyła się na sny i ataki dreszczy, ale żadną miarą nie tak alarmujące jak u mnie. Twierdzę, że moje były wysoce niepokojące. Gdybym była w stanie pojąć swoją sytuację, błagałabym o pomoc i radę na kolanach. Narkotyk o niepodejrzewanym wpływie działał na mnie, a moje zmysły były sparaliżowane.

Opowiem wam teraz o śnie, który doprowadził natychmiast do dziwnego odkrycia.

Pewnej nocy zamiast głosu, który zazwyczaj słyszałam w ciemności, usłyszałam głos słodki i czuły, a jednocześnie straszny, który powiedział: „Twoja matka ostrzega cię przed zabójcą". W tej samej chwili

niespodziewanie pojawiło się światło i ujrzałam Carmillę, stojącą w nogach łóżka w białej koszuli nocnej, skąpaną od podbródka po stopy w jednej ogromnej plamie krwi.

Obudziłam się z krzykiem, opanowana jedną myślą, że w tej chwili ktoś morduje Carmillę. Pamiętam, że wyskoczyłam z łóżka, a następne, co pamiętam, to że stałam na schodach i wołałam o pomoc.

Madame i mademoiselle przybiegły ze swoich pokoi zaniepokojone. Na schodach zawsze paliła się lampa, więc widząc mnie, wkrótce poznały powód mojego przerażenia.

Upierałam się, aby zapukać do drzwi Carmilli. Na nasze pukanie nikt nie odpowiadał. Wkrótce pukanie zamieniło się w walenie i krzyk. Wykrzykiwałyśmy jej imię, ale wszystko na próżno. Ogarnęło nas przerażenie, ponieważ drzwi były zamknięte. Pośpieszyłyśmy z powrotem, w panice, do mojego pokoju. Tam dzwoniłyśmy na służbę długo i szaleńczo. Gdyby pokój mojego ojca znajdował się po tej stronie domu, zawołałybyśmy go natychmiast na pomoc. Ale niestety! Był zdecydowanie poza zasięgiem naszego głosu, a dojście do niego wiązało się z wycieczką, na którą żadna z nas nie miała odwagi.

Służący jednak wkrótce wbiegli po schodach, ja w tym czasie włożyłam szlafrok i pantofle, a moje towarzyszki również zdążyły się już zabezpieczyć w ten sposób. Rozpoznając głosy służby na schodach, wybiegłyśmy razem i ponowiwszy, równie bezowocnie, nasze wezwania pod drzwiami Carmilli, rozkazałam mężczyznom wyłamać zamek. Tak też uczyniliśmy i stanęliśmy, unosząc do góry nasze światła, w drzwiach i wpatrywaliśmy się we wnętrze pokoju.

Zawołaliśmy ją po imieniu, lecz nadal nie było odpowiedzi. Rozejrzeliśmy się dookoła. Wszystko było nienaruszone. Pokój znajdował się dokładnie w stanie, w jakim go zostawiłam, życząc jej dobrej nocy. Ale Carmilla zniknęła.

8

Poszukiwania

Na widok pokoju w nienaruszonym stanie, gdyby nie liczyć naszego gwałtownego wtargnięcia, trochę ochłonęłyśmy i odzyskałyśmy rozum na tyle, by odprawić mężczyzn. Mademoiselle przyszło do głowy, że być może Carmillę obudził krzyk pod jej drzwiami, w panice wyskoczyła z łóżka i schowała się w kredensie albo za zasłoną, skąd oczywiście nie mogła wyjść, dopóki majordomus i jego ludzie nie odeszli. Wznowiłyśmy teraz nasze poszukiwania i znowu zaczęłyśmy wołać ją po imieniu.

Wszystko jednak na próżno. Nasza konsternacja i zdenerwowanie wzrosły. Przyjrzałyśmy się oknom, ale wszystkie były zamknięte. Błagałam Carmillę, jeśli się schowała, żeby skończyła już tę okrutną zabawę, żeby wyszła i pozwoliła nam przestać się denerwować. Wszystko na próżno. Byłam już wtedy przekonana, że nie ma jej w pokoju ani w garderobie, do której drzwi były zamknięte. Nie mogła przez nie przejść. Byłam zadziwiona. Czyżby Carmilla odkryła jedno z tych sekretnych przejść, o których istnieniu w *schlossie* opowiadała stara gospodyni, mimo że wiedza o ich dokładnym położeniu przepadła? Już wkrótce, bez wątpienia, wszystko się wyjaśni — mimo że w tej chwili byłyśmy całkowicie zaskoczone.

Minęła już czwarta i wolałam spędzić pozostałe godziny ciemności w pokoju madame. Świt nie przyniósł rozwiązania naszego problemu.

Cały dom, na czele z moim ojcem, był w stanie poruszenia następnego ranka. Przeszukano każdy fragment *château*. Badano ziemię. Nie natrafiono na żaden ślad zaginionej damy. Już mieli przeszukiwać strumień. Mój ojciec był przerażony — jaka okropna wiadomość do przekazania matce biednej dziewczyny po jej powrocie. Ja też niemal traciłam zmysły, chociaż mój smutek był zupełnie innego rodzaju.

Ranek minął w niepokoju i zdenerwowaniu. Była już pierwsza i nadal żadnych wiadomości. Pobiegłam do pokoju Carmilli i zastałam ją stojącą przy toaletce. Byłam w szoku. Nie wierzyłam własnym oczom. Przywołała mnie skinieniem swojego ślicznego palca, w ciszy. Na jej twarzy malował się ogromny strach.

Podbiegłam do niej w ekstazie radości — całowałam i obejmowałam ją raz po raz. Ruszyłam do dzwonka i zadzwoniłam nim mocno, żeby sprowadzić pozostałych, którzy będą mogli natychmiast uspokoić mojego ojca.

— Droga Carmillo, co się z tobą działo przez cały ten czas? Odchodziliśmy od zmysłów z obawy o ciebie! — zawołałam. — Gdzie byłaś?! Jak wróciłaś?!

— Ostatnia noc to była noc dziwów — odparła.

— Na litość boską, wytłumacz to najlepiej, jak potrafisz.

— Było po drugiej zeszłej nocy — powiedziała — gdy położyłam się spać jak zwykle w swoim łóżku, drzwi były zamknięte, również te do garderoby i te wychodzące na galerię. Spałam, nie budząc się, i o ile wiem, nic mi się nie śniło, a obudziłam się dopiero teraz na sofie w garderobie i odkryłam, że drzwi między pokojami są otwarte, a zamek w drugich drzwiach został wyłamany. Jak to wszystko mogło się stać, a ja się nie obudziłam? Musiało temu towarzyszyć dużo hałasu, a ja się budzę wyjątkowo łatwo. I jak mogłam zostać przeniesiona z łóżka podczas snu, ja, którą budzi najmniejszy nawet ruch?

Do tego czasu madame, mademoiselle, mój ojciec i kilku służących znalazło się w pokoju. Carmillę oczywiście zasypano pytaniami, gratulacjami i słowami powitania. Miała do opowiedzenia tylko tę jedną historię i wydawała się najmniej zdolna ze wszystkich podać jakiekolwiek wyjaśnienie tego, co się wydarzyło.

Mój ojciec przeszedł tam i z powrotem po pokoju, rozmyślając. Widziałam, jak Carmilla śledzi go przez chwilę przebiegłym i wrogim spojrzeniem.

Gdy ojciec odesłał służących, mademoiselle wyszła w poszukiwaniu malutkiej butelki waleriany i soli trzeźwiących, a w pokoju nie było teraz nikogo z Carmillą oprócz mojego ojca, madame i mnie. Ojciec podszedł do niej z namysłem, ujął bardzo

delikatnie jej dłoń, poprowadził ją do sofy i usiadł obok niej.

— Czy wybaczysz mi, moja droga, jeśli zaryzykuję pewną hipotezę i zadam ci pytanie?

— Kto mógłby mieć większe prawa? — zapytała. — Proszę pytać, o co pan zechce, a ja powiem wszystko. Lecz moja opowieść to po prostu jedno wielkie zaskoczenie i ciemność. Nie wiem absolutnie nic. Proszę mi zadać dowolne pytanie. Zna pan jednak oczywiście pewne ograniczenia, które podyktowała moja mama.

— Doskonale, moje drogie dziecko. Nie muszę poruszać tematów, co do których życzy sobie, aby pozostały tajemnicą. I tak, cud ostatniej nocy polega na tym, że zostałaś zabrana ze swojego łóżka bez przebudzenia, a stało się to najwyraźniej przy zamkniętych oknach i parze drzwi zamkniętych od środka. Powiem ci, jaką mam na ten temat teorię, lecz najpierw zadam ci pytanie.

Carmilla opierała się na ręce ze smutkiem, a ja i madame słuchałyśmy z zapartym tchem.

— Moje pytanie jest następujące. Czy kiedykolwiek podejrzewano cię o lunatykowanie?

— Nigdy, od czasu wczesnej młodości.

— Ale chodziłaś we śnie, gdy byłaś dzieckiem?

— Tak, wiem, że tak było. Mówiła mi to często moja stara niania.

Mój ojciec uśmiechnął się i pokiwał głową.

— A więc zdarzyła się rzecz następująca. Wstałaś

we śnie, otworzyłaś drzwi, nie zostawiając klucza, jak zwykle, w zamku, ale wyjmując go i zamykając drzwi od zewnątrz, i zabrałaś go ze sobą do jednego z dwudziestu pięciu pokoi na tym piętrze, a może piętro wyżej lub niżej. Jest tak wiele pokoi i alków, tak dużo ciężkich mebli i takie nagromadzenie rupieci, że trzeba by tygodnia, żeby przeszukać dokładnie ten stary dom. Czy rozumiesz teraz, co mam na myśli?

— Tak, ale nie wszystko — odparła.

— A jak, papo, wytłumaczysz, że obudziła się na sofie w garderobie, którą przeszukałyśmy tak dokładnie?

— Weszła tam po tym, jak ją przeszukałyście, wciąż śpiąc, i w końcu obudziła się samorzutnie, i była tak samo zdziwiona, że się tam znajduje, jak wszyscy pozostali. Chciałbym, żeby wszystkie tajemnice były tak łatwe do wyjaśnienia jak twoja, Carmillo — powiedział, śmiejąc się. — I tak możemy sobie pogratulować pewności, że najbardziej naturalne wyjaśnienie zdarzenia nie jest związane z wyłamywaniem zamków, złodziejami, więźniami czy wiedźmami. Nic, co mogłoby wywoływać niepokój Carmilli czy też kogokolwiek innego, odnośnie do naszego bezpieczeństwa.

Carmilla wyglądała uroczo. Nic nie mogło się równać z kolorem jej cery. Jej urodę, myślę, podkreślało to wdzięczne rozmarzenie, tak typowe dla niej. Myślę, że mój ojciec po cichu porównywał jej wygląd z moim, ponieważ westchnął i powiedział:

— Chciałbym, żeby moja biedna Laura przypominała bardziej siebie.

I tak nasz niepokój szczęśliwie się skończył, a Carmilla wróciła do swoich przyjaciół.

9

Doktor

Jako że Carmilla nie chciała słyszeć o tym, aby służąca spała w jej pokoju, mój ojciec zarządził, że służąca będzie spała przed jej drzwiami, aby Carmilla nie próbowała wybrać się na kolejną taką wycieczkę i nie trzeba jej było zatrzymywać przy samych drzwiach.

Noc minęła spokojnie, a wcześnie rano następnego dnia doktor, po którego mój tato posłał, nie mówiąc mi o tym ani słowa, przyjechał mnie obejrzeć.

Madame towarzyszyła mi do biblioteki, a tam poważny mały doktor, z siwymi włosami i w okularach, o którym wspominałam wcześniej, czekał, żeby mnie przyjąć.

Opowiedziałam mu całą historię, a gdy kontynuowałam, on robił się coraz bardziej posępny.

Staliśmy, ja i on, w jednej z wnęk okiennych, zwróceni twarzą do siebie. Gdy już skończyłam moją relację, oparł się ramionami o ścianę i ze wzrokiem utkwionym we mnie wpatrywał się intensywnie, z zainteresowaniem, w którym było coś przerażającego.

Po minutowym namyśle zapytał madame, czy może zobaczyć się z moim ojcem.

I tak posłano po mojego ojca, a gdy wszedł, uśmiechając się, powiedział:

— Domyślam się, doktorze, że powie mi pan, iż jestem starym głupcem, bo sprowadziłem pana tutaj. Mam nadzieję, że nim jestem.

Jego uśmiech jednak zniknął i zastąpiło go gradowe spojrzenie, gdy doktor, z bardzo poważną twarzą, przywołał go do siebie.

Rozmawiali przez chwilę w tej samej wnęce, w której ja przed chwilą prowadziłam konwersację z lekarzem. Ich rozmowa wydawała się ożywiona i burzliwa. Pokój ten jest bardzo duży, a ja i madame stałyśmy razem, zżerane przez ciekawość, w jego przeciwległym końcu. Nie słyszałyśmy jednak ani słowa, ponieważ rozmawiali bardzo cicho, a głęboka wnęka okienna całkowicie kryła doktora przed moim wzrokiem i niemal tak samo mojego ojca — widziałyśmy tylko jego stopę, rękę i ramię — a głosy, przypuszczam, były mniej słyszalne ze względu na rodzaj niszy, którą tworzyła gruba ściana i okno.

Po pewnym czasie twarz ojca zajrzała do pokoju, była blada, zamyślona i wydawało mi się, że zaniepokojona.

— Laura, kochanie, przyjdź tutaj na chwilę. Madame, doktor mówi, że nie będziemy pani kłopotać w tej chwili.

Zgodnie z poleceniem podeszłam, po raz pierwszy trochę zaniepokojona, bo mimo że czułam się bardzo słaba, nie miałam wrażenia, że jestem chora, a siły — tak nam się zawsze wydaje — to rzecz, którą można zmobilizować na każde życzenie.

Mój ojciec wyciągnął do mnie dłoń, gdy się zbliżyłam, ale patrzył na doktora i powiedział:

— To z pewnością jest bardzo dziwne, nie do końca to rozumiem. Lauro, chodź tutaj, kochanie, posłuchaj doktora Spielsberga i postaraj się wszystko sobie przypomnieć.

— Wspominałaś uczucie — powiedział doktor — jakby dwie igły przekłuły ci skórę, gdzieś w okolicy szyi, nocą, gdy po raz pierwszy miałaś ten straszny sen. Czy czujesz jeszcze w tym miejscu ból?

— Żadnego — odparłam.

— Czy możesz pokazać palcem mniej więcej miejsce, w którym to się stało?

— Tuż poniżej gardła... tutaj — odpowiedziałam.

Miałam na sobie przedpołudniową suknię, która zasłaniała miejsce, jakie wskazywałam.

— Teraz może pan zobaczyć — powiedział doktor. — Czy pozwolisz twemu papie odsunąć odrobinę twoją sukienkę? To niezbędne, żeby odkryć symptom tej dolegliwości, na którą cierpiałaś.

Zgodziłam się. Było to jedynie trzy czy pięć centymetrów poniżej kołnierzyka.

— Niech mnie Bóg błogosławi! Zgadza się! — wykrzyknął mój tata, blednąc.

— Widzi pan teraz na własne oczy — powiedział lekarz z ponurym triumfem.

— Co takiego?! — zawołałam, zaczynając się bać.

— Nic, moja droga młoda damo, jedynie mała sina plamka, wielkości mniej więcej koniuszka twojego małego palca, a teraz — kontynuował, zwracając się do mojego papy — pojawia się pytanie, co najlepiej będzie zrobić?

— Czy jest jakieś zagrożenie? — ponaglałam w ogromnym strachu.

— Ufam, że nie, moja droga — uspokoił mnie doktor. — Nie widzę powodu, dla którego nie miałabyś wrócić do zdrowia. Nie widzę powodu, dla którego nie miałabyś natychmiast poczuć się lepiej. Czy to miejsce, w którym zaczyna się uczucie duszenia?

— Tak — odparłam.

— I… przypomnij sobie, najlepiej jak potrafisz, czy to samo miejsce stanowiło jakby centrum tego dreszczu, który właśnie opisałaś, jak prąd zimnego strumienia biegnący w twoim ciele?

— Mogło nim być, wydaje mi się, że tak było.

— I co, widzi pan? — dodał, zwracając się do mojego ojca. — Czy mam szepnąć słówko madame?

— Z pewnością — odparł mój ojciec.

Przywołał do siebie madame i powiedział:

— Widzę, że moja młoda przyjaciółka jest w zdecydowanie kiepskim stanie. Wszystko będzie dobrze, mam nadzieję, ale należy podjąć pewne kroki, które z czasem pani przybliżę, lecz do tego czasu, madame, będzie pani tak dobra i nie pozwoli pannie Laurze pozostać samej ani przez moment. To jedyne zalecenie, jakie muszę dać w chwili obecnej. Jest absolutnie konieczne.

— Możemy liczyć na pani uprzejmość, madame, wiem o tym — dodał mój ojciec.

Madame zapewniła go o tym żarliwie.

— A ty, droga Lauro, wiem, że będziesz przestrzegać zaleceń doktora.

Mój ojciec zwrócił się z powrotem do lekarza.

— Będę musiał poprosić o pana opinię na temat jeszcze jednego pacjenta, którego symptomy przypominają odrobinę symptomy mojej córki. Są dużo łagodniejsze, jeżeli chodzi o stopień intensywności, ale wydaje mi się, że dokładnie tego samego rodzaju. Jest młodą damą, naszym gościem, ale skoro mówi pan, że zamierza wracać tą drogą dzisiaj wieczorem, najlepiej będzie, jak zje pan z nami kolację, a przy okazji ją pan zobaczy. Nie schodzi na dół przed południem.

— Dziękuję panu — odparł doktor. — Dołączę do was w takim razie około siódmej wieczorem.

Powtórzyli swoje zalecenia mnie oraz madame i z tym pożegnalnym przykazaniem mój ojciec opuścił nas i wyszedł z doktorem; widziałam, jak spacerują razem do góry i na dół pomiędzy drogą i fosą, na porośniętej trawą płaszczyźnie przed zamkiem, wyraźnie pogrążeni w ożywionej dyskusji.

Doktor już nie wrócił. Widziałam, jak wsiada na konia, żegna się i odjeżdża na wschód przez las. Niemal dokładnie w tej samej chwili zobaczyłam, że z Dranfeld nadjeżdża człowiek z listami, schodzi z konia i podaje torbę mojemu ojcu.

W tym czasie madame i ja gubiłyśmy się w domysłach co do powodów tego wyjątkowego i rygorystycznego zalecenia, które doktor i mój ojciec wspólnie na nas nałożyli. Madame, jak mi później powiedziała, bała się, że doktor spodziewa się u mnie nagłego ataku i że bez szybkiej pomocy mogłabym albo stracić życie, albo przynajmniej zostać poważnie ranna.

Ta interpretacja do mnie nie przemówiła i myślałam, być może szczęśliwie dla moich nerwów, że to rozwiązanie zostało zalecone po prostu, aby zapewnić mi towarzyszkę, która powstrzyma mnie przed nadmiernym wysiłkiem lub zjedzeniem niedojrzałego owocu, albo zrobieniem jeszcze jednej z wielu niemądrych rzeczy, do których, jak się przypuszcza, skłonni są młodzi ludzie.

Około pół godziny później przyszedł mój ojciec — w ręce trzymał list — i oznajmił:

— Ten list czekał chwilę, jest od generała Spielsdorfa. Generał mógł być u nas już wczoraj, może nie dotrzeć tu wcześniej niż jutro, a może być z nami jeszcze dzisiaj.

Wsunął otwarty list do mojej dłoni, ale nie wyglądał na tak zadowolonego, jak zazwyczaj, gdy gość, szczególnie tak kochany jak generał, oznajmiał swoje przybycie. Wręcz przeciwnie, wyglądał, jakby chciał, żeby generał leżał na dnie Morza Czerwonego. Wyraźnie coś zaprzątało jego myśli, czym nie chciał się z nikim podzielić.

— Papo najdroższy, powiesz mi? — zapytałam, opierając nagle głowę na jego ramieniu i spoglądając, jestem pewna, na niego błagalnie.

— Być może — odparł, gładząc mnie czule po włosach nad czołem.

— Czy doktor uważa, że jestem bardzo chora?

— Nie, kochanie. Uważa, że jeśli podejmiemy właściwe kroki, znowu będziesz całkiem zdrowa, a przynajmniej znajdziesz się na drodze wprost do zupełnego wyzdrowienia, za dzień czy dwa — odparł trochę oschle. — Wolałbym, żeby nasz dobry przyjaciel, generał, wybrał inny czas, to znaczy, chciałbym, żebyś była całkowicie zdrowa, przyjmując go.

— Ale powiedz mi, papo — nalegałam — jak doktor myśli, co mi jest?

— Nic, nie możesz zarzucać mnie pytaniami — odparł z irytacją, jakiej nigdy jeszcze u niego nie widziałam, i widząc, że wyglądam na zranioną, pocałował mnie i dodał: — Będziesz wiedziała wszystko za dzień czy dwa, to znaczy, wszystko to, co ja wiem. Do tego czasu masz nie zawracać sobie tym głowy.

Odwrócił się i wyszedł z pokoju, ale cofnął się, zanim skończyłam rozmyślać i zastanawiać się nad niezwykłością tego wszystkiego. Przyszedł jedynie powiedzieć, że jedzie do Karnstein, i polecił, aby powóz był gotowy na dwunastą, a ja i madame powinnyśmy mu towarzyszyć. Miał do omówienia sprawę z księdzem, który mieszkał w pobliżu tych malowniczych ziem, a ponieważ Carmilla nigdy ich nie wi-

działa, powinna pojechać za nami, gdy zejdzie na dół, z mademoiselle, która przywiezie ze sobą wiktuały na coś, co nazwalibyście piknikiem, jaki moglibyśmy spożyć w ruinach zamku.

I tak o dwunastej byłam gotowa, a niedługo potem mój ojciec, madame i ja wyruszyliśmy w naszą planowaną podróż. Mijając most, skręciliśmy w prawo i pojechaliśmy drogą nad stromym gotyckim mostem na zachód, by dojechać do opuszczonej wioski i ruin zamku Karnstein.

Trudno sobie wyobrazić piękniejszą leśną drogę. Ziemia faluje tu łagodnymi wzgórzami i dolinami, a wszystko to przybrane pięknymi lasami, całkowicie wolnymi od nienaturalności, jaką skutkuje sztuczne nasadzanie, wczesna uprawa i przycinanie.

Nieregularność terenu często kierowała drogę w różne kierunki i kazała wić się pięknie wokół brzegów nieregularnych dolin i bardziej stromych stoków gór, pośród ziem tak różnorodnych, że ich bogactwo zdawało się niewyczerpane.

Wyjeżdżając z jednego z zakrętów, nagle spotkaliśmy naszego starego przyjaciela generała, jadącego w naszą stronę w towarzystwie służącego na koniu. Jego kufry podróżne podążały za nim na wynajętym wozie, jaki my nazwalibyśmy furmanką.

Generał zeskoczył z konia, gdy się zatrzymaliśmy, i po zwyczajowym powitaniu łatwo przekonaliśmy go, aby zajął wolne miejsce w naszym powozie i wysłał swojego konia oraz służącego do *schlossu*.

10

Pogrążony w smutku

Minęło jakieś dziesięć miesięcy, odkąd widzieliśmy go ostatnio, ale ten czas wystarczył, aby w jego wyglądzie zaszła zmiana równa upływowi kilku lat. Zeszczuplał, coś na kształt smutku i troski zastąpiło miejsce tego serdecznego spokoju, który zwykł cechować jego fizjonomię. Ciemnoniebieskie oczy, zawsze przenikliwe, teraz jaśniały surowszym blaskiem pod krzaczastymi siwymi brwiami. Nie była to taka zmiana, jaką jedynie smutek wywołuje, i gwałtowniejsze namiętności zdawały się mieć udział w jej powstaniu.

Nie minęło dużo czasu, odkąd ruszyliśmy na nowo w naszą podróż, gdy generał zaczął mówić ze swoją typową żołnierską bezpośredniością o stracie, jak to określił, jakiej doświadczył w wyniku śmierci swojej ukochanej siostrzenicy i podopiecznej. Uderzył następnie w ton głębokiej goryczy i wściekłości, złorzecząc na „piekielne sztuczki", których padł ofiarą, i wyrażając z większą złością niż pobożnością swoje zdziwienie, że niebiosa tolerują takie monstrualne folgowanie żądzy i zła piekieł.

Mój ojciec, który natychmiast zauważył, że wydarzyło się coś wyjątkowego, poprosił go, gdyby nie było to dla niego zbyt bolesne, aby opisał okoliczno-

ści, które według niego usprawiedliwiały te mocne słowa, jakich używał.

— Opowiedziałbym wam wszystkim z przyjemnością — stwierdził generał — ale byście mi nie uwierzyli.

— Dlaczego miałbym nie uwierzyć? — zdziwił się mój ojciec.

— Ponieważ — odparł cierpko — nie wierzysz w nic, co nie zgadza się z twoimi własnymi uprzedzeniami oraz iluzjami. Pamiętam czasy, gdy byłem taki jak ty, ale już zmądrzałem.

— Spróbuj — powiedział mój ojciec. — Nie jestem takim dogmatykiem, jak ci się wydaje. Poza tym wiem bardzo dobrze, że zazwyczaj potrzebujesz dowodu, zanim uwierzysz, i jestem zatem wysoce skłonny respektować twoje konkluzje.

— Masz rację, przypuszczając, że nie dałem się łatwo przekonać do uwierzenia w coś nieziemskiego... bo to, czego doświadczyłem, jest nieziemskie... i zostałem zmuszony poprzez wyjątkowe dowody do dania wiary temu, co było przeciwne, diametralnie, wszystkim moim teoriom. Zostałem wystrychnięty na dudka przez nadnaturalny spisek.

Mimo zapewnienia o wierze w przenikliwy osąd generała zobaczyłam, że mój ojciec spojrzał w tej chwili na niego, jak mi się wydawało, z wyraźną obawą o jego poczytalność.

Generał tego nie zauważył, na szczęście. Spoglądał

z ponurym zaciekawieniem na otwierające się przed nami widoki polanek i lasów.

— Jedziecie do ruin zamku Karnstein? — zapytał. — Tak, to szczęśliwy zbieg okoliczności. Czy wiesz, że zamierzałem cię prosić, abyś przywiózł mnie tutaj, bo chciałem się im przyjrzeć? Są tam ruiny kaplicy, prawda? I wiele grobowców pradawnej rodziny?

— W rzeczy samej... bardzo interesujące — odparł mój ojciec. — Mam nadzieję, że rozważasz złożenie roszczeń do tytułu i ziem.

Mój ojciec powiedział to wesoło, ale generał nie zdobył się na śmiech czy nawet uśmiech, których wymagałaby uprzejmość w odpowiedzi na żart przyjaciela. Wręcz przeciwnie, wyglądał na poważnego czy nawet wściekłego, rozmyślając nad czymś, co budziło jego gniew i przerażenie.

— Coś zupełnie przeciwnego — odpowiedział szorstko. — Zamierzam odkopać niektórych z tych dostojnych ludzi. Mam nadzieję, że z bożym błogosławieństwem uda mi się doprowadzić tutaj do pobożnego świętokradztwa, które wyswobodzi naszą ziemię od pewnych potworów i sprawi, że uczciwi ludzie będą mogli spać w swoich łóżkach i nie będą ich napadać mordercy. Mam ci do opowiedzenia dziwne rzeczy, mój drogi przyjacielu, takie, które ja sam uważałbym za równie nieprawdopodobne kilka miesięcy temu.

Mój ojciec spojrzał na niego ponownie, ale tym ra-

zem w jego wzroku nie było podejrzliwości, a raczej błysk porozumienia i niepokój.

— Ród Karnsteinów — wyjaśnił — już dawno temu wygasł... minęło przynajmniej sto lat. Moja droga żona pochodziła ze strony matki z Karnsteinów. Ale nazwisko i tytuł już dawno przestały istnieć. Zamek jest ruiną, sama wioska opuszczona, minęło pięćdziesiąt lat od czasów, gdy widziano tam ostatni dym z komina, nie został ani jeden dach.

— Zgadza się. Dużo słyszałem o tym, odkąd widziałem cię ostatnio, mnóstwo rzeczy, które cię zadziwią. Ale będzie lepiej, gdy opowiem wszystko w takiej kolejności, w jakiej się wydarzyło — stwierdził generał. — Widziałeś moją podopieczną... moje dziecko, mogę ją nazwać. Żadne stworzenie nie było od niej piękniejsze i zaledwie trzy miesiące temu żadne nie było tak kwitnące.

— Tak, biedactwo! Gdy widziałem ją ostatnio, z pewnością była śliczna — przyznał mój ojciec. — Nie umiem ci powiedzieć, jak bardzo byłem zasmucony i zaskoczony, mój drogi przyjacielu, wiedziałem, jaki to był cios dla ciebie.

Ujął dłoń generała i wymienili przyjacielski uścisk. Łzy napłynęły do oczu starego żołnierza. Nie próbował ich ukryć. Powiedział:

— Jesteśmy starymi przyjaciółmi, wiedziałem, iż będziesz mi współczuł, jako że nie mam dzieci. Stała się obiektem mojej czułej troski i odwzajemniała ją uczuciem, które rozweselało mój dom i uczyniło moje życie szczęśliwym. Wszystko to odeszło. Być może nie zostało mi wiele lat na tej ziemi, ale z bożą łaską mam nadzieję wyświadczyć ludzkości przysługę, zanim umrę, i skierować zemstę niebios na wrogów, którzy zamordowali moje biedne dziecko w kwiecie jej nadziei i urody!

— Powiedziałeś przed chwilą, że zamierzasz opowiedzieć wszystko tak, jak się wydarzyło — przypomniał mój ojciec. — Bardzo proszę, uczyń to. Zapewniam cię, że nie sama ciekawość mną powoduje.

Znaleźliśmy się wtedy w miejscu, w którym droga do Drunstall, którą przyjechał generał, oddziela się od drogi, jaką podróżowaliśmy do Karnstein.

— Jak daleko jest do ruin? — zapytał generał, spoglądając z niepokojem przed siebie.

— Około dwa i pół kilometra — odparł mój ojciec. — Proszę, pozwól nam wysłuchać historii, którą byłeś tak dobry obiecać.

11

Opowieść

— Z całego serca — odparł generał z wysiłkiem, a po krótkiej pauzie, podczas której zebrał myśli, rozpoczął jedną z najdziwniejszych opowieści, jakie kiedykolwiek słyszałam. — Moje drogie dziecko wyglądało z taką przyjemnością wizyty, którą byłeś tak dobry zaplanować, u twojej czarującej córki.

W tym miejscu uczynił elegancki, ale smutny ukłon.

— Tymczasem otrzymaliśmy zaproszenie do mojego starego przyjaciela, hrabiego Carlsfelda, którego *schloss* znajduje się około trzydzieści kilometrów po drugiej stronie Karnstein. Zaproszenie było na cykl *fêtes*, które, jak pamiętasz, były wydawane przez niego na cześć znamienitego gościa, wielkiego księcia Charlesa.

— Tak, i były olśniewające — zgodził się mój ojciec.

— Królewskie! A jego gościnność jest właśnie tej najwyższej próby. Ma lampę Aladyna. Noc, od której datuje się moje cierpienie, była poświęcona wspaniałej maskaradzie. Teren zamku został otwarty dla wszystkich, na drzewach wisiały kolorowe lampiony. Był taki pokaz sztucznych ogni, jakiego sam Paryż nigdy nie widział. I taka muzyka... muzyka,

jak wiesz, jest moją słabością... taka zachwycająca muzyka! Najznakomitsza orkiestra, być może, na świecie i najwspanialsi śpiewacy, którzy śpiewali tak, jakby zostali sprowadzeni z największych oper w Europie. Wędrując po tych fantastycznie oświetlonych ziemiach, z *château* oświetlonym przez księżyc, rzucającym różowe światło ze swojego długiego szpaleru okien, można było nagle usłyszeć te zachwycające głosy dobiegające z ciszy jakiegoś zagajnika albo unoszące się znad łódek na jeziorze. Czułem się, gdy tak patrzyłem i słuchałem, jakbym się znalazł z powrotem w czasach romansu i poezji mojej wczesnej młodości.

Gdy skończyły się sztuczne ognie i zaczynał się bal, wróciliśmy do szacownych apartamentów, które udostępniono tańczącym. Bal kostiumowy, jak wiesz, to piękny widok, ale tak olśniewającego spektaklu tego rodzaju nie widziałem nigdy wcześniej. To było bardzo arystokratyczne zgromadzenie. Chyba byłem jedyną nic nieznaczącą osobą wśród obecnych.

Moje drogie dziecko wyglądało wyjątkowo pięknie. Nie miała maski. Jej ekscytacja i zachwyt dodawały niewypowiedzianego uroku jej rysom, zawsze ślicznym. Zauważyłem młodą damę, ubraną olśniewająco, ale w masce — wydawało mi się, że obserwuje moją podopieczną z wyjątkowym zainteresowaniem. Widziałem ją wcześniej tego wieczoru w dużym holu i znowu, przez kilka minut, spacerującą w pobliżu nas na tarasie pod oknami zamku, podobnie zajętą. Dama, również w masce, bogato i dostojnie ubrana, krocząca dumnie, jak osoba wysokiego urodzenia, towarzyszyła jej jako przyzwoitka. Gdyby młoda dama nie miała maski, mógłbym oczywiście być bardziej pewien, czy rzeczywiście obserwowała moje biedne kochanie. Teraz nie mam wątpliwości, że tak było.

Byliśmy w jednym z *salons*. Moje biedne drogie dziecko tańczyło i odpoczywało trochę na jednym z krzeseł w pobliżu drzwi, stałem blisko niej. Dwie damy, o których wspominałem, podeszły do nas, a młodsza zajęła krzesło obok mojej podopiecznej — jej towarzyszka stanęła obok mnie i przez chwilę zwracała się przyciszonym głosem do swojej podopiecznej.

Korzystając z przywileju, jaki daje maska, zwróciła się do mnie tonem starego przyjaciela, po imieniu, i zaczęła ze mną rozmowę, która rozbudziła moją ciekawość. Wspominała o wielu miejscach, gdzie mnie spotkała — na dworze i w dystyngowanych domach. Wspominała o drobnych zdarzeniach, o których dawno przestałem myśleć, ale które — odkryłem — czekały w ukryciu, ponieważ natychmiast odżyły, na jej skinienie.

Z każdą chwilą stawałem się coraz bardziej ciekawy i chciałem ustalić, kim była. Odpierała moje próby odkrycia jej tożsamości bardzo zręcznie i uprzejmie. Wiedza, jaką posiadała o różnych zajściach w moim życiu, wydawała mi się zupełnie niewyjaśniona.

Dama sprawiała wrażenie, że znajduje całkiem naturalną przyjemność w zwodzeniu mojej ciekawości i w obserwowaniu, jak plączę się w żarliwej konsternacji pomiędzy jednym domysłem a drugim.

Tymczasem młoda dama, którą matka nazywała dziwnie Millarca, gdy raz czy dwa zwróciła się do niej, z tą samą swobodą i wdziękiem rozpoczęła rozmowę z moją podopieczną.

Przedstawiła się, mówiąc, że jej matka jest moją bardzo starą znajomą. Mówiła o przyjemnej śmiałości, której dodaje noszenie maski, mówiła jak przyjaciółka, zachwycała się jej sukienką i bardzo wdzięcznie dała jej do zrozumienia, że podziwia jej urodę. Zabawiała ją dobrotliwą krytyką ludzi, którzy tłoczyli się w sali balowej, i śmiała się z dobrej zabawy mojego biednego dziecka. Była bardzo dowcipna i żywiołowa, gdy się starała, i po jakimś czasie stały się bardzo dobrymi przyjaciółkami. Gdy młoda nieznajoma opuściła maskę, ukazała wyjątkowo piękną twarz. Nie widziałem jej nigdy przedtem, ani moje drogie dziecko. Jednak mimo że była dla nas nowa, jej rysy zdawały się tak fascynujące, jak również śliczne, iż nie sposób było nie poczuć do niej ogromnej sympatii. I tak też stało się z moją biedną dziewczyną. Nigdy nie widziałem, żeby ktoś tak polubił drugą osobę od pierwszej chwili — chyba że w istocie była to zasługa samej nieznajomej, która wydawała się zupełnie stracić głowę dla mojej podopiecznej.

W tym czasie, korzystając z przywileju maskarady, zadałem całkiem sporo pytań starszej pani.

— Wprawiła mnie pani w całkowite zdumienie — stwierdziłem, śmiejąc się. — Czy to nie wystarczy? Czy nie zgodzi się pani teraz, byśmy rozmawiali jak równy z równym, i wyświadczy mi uprzejmość poprzez zdjęcie maski?

— Czy słyszał ktoś o mniej rozsądnej prośbie? — odparła. — Prosić damę, aby zrezygnowała z przewagi! Poza tym skąd pan wie, że mnie rozpozna? Lata odciskają swoje piętno.

— Jak pani widzi — odparłem, kłaniając się i śmiejąc raczej melancholijnie.

— Tak mówią nam filozofowie — zauważyła dama. — Więc skąd pan wie, że wygląd mojej twarzy by panu pomógł?

— Zaryzykuję — odparłem. — Na próżno udaje pani starą kobietę... figura panią zdradza.

— Jednak lata całe minęły, odkąd pana widziałam... raczej od kiedy pan widział mnie, bo to mam na myśli. Millarca, ta oto dama, jest moją córką, nie mogę więc być młoda, nawet w opinii ludzi, których czas nauczył pobłażliwości, i mogę nie chcieć być porównywana z tym, jak mnie pan pamięta. Nie ma pan maski, którą mógłby zdjąć. Nie ma mi pan nic do zaofiarowania w zamian.

— Apeluję do pani litości, aby ją pani zdjęła.

— A ja do pańskiej, żeby pozwolił pan jej pozostać tam, gdzie jest — odparła.

— No cóż, w takim razie może powie mi pani przynajmniej, czy jest pani Francuzką czy Niemką, mówi pani obydwoma językami tak doskonale.

— Wątpię, żebym to panu powiedziała, generale. Zamierza mnie pan zaskoczyć i planuje punkt natarcia.

— W żadnym wypadku jednak nie odmówi mi pani tego — powiedziałem — że skoro czyni mi pani honor rozmowy ze mną, powinienem wiedzieć, jak się do pani zwracać. Czy mam mówić madame hrabina?

Roześmiała się i bez wątpienia uczyniłaby kolejny unik — jeśli zaprawdę mogę traktować jakiekolwiek zdarzenie w rozmowie, w której każda okoliczność została zaplanowana, jak teraz myślę, z największą przebiegłością — jako mogący zostać zmodyfikowany przez przypadek.

— Jeśli o to chodzi — zaczęła, lecz zaledwie zdążyła otworzyć usta, gdy przeszkodził jej dżentelmen ubrany na czarno, który wyglądał wyjątkowo elegancko i dystyngowanie, z tą wadą, że miał twarz tak śmiertelnie bladą, jak widuje się jedynie po śmierci. Nie miał na sobie kostiumu, ale zwykły strój wieczorowy dżentelmena, i powiedział bez uśmiechu, lecz z dworskim i niezwykle niskim ukłonem:

— Czy madame hrabina pozwoli mi powiedzieć kilka słów, które mogą ją zainteresować?

Dama zwróciła się szybko do niego i dotknęła ust

palcem na znak milczenia, a potem powiedziała do mnie:

— Proszę zarezerwować mi to miejsce, generale, wrócę, gdy tylko zamienię kilka słów.

Po tym nakazie, wydanym w zabawny sposób, odeszła trochę na bok z dżentelmenem w czerni i rozmawiała przez kilka minut, wyraźnie ożywiona. Potem oddalili się razem wolno, znikając w tłumie, i nie widziałem ich przez kilka minut.

Spędziłem ten czas, łamiąc sobie głowę nad domysłami co do tożsamości tej damy, która zdawała się mnie tak łaskawie pamiętać, i rozważałem odwrócenie się i dołączenie do rozmowy mojej ładnej podopiecznej i córki hrabiny, i spróbowanie, czy zanim nie wróci, nie będę miał dla niej gotowej niespodzianki w postaci znajomości jej nazwiska, tytułu, *château* i posiadłości. Ale w tej chwili dama wróciła w towarzystwie bladego mężczyzny w czerni, który powiedział:

— Wrócę i powiadomię madame hrabinę, gdy jej powóz będzie czekał przy drzwiach.

Wycofał się z ukłonem.

12

Gorąca prośba

— W takim razie stracimy madame hrabinę, ale mam nadzieję, że tylko na kilka godzin — powiedziałem, kłaniając się nisko.

— Możliwe, że tylko na tyle, a może na kilka tygodni. Otrzymałam przed chwilą bardzo niefortunną wiadomość od mojego rozmówcy. Czy pan mnie zna?

Zapewniłem ją, że nie.

— Pozna mnie pan — obiecała — ale nie teraz. Jesteśmy starszymi i lepszymi przyjaciółmi, niż pan zapewne podejrzewa. Nie mogę jeszcze zdradzić mojej tożsamości. Za trzy tygodnie będę przejeżdżać koło pańskiego pięknego *schlossu*, o który się wypytywałam. Zajrzę wtedy do pana na godzinę lub dwie, żeby odnowić przyjaźń, która niesie ze sobą w mojej pamięci tysiące miłych wspomnień. W tej chwili dotarła do mnie wiadomość jak grom z nieba. Muszę wyruszyć natychmiast i przejechać krętą drogą blisko sto sześćdziesiąt kilometrów, z największą możliwą prędkością. Moje rozterki się mnożą. Jedynie obowiązkowa rezerwa, którą przyjęłam, co do zdradzenia mojego nazwiska, powstrzymuje mnie przed zwróceniem się do pana z wyjątkową prośbą. Moje biedne dziecko nie do końca odzyskało swoje siły. Jej koń zrzucił ją na polowaniu, które wyjechała

obejrzeć. Jeszcze nie do końca doszła do siebie po szoku i nasz lekarz twierdzi, że pod żadnym pozorem nie może się ona zbytnio przemęczać przez jakiś czas. Przyjechałyśmy tutaj z tego powodu, dzieląc trasę na krótkie etapy, niecałe trzydzieści kilometrów dziennie. Muszę podróżować teraz dzień i noc z misją, której stawką jest życie albo śmierć — misją, której krytyczny i przełomowy charakter będę mogła panu zdradzić, gdy się znowu spotkamy, tak jak mam nadzieję, za kilka tygodni, bez konieczności ukrywania mojej tożsamości.

Przeszła następnie do przedstawienia swojej gorącej prośby tonem osoby, dla której taka prośba oznaczała raczej uczynienie przywileju niż poproszenie o uprzejmość. Było to widoczne jedynie w stylu i wydawało się zupełnie nieświadome. A jeśli chodzi o słowa, w jakich została ona wyrażona, nic nie mogło być bardziej naganne. Hrabina życzyła sobie, abym zgodził się zaopiekować córką pod jej nieobecność.

Była to, wszystko razem wziąwszy, dziwna, żeby nie powiedzieć zuchwała prośba. Hrabina w pewnym sensie obezwładniła mnie, mówiąc i zwracając uwagę na wszystkie kontrargumenty, które można było wysunąć, i zawierzając się całkowicie mojej rycerskości. W tej samej chwili pechowym zrządzeniem, które, wydaje się, z góry zdecydowało o wszystkim, co się wydarzyło, moje biedne dziecko podeszło do mnie i szeptem poprosiło, żebym zaprosił jej nową

przyjaciółkę Millarcę do złożenia nam wizyty. Właśnie próbowała to wysondować i myślała, że jeśli jej mama wyrazi zgodę, dziewczyna bardzo by tego chciała.

Innym razem poprosiłbym ją, żeby zaczekała chwilę, abyśmy przynajmniej zdążyli się dowiedzieć, kim one są. Obydwie damy mnie zaatakowały i muszę przyznać, że szlachetna i piękna twarz młodej damy, w której było coś bardzo pociągającego, jak również elegancja i atrakcyjność wysokiego urodzenia uwiodły mnie. Całkiem pokonany ustąpiłem i podjąłem się, zbyt łatwo, opieki nad młodą damą, którą jej matka zwała Millarcą.

Hrabina wezwała skinieniem swoją córkę, która słuchała z ogromną uwagą, gdy dama mówiła jej w ogólnych słowach, jak nagle i nieodwołalnie została wezwana, a także o planach, jakie poczyniła dla niej na pobyt pod moją opieką, dodając, że byłem jednym z jej pierwszych i najbardziej cenionych przyjaciół.

Uczyniłem oczywiście takie deklaracje, jakich sytuacja zdawała się wymagać, i znalazłem się, patrząc wstecz, w położeniu, które w ogóle mi się nie podobało.

Dżentelmen w czerni powrócił i z ogromnym ceremoniałem wyprowadził damę z pokoju.

Sposób zachowania tego dżentelmena miał za zadanie przekonać mnie, że dama jest dużo ważniejszą

osobą, niż mógłbym przypuszczać, sądząc po samym jej skromnym tytule.

Jej ostatnim poleceniem było, abym nie próbował dowiedzieć się o niej niczego więcej ponad to, czego już się domyślałem, do czasu jej powrotu. Nasz dystyngowany gospodarz, którego gościem była, znał powody jej milczenia w tej sprawie.

— Ale tutaj — dodała — ani ja, ani moja córka nie możemy być bezpieczne nawet przez jeden dzień. Zdjęłam swoją maskę nieostrożnie na chwilę około godziny temu i za późno... wydawało mi się, że pan mnie widział. Postanowiłam więc poszukać okazji, żeby z panem trochę porozmawiać. Gdybym odkryła, że pan mnie widział, zdałabym się na pana poczucie honoru, zawierzając panu zachowanie mojej tajemnicy przez kilka tygodni. W obecnej sytuacji jestem zadowolona, że pan mnie nie widział, ale jeśli teraz pan podejrzewa... albo z perspektywy będzie pan podejrzewał, kim jestem, zdaję się w podobny sposób całkowicie na pana honor. Moja córka również dochowa tajemnicy, a ja dobrze wiem, że pan od czasu do czasu przypomni jej o tym, żeby bezmyślnie nie wyjawiła naszego sekretu.

Szepnęła kilka słów do swojej córki, pocałowała ją pośpiesznie dwa razy i odeszła w towarzystwie bladego dżentelmena w czerni, po czym zniknęła w tłumie.

— W sąsiednim pokoju — zauważyła Millarca — jest okno, które wychodzi na drzwi do holu. Chciałabym zobaczyć mamę, jak odjeżdża, i posłać jej pożegnalnego całusa.

Zgodziliśmy się oczywiście i poszliśmy razem z nią do okna. Wyjrzeliśmy i zobaczyliśmy elegancki staromodny powóz z ekipą powożących i lokajów. Ujrzeliśmy szczupłą postać bladego dżentelmena w czerni, gdy podtrzymywał grubą aksamitną pelerynę, którą nałożył na jej ramiona, a potem naciągnął kaptur na głowę. Skinęła na niego i dotknęła jedynie jego dłoni swoją. Skłonił się nisko ponownie, gdy zamknęły się drzwi, i powóz ruszył.

— Odjechała — zauważyła Millarca z westchnieniem.

— Odjechała — powtórzyłem sam do siebie po raz pierwszy w tych pośpiesznych momentach, które upłynęły od czasu, gdy wyraziłem zgodę, zastanawiając się nad głupotą mojego czynu.

— Nie popatrzyła na mnie — zauważyła młoda dama smutno.

— Hrabina zdjęła swoją maskę, być może nie chciała pokazywać twarzy — powiedziałem — i nie wiedziała, że stoisz w oknie.

Westchnęła i spojrzała mi w twarz. Była taka piękna, że się poddałem. Zrobiło mi się przykro, że przez chwilę żałowałem swojej gościnności, i postanowiłem wynagrodzić jej niezamierzoną grubiańskość mojego przyjęcia.

Młoda dama, nakładając maskę, wspólnie z moją podopieczną przekonały mnie, żeby wrócić do parku,

gdzie wkrótce miał być wznowiony koncert. Uczyniliśmy to i spacerowaliśmy tam i z powrotem po tarasie, który znajduje się pod oknami zamku. Millarca poczuła się bardzo swobodnie w naszym towarzystwie i zabawiała nas żywymi opisami i opowieściami o większości wielkich ludzi, których widzieliśmy na tarasie. Z każdą minutą podobała mi się bardziej i bardziej. Jej plotkowanie, nie będąc złośliwym, stanowiło dla mnie ogromną rozrywkę, jako że już od dawna nie uczestniczyłem w uciechach wielkiego świata. Myślałem, jak bardzo ożywi ona nasze czasami samotne wieczory w domu.

Ten bal skończył się dopiero, gdy poranne słońce nieomal znajdowało się na horyzoncie. Wielki książę Charles miał ochotę tańczyć do tej pory, więc lojalni goście nie mogli odejść albo myśleć o spaniu.

Zdążyliśmy właśnie przedostać się przez zatłoczony salon, gdy moja podopieczna zapytała mnie, co się stało z Millarcą. Myślałem, że była z nią, a jej się wydawało, że jest ze mną. Fakt był taki, że ją zgubiliśmy.

Wszystkie moje wysiłki, by ją znaleźć, zakończyły się fiaskiem. Obawiałem się, że zgubiwszy nas na chwilę, pomyliła innych ludzi ze swoimi nowymi przyjaciółmi i być może szła za nimi na tym obszernym terenie, który był oddany dla gości.

Teraz w pełni zrozumiałem kolejne głupstwo, jakie popełniłem, podejmując się opieki nad młodą damą, nie znając nawet jej nazwiska i będąc skrępowany obietnicą, o której powodach nałożenia nic nie wiedziałem. Nie mogłem nawet wszcząć poszukiwań, mówiąc, że młoda dama, która zaginęła, jest córką hrabiny, która wyjechała stąd kilka godzin temu.

Nadszedł ranek. Dzień był już w pełni, gdy zakończyliśmy poszukiwania. Dopiero o godzinie drugiej następnego dnia dowiedzieliśmy się czegoś o naszym zaginionym gościu.

Mniej więcej o tej godzinie służący zapukał do drzwi pokoju mojej siostrzenicy, mówiąc, że młoda dama, która wydawała się bardzo zdenerwowana, prosiła go gorąco, aby dowiedział się, gdzie może znaleźć generała barona Spielsdorfa i młodą damę, jego córkę, pod których opieką pozostawiła ją matka.

Nie mogło być wątpliwości, pomijając pewną nieścisłość, że pojawiła się nasza młoda przyjaciółka, i tak też było. Gdyby niebiosa pozwoliły nam ją zgubić!

Opowiedziała mojemu biednemu dziecku historię, żeby wyjaśnić, dlaczego nie udało się jej odnaleźć nas przez tak długi czas. Bardzo późno, powiedziała, weszła do sypialni gospodyni, szukając nas rozpaczliwie, a potem zapadła w sen, który mimo że był długi, nie wystarczył, aby przywrócić jej siły po wysiłkach związanych z balem.

Tego dnia Millarca przyjechała z nami do naszego domu. Byłem bardzo szczęśliwy, koniec końców, że zapewniłem taką czarującą towarzyszkę dla mojej drogiej dziewczynki.

13

Drwal

— Wkrótce jednak pojawiły się pewne minusy. Po pierwsze, Millarca narzekała na ogromne zmęczenie... osłabienie, które towarzyszyło jej od niedawnej choroby... i nigdy nie wychodziła ze swojego pokoju przed dość późnym popołudniem. Po drugie, odkryto przez przypadek, że mimo iż zawsze zamykała drzwi na klucz od środka i nigdy nie usuwała go ze swojego miejsca, dopóki nie wpuściła pokojówki, która pomagała jej przy toalecie, była bez wątpienia czasami nieobecna w swoim pokoju wcześnie rano i o różnych porach w ciągu dnia, przed godziną, o której chciała dać znać domownikom, że już wstała. Wielokrotnie widziano ją z okien *schlossu* bladym świtem, idącą pomiędzy drzewami w kierunku wschodnim i wyglądającą jak osoba w transie. To przekonało mnie, że lunatykuje. Ale ta hipoteza nie rozwiązywała zagadki. Jak wychodziła ze swojego pokoju, pozostawiając drzwi zamknięte od wewnątrz? Jak wydostawała się z domu, nie odryglowując drzwi czy okna?

Pośród wszystkich moich niepewności pojawiła się dużo bardziej dojmująca troska.

Moje drogie dziecko zaczęło tracić swój piękny wygląd i zdrowie, a to w sposób tak tajemniczy, nawet straszny, że całkowicie mnie to przeraziło.

Na początku miewała odrażające sny, potem, jak się jej wydawało, nawiedzała ją zjawa, czasami przypominająca Millarcę, czasami pod postacią bestii słabo widocznej, wędrującej wokół nóg jej łóżka, z jednej strony na drugą. Na koniec pojawiły się doznania. Jedno, nie nieprzyjemne, ale bardzo szczególne, mówiła, przypominało lodowaty strumień biegnący po jej piersi. W późniejszym czasie czuła, jakby para dużych igieł przeszywała ją tuż poniżej gardła, wywołując wielki ból. Po kilku nocach nadeszło konwulsyjne uczucie duszenia, potem utrata przytomności.

Słyszałam wyraźnie każde słowo, które wypowiadał stary dobry generał, ponieważ teraz poruszaliśmy się po niskiej trawie, która rozciąga się z obydwu stron drogi, gdy podróżny zbliża się do wioski bez dachów, w której nie widziano dymu z kominów od ponad pół wieku.

Możecie się domyślać, jak dziwnie się czułam, odnajdując własne symptomy, tak dokładnie opisane, w tych, jakich doświadczyła biedna dziewczyna, która — gdyby nie katastrofa, jaka nastąpiła — byłaby w tej chwili gościem w *château* mojego ojca. Możecie również przypuszczać, jak się czułam, gdy generał opisywał zwyczaje i tajemnicze cechy szczególne, które były w istocie zwyczajami i cechami naszego pięknego gościa, Carmilli!

Nagle wyjechaliśmy z lasu na polanę, znajdując się w jednej chwili w towarzystwie kominów i resztek

dachów wioski, a wieże i mury obronne rozebranego zamku, otoczone grupami gigantycznych drzew, zawisły nad nami, jako że znajdowały się na nieznacznym wzniesieniu.

W przerażającym letargu wyszłam z powozu i w ciszy, bo każdy z nas miał mnóstwo rzeczy do przemyślenia, wkrótce weszliśmy po podjeździe i znaleźliśmy się pośród przestronnych komnat, wijących się schodów i ciemnych korytarzy zamku.

— I to była kiedyś pałacowa rezydencja Karnsteinów! — powiedział w końcu stary generał, gdy z ogromnego okna wyjrzał na wioskę i zobaczył szeroką falującą połać lasu. — To była zła rodzina i tutaj jej splamione krwią kroniki zostały zapisane — kontynuował. — To niesprawiedliwe, że po śmierci nadal prześladują ludzką rasę swoim odrażającym pożądaniem. To jest kaplica Karnsteinów, tam w dole.

Wskazał na szare ściany gotyckiego budynku, częściowo widocznego w listowiu.

— I słyszę siekierę drwala — dodał — zajętego drzewami, które ją otaczają, być może udzieli nam informacji, której poszukuję, i wskaże grób Mircalli, hrabiny Karnstein. Ci wieśniacy zachowują lokalne tradycje wielkich rodzin, których historie giną pośród bogatych i utytułowanych tak szybko, jak i same rodziny wygasają.

— Mamy w domu portret Mircalli, hrabiny Karnstein, chciałbyś go zobaczyć? — zaproponował mój ojciec.

— Nie śpieszy się, drogi przyjacielu — odparł generał. — Wydaje mi się, że widziałem oryginał, a jednym z powodów, które przywiodły mnie do ciebie wcześniej, niż na początku zamierzałem, było zbadanie kaplicy, do której się teraz zbliżamy.

— Co?! Widziałeś hrabinę Mircallę? — wykrzyknął mój ojciec. — To niemożliwe, nie żyje od ponad wieku!

— Słyszałem, że nie jest wcale tak nieżywa, jak ci się wydaje — wyjaśnił generał.

— Przyznaję, generale, zadziwiasz mnie absolutnie — odparł mój ojciec, spoglądając na niego, jak mi się wydawało, przez chwilę z tą samą podejrzliwością, którą zauważyłam wcześniej.

Jednak mimo że w zachowaniu starego generała były czasami widoczne gniew i odraza, nie było w nim nic szalonego.

— Pozostaje mi — kontynuował generał, gdy przechodziliśmy pod ciężkim łukiem gotyckiego kościoła, którego rozmiary tłumaczyły styl, w jakim był wzniesiony — zaledwie jeden cel, który może mnie interesować w ciągu tych kilku lat, jakie pozostają mi na ziemi, a mianowicie zemsta, która, dziękuję Bogu, może zostać dokonana ręką śmiertelnika.

— Jaką zemstę masz na myśli? — zapytał mój ojciec z rosnącym zdziwieniem.

— Mam na myśli pozbawienie tego potwora głowy — odparł, gwałtownie się czerwieniąc, i tupnął nogą, a w pustych ruinach rozległo się posępne echo.

Generał uniósł w tej samej chwili zaciśniętą pięść, jakby trzymała rękojeść topora, i potrząsał nią gwałtownie w powietrzu.

— Co?! — wykrzyknął mój ojciec, zdumiony jak nigdy dotąd.

— Pozbawić ją głowy.

— Odciąć jej głowę?

— Tak, siekierą, łopatą albo czymkolwiek innym, co rozłupie jej mordercze gardło. Zobaczycie — odparł, drżąc z gniewu. I śpiesząc przed siebie, dodał: — Ta belka posłuży za siedzisko, twoje biedne dziecko jest zmęczone, niech usiądzie, a ja w kilku zdaniach dokończę swoją straszną opowieść.

Belka w kształcie prostopadłościanu, która leżała na porośniętej trawą posadzce kaplicy, tworzyła ławkę, na której bardzo chętnie się usadowiłam, a w tym czasie generał przywołał drwala, który usuwał gałęzie, jakie opierały się na starych ścianach, i z toporem w dłoni krzepki mężczyzna stanął przed nami.

Nie potrafił nic nam powiedzieć o tych pomnikach, ale jest stary mężczyzna, powiedział, tutejszy strażnik leśny, obecnie przebywający w domu księdza, przeszło trzy kilometry stąd, który potrafi wskazać każdy pomnik starej rodziny Karnsteinów i za symboliczne wynagrodzenie sprowadzi go tutaj, jeśli pożyczymy mu jednego z koni, w niecałe pół godziny.

— Czy od dawna jest pan zatrudniony w tym lesie? — zwrócił się z pytaniem do starszego mężczyzny mój ojciec.

— Jestem tu drwalem — odparł w swoim *patois** — pod strażnikiem leśnym, odkąd pamiętam, tak samo mój ojciec przede mną, i tak dalej, i tak dalej, tyle pokoleń, ile jestem w stanie naliczyć. Mógłbym pokazać panu dom w tej wiosce, w którym mieszkali moi przodkowie.

— Co się stało, że wioska została opuszczona? — zapytał generał.

— Była nękana przez *revenants*, sir, kilku zostało wyśledzonych aż do ich grobów i tam wykrytych przez zwyczajowe próby i wyeliminowanych w typowy sposób, poprzez obcięcie głowy, umieszczenie na stosie i spalenie, ale wcześniej wielu mieszkańców wioski zostało zabitych. Po tych wszystkich działaniach zgodnych z prawem — kontynuował — otworzeniu tak wielu grobów i pozbawieniu tak wielu wampirów ich strasznego stanu żywotności wioska nie została wyswobodzona. Potem pewien arystokrata z Moraw, który akurat przejeżdżał tędy podczas swojej podróży, usłyszał, co się tu dzieje, i znając się świetnie, jak wielu ludzi w jego kraju, na takich sprawach, zaoferował, że uwolni wioskę od prześladowcy. Jako że tej nocy świecił jasny księżyc, wszedł tu po zachodzie słońca, na tę wieżę kaplicy, skąd wyraźnie widział cmentarz w dole. Widać go z tego okna. Z owego miejsca przyglądał się, aż zobaczył wampira, jak wychodzi z grobu i kładzie

---

* *Patois* (franc.) — gwara, narzecze.

w pobliżu lniany całun, w który był zawinięty, i dryfuje w kierunku wioski, żeby prześladować jej mieszkańców.

Nieznajomy, widząc to wszystko, zszedł z wieży, wziął lniany całun wampira i zaniósł go na górę wieży, na którą ponownie się wspiął. Gdy wampir powrócił ze swoich łowów i zauważył, że nie ma jego stroju, zawołał wściekle do Morawianina, którego ujrzał na szczycie wieży i który w odpowiedzi zachęcił go, żeby ten wszedł na górę i zabrał swój strój. Wampir wtedy, przyjmując zaproszenie, zaczął wspinać się na wieżę, ale gdy tylko doszedł do murów obronnych, Morawianin cięciem swojego miecza rozłupał jego czaszkę na dwoje i strącił go w dół, na cmentarz. Potem zszedł po krętych schodach, ruszył za nim i odciął głowę wampira, a następnego dnia przekazał głowę i ciało wieśniakom, którzy jak należy nadziali je na pal i spalili.

Arystokrata z Moraw został upoważniony przez starszego członka rodziny do usunięcia grobu Mircalli, hrabiny Karnstein, co w końcu uczynił, i tak w niedługim czasie miejsce, w którym się znajdował, zostało zupełnie zapomniane.

— Czy może nam pan pokazać, gdzie się znajdował? — zapytał gorączkowo generał.

Drwal potrząsnął głową i się uśmiechnął.

— Nie ma żywej duszy, która mogłaby to panu teraz powiedzieć — odparł — poza tym, mówią, że jej ciało zostało zabrane, ale nikt nie jest tego pewien.

Gdy już nam to wszystko opowiedział, jako że czas gonił, zostawił swoją siekierę i odjechał, opuszczając nas, byśmy mogli wysłuchać pozostałej części dziwnej opowieści generała.

14

Spotkanie

— Stan zdrowia mojego kochanego dziecka — kontynuował opowieść generał — pogarszał się teraz gwałtownie. Lekarz, który nad nią czuwał, nie był w stanie podać nam najmniejszego powodu jej choroby, bo tak wtedy rozumiałem tę niedyspozycję. Widział mój niepokój i zaproponował konsultacje. Wezwałem znamienitszego lekarza z Grazu. Kilka dni minęło, zanim przyjechał. Był dobrym, pobożnym, jak również uczonym człowiekiem. Gdy już zbadali razem moje biedne dziecko, oddalili się do biblioteki, żeby naradzić się i porozmawiać. W sąsiednim pokoju, w którym oczekiwałem na ich wezwanie, słyszałem głosy tych dwóch dżentelmenów, bardziej gniewne, niż mogłaby to tłumaczyć ściśle filozoficzna dyskusja. Zapukałem do drzwi i wszedłem. Zobaczyłem, że stary lekarz z Grazu broni swojej teorii. Jego rywal krytykował ją z otwartym szyderstwem, czemu towarzyszyły wybuchy śmiechu. Ta nieelegancka manifestacja ucichła i kłótnia skończyła się, gdy wszedłem.

— Sir — zaczął pierwszy lekarz — mój uczony brat zdaje się uważać, że potrzebuje pan czarodzieja, nie doktora.

— Proszę mi wybaczyć — odezwał się stary le-

karz z Grazu, wyglądający na niezadowolonego. — Przedstawię moją opinię na temat tego przypadku we własny sposób innym razem. Żałuję, monsieur generale, że z moimi umiejętnościami i nauką nie mogę się przydać. Zanim odjadę, uczynię sobie honor doradzenia panu czegoś.

Wydawał się bardzo zamyślony, usiadł przy stole i zaczął pisać. Głęboko rozczarowany skłoniłem się i gdy odwracałem, żeby wyjść, drugi doktor pokazał przez ramię na swojego towarzysza, który pisał, a potem, wzruszając ramionami, znacząco dotknął czoła.

Te konsultacje pozostawiły mnie dokładnie w miejscu, w którym się znajdowałem. Wyszedłem przed zamek, całkowicie oszalały. Doktor z Grazu po dziesięciu czy piętnastu minutach dogonił mnie. Przeprosił, że za mną idzie, ale powiedział, iż nie mógłby z czystym sumieniem wyjechać, nie zamieniając ze mną jeszcze kilku słów. Powiedział mi, że nie może się mylić — żadna inna naturalna choroba nie cechowała się takimi samymi symptomami — i że śmierć była już bardzo blisko. Pozostawał jednak dzień, może dwa dni życia. Gdyby śmiertelny atak został przerwany natychmiast, przy ogromnych staraniach i umiejętnościach być może odzyskałaby siły. Ale wszystko to było poza naszymi wpływami. Kolejny atak mógł zgasić ostatnią iskrę życia, która jeszcze się w niej tliła, ale mogła w każdej chwili zgasnąć.

— A jakiego rodzaju jest atak, o którym pan mówi? — zapytałem.

— Wszystko zawarłem w tej notatce, którą panu wręczam, pod wyraźnym warunkiem, że pośle pan po najbliższego duchownego i otworzy mój list w jego obecności, i pod żadnym pozorem nie wolno go panu czytać, zanim do pana nie przybędzie; w przeciwnym razie wyśmiałby go pan, a to jest kwestia życia i śmierci. Gdyby ksiądz nie mógł przyjechać, wtedy może go pan przeczytać.

Zanim w końcu wyjechał, zapytał mnie, czy życzyłbym sobie porozmawiać z człowiekiem zadziwiająco zaznajomionym z tym właśnie tematem, który, gdy już przeczytam ten list, najprawdopodobniej będzie mnie wysoce interesować, i nakłaniał żarliwie, abym zaprosił go, gdybym zdecydował się na wizytę, i tymi słowami się ze mną pożegnał.

Duchowny był nieobecny, więc przeczytałem list sam. Innym razem, w innym przypadku mógłby wzbudzić moją drwinę. Ale w jakich to zabobonach ludzie nie będą pokładać ostatniej nadziei, gdy wszystkie autorytety zawiodły, a stawką jest życie ukochanej osoby?

Nic, powiecie, nie mogło być bardzie absurdalne niż list tego uczonego człowieka. Był tak potworny, że jego autora można byłoby zamknąć w domu dla obłąkanych. Mówił, że pacjentka cierpi na wizytacje wampira! Nakłucia, jakie według jej słów pojawiły się w pobliżu gardła, utrzymywał, są miejscem po wbiciu tych dwóch długich, cienkich i ostrych zębów, które — jak dobrze wiadomo — są typowe dla wampirów. Dodawał również, że nie może być wątpliwości co do wyraźnej obecności małej sinej plamki, w kwestii której wszyscy się zgadzają, że pozostawiły ją usta demona, i każdy symptom opisany przez chorą zgadza się dokładnie z symptomami zarejestrowanymi w każdym przypadku podobnych wizytacji.

Jako że sam byłem całkowicie sceptyczny co do istnienia takiej siły jak wampir, nadnaturalna teoria dobrego doktora była, w mojej opinii, zaledwie kolejnym przejawem nauki i wiedzy dziwnie związanej z rodzajem halucynacji. Byłem jednak tak nieszczęśliwy, że mając do wyboru nie robić nic, postąpiłem zgodnie z instrukcjami podanymi w liście.

Ukryłem się w mrocznej garderobie, której drzwi wychodziły na pokój biednej pacjentki, w którym płonęła świeca, i obserwowałem ją, aż głęboko zasnęła. Stałem przy drzwiach, zaglądając przez małą szczelinę, ze szpadą spoczywającą na stole obok mnie, tak jak zalecały instrukcje, aż zaraz po pierwszej ujrzałem, jak duży czarny obiekt o bardzo niewyraźnym zarysie wspina się, jak mi się wydawało, na łóżko w jego nogach i szybko się kładzie, sięgając gardła biednej dziewczyny, a potem rośnie w jednej chwili, stając się ogromną pulsującą masą.

Przez kilka sekund stałem jak skamieniały. Teraz skoczyłem do przodu ze szpadą w dłoni. Czarne stworzenie nagle się skurczyło i znalazło w nogach łóżka, następnie ześlizgnęło się z nich i ujrzałem stojącą na podłodze, oddaloną o prawie metr od łóżka, wpatrzoną we mnie z przyczajoną wściekłością i przerażeniem Millarcę. Spodziewając się nie wiem czego, zaatakowałem ją natychmiast szpadą, ale potem zobaczyłem, że stoi w pobliżu drzwi, nietknięta. Przerażony, kontynuowałem i zaatakowałem znowu. Zniknęła, a moja szpada rozpadła się na kawałki na drzwiach.

Nie umiem wam opowiedzieć wszystkiego, co zdarzyło się tej strasznej nocy. Cały dom się obudził i wrzał. Duch Millarki zniknął. Ale jej ofiara gasła szybko w oczach i zanim wstał świt, nie żyła.

Stary generał był poruszony. Nie odzywaliśmy się do niego. Mój ojciec oddalił się trochę i zaczął czytać napisy na grobach; zajęty tym zniknął w drzwiach bocznej kaplicy, by kontynuować swoje badania. Generał oparł się o ścianę, otarł oczy i westchnął ciężko. Poczułam ulgę, słysząc głosy Carmilli i madame, które w tej chwili zbliżały się do nas. Głosy jednak ucichły.

W tej samotności, wysłuchawszy właśnie tak dziwnej historii, związanej przecież z wielkimi i utytułowanymi zmarłymi, których pomniki kruszyły się pośród kurzu i bluszczu wokół nas i której każde zdarzenie nawiązywało tak strasznie do mojego własnego tajemniczego przypadku — w tym nawiedzonym miejscu, zaciemnionym przez górujące

nad wszystkim listowie, które wznosiło się z każdej strony, gęsto i wysoko ponad jego bezszelestnymi ścianami — zaczął ogarniać mnie strach i zrobiło mi się bardzo smutno, gdy pomyślałam, że moje przyjaciółki mimo wszystko nie przyjdą i nie ożywią tej smutnej i złowieszczej scenerii.

Stary generał wpatrywał się w ziemię, z ręką opartą na postumencie rozbitego pomnika.

Pod wąskim łukiem, zwieńczonym tymi demonicznymi groteskami, w których lubuje się cyniczny i przerażający styl starej gotyckiej rzeźby, zobaczyłam z radością piękną twarz i postać Carmilli wchodzącej do ciemnej kaplicy.

Już miałam wstać i przemówić, skinąwszy i uśmiechnąwszy się w odpowiedzi na jej wyjątkowo ujmujący uśmiech, gdy stary mężczyzna u mojego boku z krzykiem pochwycił siekierę drwala i ruszył do przodu. Kiedy go zobaczyła, jej rysy przeszły okrutną przemianę. Była to natychmiastowa i straszna transformacja, która towarzyszyła jej przyczajonemu krokowi w tył. Zanim zdążyłam krzyknąć, wymierzył jej cios z całej siły, ale ona go uniknęła i niedraśnięta chwyciła go swoją malutką dłonią za nadgarstek. Usiłował przez chwilę uwolnić swoje ramię, ale jego dłoń otwarła się, siekiera wypadła na ziemię, a dziewczyna zniknęła.

Z trudem oparł się o ścianę. Jego siwe włosy sterczały na głowie, a na twarzy lśnił pot, jakby zaraz miał umrzeć.

Ta przerażająca scena trwała zaledwie chwilę. Pierwszą rzeczą, którą zapamiętałam z tamtej chwili, to madame stojąca przede mną i niecierpliwie powtarzająca raz po raz pytanie:

— Gdzie jest mademoiselle Carmilla?

Odparłam w końcu:

— Nie wiem... nie umiem powiedzieć... poszła tam — i wskazałam na drzwi, przez które właśnie weszła madame — jakąś minutę czy dwie minuty temu.

— Ale ja stałam tam, w przejściu, odkąd mademoiselle Carmilla weszła tutaj i nie wróciła.

Potem zaczęła wołać: „Carmilla" do każdych drzwi, każdego przejścia, a także przez okna, lecz nie było żadnej odpowiedzi.

— Nazywała się Carmilla? — dopytywał generał, nadal wzburzony.

— Carmilla, tak — odpowiedziałam.

— To jest Millarca — stwierdził. — To jest ta sama osoba, która dawno temu zwana była Mircallą, hrabiną Karnstein. Opuść tę przeklętą ziemię, moje biedne dziecko, jak najszybciej. Jedź do domu duchownego i zostań tam do naszego powrotu. Jedź! Obyś nigdy więcej nie zobaczyła Carmilli, tutaj jej nie znajdziesz.

15

Polowanie i egzekucja

Gdy generał mówił, jeden z najdziwniej wyglądających mężczyzn, jakich kiedykolwiek widziałam, wszedł do kaplicy przez drzwi, którymi weszła i wyszła Carmilla. Był wysoki, z zapadniętą klatką piersiową, przygarbiony, z uniesionymi barkami i ubrany na czarno. Miał brązową, wysuszoną, pooraną głębokimi bruzdami twarz, a na głowie kapelusz o dziwnym kształcie z szerokim rondem. Jego włosy, długie i siwe, zwisały mu na ramiona. Nosił złote okulary i szedł wolno, powłócząc nogami, a na jego twarzy, czasami zwróconej do nieba, a czasami pochylonej w stronę ziemi, zdawał się malować wieczny uśmiech. Jego długie, cienkie ramiona huśtały się, a chude dłonie w starych czarnych rękawiczkach, zdecydowanie za szerokich, machały i gestykulowały z roztargnieniem.

— Dokładnie ten mężczyzna, o którego mi chodziło! — wykrzyknął generał, ruszając do przybysza z widocznym zachwytem. — Mój drogi baronie, jakże się cieszę na twój widok, nie miałem nadziei, że spotkamy się tak szybko.

Przywołał gestem mojego ojca, który już wrócił, i prowadząc niesamowitego starego dżentelmena, którego nazywał baronem, żeby go poznał, przedsta-

wił go oficjalnie i natychmiast rozpoczęli ożywioną rozmowę. Nieznajomy wyjął rulon papieru z kieszeni i rozpostarł go na zniszczonej powierzchni grobu, który stał w pobliżu. W palcach trzymał ołówek, którym kreślił niewidzialne linie na papierze. Sądząc po ich częstych spojrzeniach na określone punkty w budynku, doszłam do wniosku, że to plan kaplicy. Swój wykład, jak bym to określiła, uzupełniał od czasu do czasu czytaniem z małej brudnej książeczki, której żółte strony były gęsto zapisane.

Powędrowali razem wzdłuż bocznej nawy, naprzeciw miejsca, w którym stałam, rozmawiając po drodze, a potem zaczęli mierzyć odległości krokami i w końcu wszyscy stanęli przed fragmentem bocznej ściany, którą zaczęli badać z ogromną dokładnością, odciągając bluszcz, jaki ją porastał, i uderzając w tynk końcami lasek, skrobiąc i pukając tu i tam. W końcu zidentyfikowali szeroką marmurową płytę z wyżłobionym na niej napisem.

Z pomocą drwala, który znowu się pojawił, odsłonili monumentalny napis i wyrzeźbioną tarczę herbową. Okazało się, że to dawno zaginiony pomnik Mircalli, hrabiny Karnstein.

Stary generał, mimo że — obawiam się — wcale nie w modlitewnym nastroju, uniósł ręce i wzrok do nieba w niemym podziękowaniu i trwał tak przez kilka chwil.

— Jutro — usłyszałam, jak mówi — zjawi się tu komisarz i odbędzie się śledztwo, zgodnie z prawem.

Następnie zwracając się do starego mężczyzny,

którego opisałam, uścisnął serdecznie obydwie jego dłonie i powiedział:

— Baronie, jak mam panu dziękować? Jak możemy wszyscy panu podziękować? Dzięki panu uwolnimy ten teren od zarazy, która go pustoszyła od ponad wieku. W końcu wytropiliśmy, dzięki Bogu, tego strasznego wroga.

Mój ojciec odszedł z nieznajomym na bok, a za nimi poszedł generał. Wiedziałam, że odsunęli się ode mnie, żebym ich nie słyszała, bo chciał opowiedzieć mu o moim przypadku, i widziałam, że często spoglądali na mnie w czasie rozmowy.

Ojciec podszedł do mnie, pocałował kilka razy i wyprowadzając z kaplicy, powiedział:

— Pora wracać, ale zanim pojedziemy do domu, musimy powiększyć naszą grupę o dobrego księdza, który mieszka niedaleko stąd, i nakłonić go, żeby zgodził się nam towarzyszyć do *schlossu*.

Nasza podróż zakończyła się sukcesem i byłam zadowolona, a zarazem niewypowiedzianie zmęczona, gdy przyjechaliśmy do domu. Lecz moje zadowolenie przerodziło się w rozpacz, gdy odkryłam, że nie ma żadnych wieści o Carmilli. Nikt nie wyjaśnił mi, co zaszło w ruinach kaplicy, i było oczywiste, że jest to sekret, którego mój ojciec na razie postanowił mi nie zdradzać.

Złowroga nieobecność Carmilli sprawiła, że wspomnienie tej sceny stało się jeszcze straszniejsze. Przygotowania do najbliższej nocy były wyjątkowe. Dwie służące i madame miały siedzieć ze mną w pokoju, a duchowny razem z ojcem pełnili wartę w sąsiedniej garderobie.

Ksiądz odprawił jakieś poważne rytuały, których celu nie rozumiałam, tak samo jak tych wyjątkowych środków ostrożności przedsięwziętych, by zapewnić mi bezpieczny sen.

Zrozumiałam wszystko dokładnie po kilku dniach.

Zniknięcie Carmilli zakończyło moje nocne cierpienia.

Słyszeliście bez wątpienia o przerażających przesądach, które pokutują w Górnej i Dolnej Styrii, na Morawach, Śląsku, w tureckiej Serbii, w Polsce, a nawet Rosji — przesądach, tak musimy je nazwać, o wampirach.

Jeśli świadectwo człowieka, złożone z największą starannością i powagą, z poszanowaniem prawa, przed niezliczonymi komisjami, z których każda liczyła wielu członków o nieposzlakowanej opinii i wybitnej inteligencji, i będące relacją bardziej obszerną być może, niż te dotyczące jakiejkolwiek innej kategorii spraw sądowych, jest cokolwiek warte, trudno zaprzeczyć, czy nawet wątpić, w istnienie takiego zjawiska jak wampir.

Jeśli chodzi o mnie, nie słyszałam żadnej teorii, która mogłaby wyjaśnić to, co sama przeżyłam, ponad to, czego dostarczają starożytne i dobrze udokumentowane wierzenia kraju.

Następnego dnia odbyło się formalne postępowanie w kaplicy rodu Karnstein. Grób hrabiny Mircalli został otwarty, a generał i mój ojciec rozpoznali swojego perfidnego i pięknego gościa w twarzy, która im się ukazała. Twarz, mimo że od czasu pogrzebu minęło sto pięćdziesiąt lat, była jak żywa. Miała otwarte oczy, z trumny nie wydobywał się trupi odór. Dwóch medyków, jeden obecny z urzędu, drugi w imieniu organizatora śledztwa, potwierdziło zdumiewający fakt, że dało się wyczuć słaby, lecz wyczuwalny oddech i analogiczną akcję serca. Kończyny były idealnie elastyczne, ciało giętkie, a ołowiana trumna wypełniona krwią, w której na głębokość blisko dwudziestu centymetrów zanurzone było ciało. Tutaj więc mieliśmy do czynienia ze wszystkimi uznanymi znakami i dowodami wampiryzmu. Ciało zatem, zgodnie ze starożytną praktyką, zostało wyjęte z trumny i ostry palik wbito w serce wampira, który wydał z siebie w tym momencie przeszywający krzyk, pod każdym względem przypominający krzyk żywej osoby w agonii. Następnie została odcięta głowa, a z szyi wypłynął strumień krwi. Ciało i głowę z kolei umieszczono na stosie drewna i zamieniły się w popiół, który został rozrzucony na wody rzeki i poniesiony z prądem, a teren już nigdy potem nie był nękany przez wizytacje wampirów.

Mój ojciec posiada kopię raportu cesarskiej komisji, z podpisami wszystkich, którzy byli obecni w trakcie tego postępowania, uwierzytelniającymi to oświadczenie. To na podstawie tego oficjalnego dokumentu przygotowałam opis tej ostatniej szokującej sceny.

16

Konkluzja

Przypuszczasz, że piszę to wszystko ze spokojem. Mylisz się jednak bardzo, nie jestem w stanie myśleć o tym bez zdenerwowania. Nic z wyjątkiem twojej gorącej prośby, tak często wyrażanej, nie mogłoby mnie skłonić, żeby usiąść do zadania, które tak rozstroiło moje nerwy na kilka miesięcy i na nowo sprowadziło ten cień niewypowiedzianego horroru, jaki przez lata po moim wybawieniu czynił moje dnie i noce okropnymi, a samotność straszną, nie do zniesienia.

Pozwól, że dodam słowo lub dwa o dziwnym baronie Vordenburgu, którego niespotykanej wiedzy zawdzięczaliśmy odkrycie grobu hrabiny Mircalli.

Zamieszkał w Grazu, gdzie żyjąc bardzo skromnie z tego, co zostało mu po kiedyś królewskich posiadłościach jego rodziny w Górnej Styrii, oddał się drobiazgowym i żmudnym badaniom cudownie udokumentowanej tradycji wampiryzmu. Miał na wyciągnięcie ręki wszystkie wielkie i małe dzieła na ten temat: *Magia Posthuma*, *Phlegon de Mirabilibus*, *Augustinus de Cura pro Mortius*, *Philosophicae et Christianae Cogitationes de Vampiris* Johna Christofera Herenberga i tysiące innych, spośród których pamiętam tylko te nieliczne, jakie pożyczył mojemu

ojcu. Miał pokaźne opracowanie wszystkich spraw sądowych, na podstawie których stworzył system zasad, jakie zdają się regulować — niektóre zawsze, inne jedynie okazjonalnie — funkcjonowanie wampira. Mogę wspomnieć przy okazji, że śmiertelna bladość przypisywana tego rodzaju *revenant* jest jedynie melodramatyczną fikcją. Charakteryzują się — w grobie i gdy pokazują się w towarzystwie ludzi — pozorami zdrowego wyglądu. Gdy zostaną wydobyci na światło dzienne w swoich trumnach, mają wszystkie symptomy, które zostały wymienione jako dowodzące egzystencji pod postacią wampira dawno zmarłej hrabiny Karnstein.

Jak wydostają się ze swoich grobów i wracają do nich na pewną liczbę godzin każdego dnia, nie naruszając ziemi ani nie uszkadzając trumny czy całunu, zawsze uważano za całkowicie niepojęte. Amfibiotyczna egzystencja wampira jest możliwa dzięki codziennie ponawianemu śnie w grobie. Jego straszne pożądanie żywej krwi zapewnia wigor jego egzystencji na jawie. Wampir przejawia skłonność do fascynacji — z pociągającą gwałtownością, przypominającą namiętność miłości — pewnymi osobami. W pogoni za nimi wykazuje niewyczerpaną cierpliwość i ucieka się do fortelu, ponieważ dostęp do konkretnych obiektów może być utrudniony na setki sposobów. Nigdy nie zrezygnuje, dopóki nie zaspokoi swoich namiętności i nie wyssie całego życia z uwielbianej ofiary. W tych przypadkach jednak będzie prowadził i przeciągał swoją morderczą zabawę ze znawstwem smakosza i ubarwi ją poprzez stopniowe zaloty zręcznej sztuki uwodzenia. W tej sytuacji zdaje się pragnąć czegoś na kształt sympatii i przyzwolenia. W zwykłych przypadkach kieruje się bezpośrednio do swojego obiektu, obezwładnia go przemocą, dusi i całkowicie wykorzystuje podczas jednej uczty.

Wampir najwyraźniej podlega, w pewnych sytuacjach, specjalnym warunkom. W tym konkretnym przypadku, o którym ci opowiedziałam, Mircalla zdawała się ograniczona imieniem, które — jeśli nie było jej prawdziwym — musiało przynajmniej odtwarzać, bez pominięcia czy dodania jednej litery — w formie anagramu — wszystkie te, które je tworzyły. Carmilla spełniała ten warunek, podobnie Millarca.

Mój ojciec opowiedział baronowi Vordenburgowi, który został u nas na dwa czy trzy tygodnie po wypędzeniu Carmilli, historię o morawskim arystokracie i wampirze z cmentarza Karnstein, a potem zapytał barona, jak udało mu się odkryć dokładne położenie długo ukrytego grobowca hrabiny Millarki? Groteskowe rysy barona wykrzywiły się w tajemniczym uśmiechu. Spojrzał w dół, nadal uśmiechając się do swojego sfatygowanego etui na okulary i bawiąc się nim. Potem podniósł wzrok i powiedział:

— Mam wiele dzienników i innych dokumentów napisanych przez tego wyjątkowego człowieka,

a najdziwniejszy wśród nich jest ten, który traktuje o wizycie, jaką pan wspomniał, w Karnstein. Tradycja oczywiście pozbawia koloru i zniekształca odrobinę. Mógł zostać nazwany morawskim arystokratą, ponieważ zmienił swoje miejsce zamieszkania, przenosząc się na Morawy, i był poza tym arystokratą. Ale w istocie urodził się w Górnej Styrii. Dość powiedzieć, że we wczesnej młodości był namiętnym i forowanym kochankiem pięknej Mircalli, hrabiny Karnstein. Jej wczesna śmierć wpędziła go w niepocieszony smutek. W naturze wampirów leży zwiększanie ich liczby i mnożenie według ustalonego i upiornego prawa.

Przyjmijmy na początek teren całkowicie wolny od tej zarazy. Jak się zaczyna i jak się rozmnaża? Opowiem panu. Osoba mniej lub bardziej podła kończy ze sobą. Samobójca, pod pewnymi warunkami, staje się wampirem. Ta zjawa odwiedza żyjących ludzi we śnie, umierają i niemal bez wyjątku w grobie stają się wampirami. Tak było w przypadku pięknej Mircalli, którą prześladował jeden z tych demonów. Mój przodek, Vordenburg, którego tytuł nadal noszę, wkrótce to odkrył i w trakcie studiów, którym się poświęcił, dowiedział się dużo więcej.

Między innymi doszedł do wniosku, że podejrzenie o wampiryzm padłoby prawdopodobnie wcześniej czy później na zmarłą hrabinę, która za życia była jego boginią. Wyobraził sobie grozę, bez względu na to, kim by się stała, jej szczątków sprofanowanych poprzez gwałt pośmiertnej egzekucji. Pozostawił ciekawy dokument, w którym udowadnia, że wampir po wypędzeniu go z jego amfibiotycznej egzystencji przechodzi w dużo straszniejszą postać życia, i postanowił uratować swoją kiedyś ukochaną Mircallę przed tym losem.

Zaplanował podróż tutaj, udał usunięcie jej szczątków i zatarł położenie jej pomnika. Gdy się zestarzał i z perspektywy lat spojrzał na sceny, które pozostawiał, ujrzał w innym świetle to, co zrobił, i opanowało go przerażenie. Sporządził wykresy i notatki, które zaprowadziły mnie na miejsce, spisał też wyznanie oszustwa, którego się dopuścił. Jeśli planował jakieś dalsze działania w tej sprawie, przeszkodziła mu śmierć, a ręka odległego krewnego, zbyt późno dla wielu, poprowadziła pościg do siedliska bestii.

Rozmawialiśmy jeszcze przez chwilę i między innymi powiedział to:

— Jedną z oznak wampira jest siła jego dłoni. Szczupła dłoń Carmilli zacisnęła się jak stalowe imadło na nadgarstku generała, gdy uniósł siekierę, żeby wymierzyć cios. Ale jego siła nie ogranicza się do uścisku, pozostawia odrętwienie w kończynie, którą pochwyci, z którego bardzo wolno, jeśli w ogóle, można się wyleczyć.

Następnej wiosny mój ojciec zabrał mnie w podróż po Włoszech. Wyjechaliśmy z domu na ponad rok. Upłynęło dużo czasu, zanim minął horror ostatnich wydarzeń, a do tej pory obraz Carmilli przycho-

dzi mi na pamięć. Widzę ją dwojako, z mieszanymi uczuciami — czasami jako wesołą, powolną, piękną dziewczynę, czasami jako wijącego się wroga, którego widziałam w ruinach kościoła, i często zrywam się z zamyślenia, ponieważ wydaje mi się, że słyszę lekki krok Carmilli pod drzwiami do salonu.

SPIS TREŚCI